Todos los caminos conducen al norte

La narrativa de Ricardo Elizondo Elizondo y Eduardo Antonio Parra

Todos los caminos conducen al norte

La narrativa de Ricardo Elizondo Elizondo
y Eduardo Antonio Parra

Nora Guzmán

FONDO EDITORIAL DE NUEVO LEÓN

Guzmán Sepúlveda, Nora

Todos los caminos conducen al norte. La narrativa de Ricardo Elizondo Elizondo y Eduardo Antonio Parra / por Nora Guzmán Sepúlveda. Monterrey, N. L.: Fondo Editorial de Nuevo León, 2009.

280 p. 24 cm.

ISBN 978-607-7577-35-5

1. Crítica literaria -- Literatura mexicana
2. México -- Nuevo León
3. Ricardo Elizondo Elizondo, 1950-
4. Eduardo Antonio Parra, 1965-

I. Tít.

LC: PQ7153 .G89
DEWEY: 863.4972

Fotografía de portada: D.R. © Aristeo Jiménez, 2009.

Coordinación editorial: Carolina Farías
Diseño de la colección: Eduardo Leyva, Florisa Orendain, Cordelia Portilla
Cuidado editorial: Cordelia Portilla

ISBN 978-607-7577-35-5

IMPRESO EN MÉXICO

Zaragoza 1300
Edificio Kalos, Nivel C2, Desp. 202
CP 64000, Monterrey, N.L., México
(81) 8344 2970 y 71
www.fondoeditorialnl.gob.mx

Índice

Introducción

El LIBRO QUE EL LECTOR tiene entre sus manos muestra el norte de México desde la perspectiva de dos escritores contemporáneos: Ricardo Elizondo Elizondo y Eduardo Antonio Parra. Las obras aquí analizadas –*Setenta veces siete* y *Narcedalia Piedrotas* del primero, y *Tierra de nadie* y *Nostalgia de la sombra* del segundo– son una muestra de cómo el arte, en este caso la literatura, puede convertirse en una expresión del imaginario que guarda una estrecha relación con la identidad.

Si bien en los últimos años ha habido un auge importante de autores que han abordado este tema, en realidad son aún pocos los estudios sobre la literatura del norte, y en especial aquélla que se escribe en la región del noreste.

Este libro pretende dar cuenta de cómo, a través de la literatura, se presentan "la modernidad" y sus ideales, es decir, cómo la escritura describe una causalidad que se deja sentir en los procesos modernizadores del norte mexicano. Los resultados ofrecerán al lector variados caminos para identificar y comprender el modo de ser del norestense y le permitirán acercarse a la geografía, la historia y los problemas de esta parte de México. A ambos autores los une su interés por el norte: Elizondo busca descifrar su pasado, ahondar en la historia del noreste y entender los antecedentes y causas de su situación actual, mientras que la escritura de Parra se ubica en el presente y aborda la transformación del mundo rural y de la urbe en la región.

La literatura de Elizondo y Parra expresa las formas de resistencia al cambio que tienen los habitantes de esta región, así como sus transformaciones, determinadas por el efecto de la globalización y por su cercanía con Estados Unidos. Ambos nos ofrecen una visión particular sobre la frontera, así como sus implicaciones culturales, sociales, políticas y económicas.

Las novelas de Elizondo describen la época en la que se inicia la llamada "modernización" en México y los temas que en ellas se desarrollan nos permiten revisar cómo fueron estas propuestas modernistas y si se llevaron a cabo o no. Su literatura es un mapa del espacio norestense, categoría fundamental de nuestro sistema cultural.

Por su parte, las narraciones de Parra se ubican a finales del siglo XX y muestran la crisis de esta modernidad. Su temática refleja la inequidad de la sociedad, así como los problemas generados por la violencia, la inseguridad, la injusticia, la desterritorialización y la migración, entre otros, lo que conduce a una deconstrucción del sujeto y a la pérdida de la identidad.

De este modo, tanto la literatura de Elizondo como la de Parra presentan una serie de temas reflejo de los problemas del norte mexicano, aun cuando dichos asuntos no dejan de ser un reflejo también de la situación del país y de la propia condición humana.

Su obra presenta la problemática que trae consigo la interacción entre globalización y pobreza, desarrollo científico y analfabetismo, movilidad de capitales y migración de personas que carecen de lo más mínimo para subsistir, así como la entronización del poder económico y el deterioro político, cultural y social.

En referencia a la pobreza, por ejemplo, tan sólo en el estado de Nuevo León las autoridades estatales reconocen que de los cerca de cuatro millones de habitantes que tiene el estado, 1 millón 83 mil 36 personas viven en estado de pobreza alimentaria o patrimonial, y de éstas, 915 mil 363 habitan en zonas urbanas y 167 mil 673 permanecen en áreas rurales.[1]

Por su parte, el tráfico de indocumentados es un negocio normal en la franja fronteriza entre México y Estados Unidos. En ciudades como Tijuana, Matamoros, Reynosa, Piedras Negras, Nuevo Laredo y Ciudad Juárez, el negocio es tan redituable que alcanza para dotar de buenas ganancias a hoteleros, taxistas y traficantes.[2]

En conjunto con la pobreza y el fenómeno migratorio, a partir de la última década el problema del narcotráfico se ha intensificado en la zona norte del país. Ciudades fronterizas como Nuevo Laredo, Reynosa o Matamoros son testigos del auge del lavado de dinero, el tráfico de droga, el narcomenudeo y el incremento de violencia ligado a los ajustes de cuentas entre cárteles.

---

[1]   Osvaldo Robles, "Reciben a diario golpes de pobreza", *El Norte*, 10 de diciembre de 2006.
[2]   Redacción, "Tráfico de ilegales: Un negocio redondo", *El Norte*, 30 de agosto de 2003.

Este panorama social asoma en diferentes momentos en las obras de Elizondo y Parra, quienes al recrearlos en su escritura nos ofrecen un retrato fiel de la realidad cotidiana de los norestenses.

Otro tema que ameritó nuestra atención durante el análisis narratológico de las obras de Elizondo y Parra fue el de la identidad, presente en las novelas de Elizondo *Setenta veces siete* y *Narcedalia Piedrotas*, y en algunos de los cuentos de Parra, como "Los últimos" y "La piedra y el río", publicados en *Tierra de nadie*. Mediante un análisis exhaustivo de estas obras y de sus personajes, buscamos marcas, señales o características que expresaran una identidad con rasgos que, aun sin ser exclusivos de esta geografía, sí fueran identificados como propios por un número importante de los habitantes de la región. Más adelante, y como parte de este análisis de la identidad, se articularon los relatos estudiados con aspectos como los valores socioculturales, la migración, el nomadismo y la transculturación con la mirada siempre puesta en la modernidad.

Desde luego, no podía quedar fuera de la reflexión un tema central en la problemática de la región: la frontera y las implicaciones que ésta tiene en la historia, la conformación geográfica, el desarrollo, la fisionomía, la cultura y la economía del norte mexicano. En este sentido, la relación interpersonal con el "otro" —es decir, la alteridad— es un tema pertinente determinado en gran medida por el espacio físico y social.

Por último, otro tema que fungió como eje para el análisis es la construcción de la modernidad, parte de la narrativa de Ricardo Elizondo que además de representar el inicio de la modernidad demuestra cómo los procesos modernizadores no tuvieron —ni tienen— el mismo impacto en los distintos grupos sociales de la región. Se suma al tema la escritura de Parra, la cual muestra la crisis de esta modernidad, es decir, el derrumbe del gran relato que hacía referencia a conceptos como libertad, igualdad y democracia, y su sustitución por una realidad asimétrica y dependiente en la que el Estado de derecho es violentado de manera continua.

Esta crisis de la modernidad —entendida como la falta de concreción o la desviación de sus postulados— encuentra su correlato en fenómenos como el desmoronamiento de la identidad, la fragmentación del sujeto, la deconstrucción del yo, la coexistencia de lo local y lo global y la transformación de las ciudades.

El análisis de estos temas a la luz de la escritura de Ricardo Elizondo y Eduardo Antonio Parra nos permiten dibujar ciertas características y modalidades del norestense, identificar los orígenes de la región y hallar respuesta a algunas de las interrogantes que nos hacemos quienes habitamos en ella: ¿Quiénes somos? ¿De dónde venimos? ¿Por qué somos así?

Este libro resulta de mi tesis para obtener el grado de doctora en Humanidades y Artes por la Universidad Autónoma de Zacatecas. Quiero agradecer al Instituto Tecnológico y de Estudios Superiores de Monterrey por su apoyo durante mis estudios doctorales, a mi directora de tesis, la doctora Elizabeth Sánchez Garay porque su asesoría fue luz a lo largo de toda mi investigación, y a mis sinodales en el diálogo con las ideas: doctor Lino García Jr., doctora Isabel Terán Elizondo, doctor Gonzalo Lizardo Méndez, doctora Inés Sáenz Negrete y doctor Alejandro García Ortega, quienes leyeron con atención e inteligencia mi trabajo.

Una mención especial a mi esposo Patricio, y a mis hijos Patricio, Rodrigo y Alejandra: amores que ensanchan mis horizontes.

I. El norte y su narrativa

En la LITERATURA MEXICANA de la segunda parte del siglo XX se reconocen diferentes movimientos determinantes de la narrativa: en los años sesenta, aquélla que se desprende como parte de la explosión literaria del *boom* latinoamericano; en los setenta, la que Raymond L. Williams y Blanca Rodríguez[1] denominan hipermoderna, o posmoderna, de novelistas como Salvador Elizondo en *Farabeuf,* José Emilio Pacheco con la escritura de *Morirás lejos*, así como el movimiento de la Literatura de la Onda. En los ochenta destacó la fertilidad de la literatura escrita por mujeres, así como la literatura gay, y se inicia la representación del norte mexicano en la llamada "narrativa del desierto" que según Eduardo Antonio Parra, contó con cinco nombres destacados: Gerardo Cornejo, de Sonora; Jesús Gardea, de Chihuahua; Ricardo Elizondo Elizondo, de Nuevo León; Severino Salazar, de Zacatecas y Daniel Sada, nacido en Mexicali y crecido en Coahuila. A finales del siglo sobresale un grupo conformado por jóvenes novelistas llamada la Generación del Crack, su intención era romper con el *boom* y fijar su mirada en otros espacios, salirse de México; la globalización los invitaba a buscar nuevos escenarios. Al mismo tiempo un grupo de jóvenes escritores, todos ellos originarios del norte de México, continúan el impulso que les da "la literatura del desierto" y buscan nuevas formas de narrar su región. La nominan de distintas formas: literatura fronteriza, narradores del norte, literatura del norte de México, literatura de la frontera norte, entre otras. La crítica empieza a señalar su importancia, la confluencia del noroeste y del noreste se solidariza en una escritura que busca nombrar, recrear, inventar y ahondar en la complejidad de una zona del país poco enunciada en la literatura mexicana contemporánea.

---

[1] Véase en *La narrativa posmoderna en México* de Raymond L. Williams y Blanca Rodríguez, México, Universidad Veracruzana, 2002.

Así, a partir de las últimas décadas, la literatura del norte de México ha mostrado un desarrollo por demás importante, paralelo a los cambios medulares generados en la economía del país a raíz de que se implementan el modelo económico neoliberal y la llamada globalización.

En la literatura norteña, el espacio físico tiene un protagonismo importante dado que la identificación con el lugar refuerza una serie de señas de identidad, como si los escritores del norte tuvieran la necesidad de articular el paisaje al propio ser como una prolongación de sí mismos.

La narrativa escrita en el norte aporta imágenes geográficas donde la región sobresale por sus constantes identitarias; es decir, hay cierta homogeneidad de características que la literatura recupera. Así, la forma particular de escribir de los autores de esta parte de México enriquece la literatura mexicana, la cual se caracterizó, durante el siglo XX, por dar una especial relevancia a las representaciones del centro y sur del país.

La narrativa norteña expresa la relación entre el hombre y el medio que lo circunda, las condiciones geográficas y los hechos sociales. En ese sentido, se recupera la reflexión del geógrafo José Ortega, quien al retomar la teoría de las geografías humanísticas norteamericanas nos dice:

> La región es concebida como un espacio vital, el espacio de la experiencia cotidiana, el espacio de la experiencia histórica, un espacio con historia, un ámbito de identidad del grupo humano que la habita.
>
> La región se convierte en un espacio subjetivo, que pertenece al campo de lo psicológico inseparable de las imágenes que cada individuo elabora y comparte de su propio entorno. La imagen como idea subjetiva marca el nuevo territorio regional, de límites imprecisos, cambiantes, más próxima al sentimiento que a la materialidad física. Un espacio regional que pertenece al mundo de la conciencia.[2]

De esta manera, puesto que la literatura es una representación de los rasgos de la región, también es una geografía paralela que otorga descripciones y valores a los lugares en donde viven o sobre los que reflexionan los escritores del norte de México.

En efecto, la región es un espacio de construcciones mentales —término asociado con el concepto de área o territorio— con características diferenciadas y con rasgos homogéneos que determinan cuestiones políticas, administrativas, económicas y sociales, entre otras; es decir, la noción

---

[2]   José Ortega, *Los horizontes de la geografía. Teoría de la geografía*, Barcelona, Ariel, 2000, p. 487.

de región no sólo está relacionada con la geografía económica, sino que incluye la conformación de un imaginario colectivo.

Villanueva Zarazaga, otro estudioso de la geografía, apunta que gracias al conocimiento del territorio se puede ahondar en temas actuales de la sociedad: "en la medida en que se conoce el territorio se ayuda a comprender temas y problemas, algunos recurrentes y en la actualidad candentes, como los nacionalismos, la identidad territorial, los temas de conflictos fronterizos y movimientos irredentistas, y la ordenación territorial en sí".[3]

La literatura del norte de México representa estas problemáticas de las que habla Villanueva, pues su lectura permite representar un imaginario muy identificable con estos temas, el cual posibilita reflexionar en torno al territorio, más allá de las descripciones periodísticas, económicas, históricas o geográficas.

Por ejemplo, Nuevo León se ha destacado como un estado líder en el desarrollo de México desde mediados del siglo XIX, cuando surge una burguesía comercial que propicia el crecimiento industrial del país desde esta región.

El hecho de que la capital del estado, Monterrey, esté ubicada a menos de doscientos kilómetros de Estados Unidos favorece las relaciones comerciales entre ambos países. Asimismo, su vecindad con el estado de Texas provee una serie de oportunidades que el empresariado norestense ha logrado aprovechar.

Pues bien, estos rasgos determinantes de la región son recuperados por la literatura en la manera de pensar, de hacer, de sentir, de vivir de sus habitantes, así como en la forma en que se ven afectados por el singular estilo de vida que trae este desarrollo.

La escritura del norte busca redefinir el pasado, indagar sobre la historia y las raíces, intenta contestar la pregunta: quién es el norteño. Indaga sobre los orígenes de una identidad siempre en proceso de cambio. Al respecto, el especialista en literatura del norte Miguel G. Rodríguez comenta:

> Desde hace varios años, la literatura escrita en el norte de México, concretamente la de los estados fronterizos (Baja California, Sonora, Chihuahua, Coahuila, Nuevo León y Tamaulipas), ha mostrado un impulso que no

---

[3] J. Villanueva Zarazaga, "Algunos rasgos de la geografía actual", *Biblio 3W, Revista Bibliográfica de Geografía y Ciencias Sociales*, vol. VII, núm. 342, Universidad de Barcelona, 15 de enero de 2002. Disponible en http//www.ub.es/geocrit/b3w-342.htm

puede pasar desapercibido en el ámbito de la literatura mexicana de fin de siglo [...] varios de los autores que nacieron o radican en aquellos lugares han hecho lo posible para trascender más allá de los límites regionales e ir hacia un campo más amplio de recepción. A la distancia, es evidente que se pueden seguir las huellas de construcción de una literatura del norte eficaz, distante del centralismo y, por ende, con cierta autonomía en el proceso de paradigmas de reflexión estética, que le permiten al crítico literario marcar diferencias, avances, retrocesos.[4]

¿Qué situaciones han favorecido el desarrollo de la narrativa escrita en el norte?

A partir de los años ochenta hay un cambio en el perfil de la región. Se experimenta una gran transformación de las ciudades fronterizas debido a la urbanización y al crecimiento demográfico causado por la apertura económica, por el aumento de la necesidad de mano de obra agrícola en Estados Unidos y de inversión estadounidense en maquiladoras de la zona. Las urbes experimentan un crecimiento considerable debido a los flujos de población de inmigrantes que no logran cruzar la frontera hacia el país vecino.

En cuanto a la correlación "frontera-desierto", estos espacios también son territorios definitivos en la narrativa norteña.

Los procesos de la globalización motivan la aparición de otro tipo de fronteras. Hay una superposición de temporalidades, donde se conjuntan los tiempos y las épocas en el mismo presente. Este fenómeno es plasmado en la literatura a través de las estructuras y de la conjunción de tiempos. La diacronía, la sucesión de tiempos, se altera, y entonces aparece una sincronía, un presente enriquecido de épocas distintas y paralelas.

Es posible que esta transformación temporal y espacial tenga como resultado un cambio en la conciencia histórica y un replanteamiento de la historia. El pasado y el presente coexisten, premodernidad, modernidad y postmodernidad se mezclan viviendo al unísono.

La idea de ciudad también ha cambiado, y es imposible no tomar en cuenta la tecnología y la capacidad y los efectos del Internet, un territorio electrónico que conlleva a una nueva cosmovisión. Estas modificaciones son presentadas en la literatura actual, y así la narrativa de hoy es muy diferente de la literatura del *boom* latinoamericano. Estamos frente a nuevas urbes, con perfiles

---

[4] Miguel G. Rodríguez, *El norte: una experiencia contemporánea en la narrativa mexicana*, México, Consejo para la Cultura y las Artes de Nuevo León, 2002, pp. 11-12.

opuestos a las de la década de los setenta. A decir de Josefina Ludmer, los personajes de Rulfo han emigrado a las ciudades.

Las megaciudades y las grandes capitales se salvajizan, el binomio civilización-barbarie se transforma, ahora los mundos rural y urbano ya no están separados, ya no son opuestos, conviven en un mismo territorio.

Hay nuevas relaciones de fuerza, la urbe es un espacio salvaje y lo único que queda es aprender a sobrevivir. La narrativa se convierte así en una radiografía de los nuevos territorios; viajar por la ciudad es viajar por los distintos segmentos de la sociedad: a veces conviven, a veces están fragmentados: la gente se aísla, construye su comunidad, está adentro, pero al mismo tiempo afuera. Son espacios sectorizados que pueden ser receptáculos de extrañeza, de miedo y vértigo. Son privados, con una organización y un código propios, pero a la vez son públicos, pues conforman parte de la urbe.

Esta nueva imagen de las ciudades encarna lo global, lo nacional y lo local.

Distintos autores han reseñado el auge de "la nueva narrativa del norte", como la llama Eduardo Antonio Parra, quien en la compilación de Javier Perucho, *Estética de los confines*,[5] sostiene que algunos autores han comenzado a ser valorados a nivel nacional, y además han sido publicados por editoriales de prestigio y de gran circulación; asimismo, menciona que las instituciones de cultura se han preocupado por promover la literatura local.

Alicia Llerena también hace referencia al fenómeno singular "de la escritura mexicana contemporánea: la emergencia de los llamados "Narradores del Norte", nuevos escribanos de un territorio donde se han puesto en juego las jugosas cuestiones identitarias y los ricos y diversos cruzamientos del espacio fronterizo".[6]

Una de las constantes estudiadas por diferentes teóricos y que explica cuál ha sido el desenvolvimiento de esta literatura en los últimos años es, entre otras, el auge en la producción literaria de los estados fronterizos del norte del país; sin embargo, hay que considerar que, debido a las diferencias locales, los textos y autores presentan directrices disímiles, si bien hay ciertas cons-

---

[5] Javier Perucho (comp.), *Estética de los confines*, Coordinación General para la Atención al Migrante Michoacano, Verdehalago, 2003.
[6] Alicia Llerena, "Espacio e identidad: narradores del norte de México", *ConNotas, Revistas de Crítica y Teoría literarias*, vol. II, núm. 3, Universidad de Sonora, 2004, p. 195.

tantes que se repiten. Por ejemplo, destaca el hecho de que los escritores han buscado apartarse del centralismo cultural tradicional de México, siempre ligado a la capital, y han emprendido un desarrollo propio, independiente, que les ha permitido lograr autonomía.

Aunque se ha iniciado el estudio teórico de la literatura de la región en algunas universidades, éste apenas comienza.

Los trabajos de reflexión y análisis metodológicos siguen siendo escasos si se les compara con la extensa producción literaria.

Un rasgo común en los estados del norte es su proximidad a la frontera, y aunque esta cercanía con Estados Unidos los determina, cada uno busca su propia identidad, de tal suerte que presentan una multiplicidad de formas de ser. Esta circunstancia geográfica es tratada por la literatura y constituye, por ello, un punto clave de esta obra.

La frontera, así como la cercanía a Estados Unidos, es determinante en los nuevos creadores: su influjo, vecindad y simbología imprime estilos, temáticas, tonos que cuestionan desde el fenómeno de la alteridad y las interrogantes existenciales e identitarias, hasta las implicaciones políticas, sociales y económicas de esta situación geográfica.

Más adelante se abordarán las implicaciones conceptuales de la frontera con sus connotaciones ideológicas. Por ahora, es importante establecer que, obviamente, el espacio es un territorio susceptible de múltiples interpretaciones.

De igual manera, es importante observar que la literatura escrita en México sobre el tema fronterizo no es exclusiva del país, pues en Estados Unidos se ha cultivado con gran éxito en las últimas dos décadas. La producción literaria ha llevado a generar además una corriente teórica desarrollada principalmente por intelectuales y académicos universitarios que reflexionan en torno a la frontera desde múltiples enfoques, destacando el estudio de la literatura chicana.

Sin embargo, existe una clara diferencia entre la percepción mexicana de la frontera y lo que para los teóricos de Estados Unidos significa ésta. María Socorro Tabuenca, especialista en estudios fronterizos, afirma:

[…] para la mayoría de las y los chicanos *The Borderland* es la tierra prometida, el regreso a la tradición mexicana o latinoamericana, es el asiento de la identidad deseada. Es un sitio a donde se acude, generalmente, por el recuerdo, la lectura o la escritura; es un lugar, empero, que raramente visitan o en el que difícilmente se establecen los promotores de dicho discurso.[7]

Respecto a México, hay un interés por los estudios fronterizos, sobre todo en el ámbito de la sociología y de los estudios culturales, y su reflexión empuja hacia otra visión ligada a la geografía, a la región, al territorio.

De manera particular, este libro tiene como objetivo reflexionar sobre la narrativa escrita en Nuevo León a partir de los años ochenta; es decir, cuando se gestan los programas neoliberales y se presencia el despegue y auge de las periferias frente a un centro que tradicionalmente las ha desplazado en el ámbito cultural.

El norte y sus narradores

La lista de escritores del norte es muy larga, si señalamos aquéllos que constantemente son señalados por la crítica y que sus libros han sido traducidos en otros idiomas además de ser objeto de estudio de la academia internacional, sobresalen: Luis Humberto Crostwaithe, Élmer Mendoza, David Toscana y Eduardo Antonio Parra.

Además de estos últimos, los narradores que han escrito desde Nuevo León o acerca de la región en los últimos años, destacan Ricardo Elizondo Elizondo, Felipe Montes, Héctor Alvarado, Patricia Laurent Kullick, Gabriela Riveros, Dulce María González, Joaquín Hurtado, Hugo Valdés, Mario Anteo y Pedro de Isla, entre otros. Son nuevas voces que construyen o reconstruyen el paisaje nuevoleonés y recontextualizan la identidad norestense y norteña. En sus obras hay nuevos planteamientos sobre el pasado y sobre las problemáticas actuales; así, a través de la expresión artística, el lector puede configurar una imagen de la modernidad, tanto como de su crisis en el contexto regional.

Según Miguel G. Rodríguez:

---

[7] María Socorro Tabuenca Córdoba, "Las literaturas de las fronteras", en José Manuel Valenzuela (coord.), *Por las fronteras del norte: una aproximación cultural de la frontera México-Estados Unidos*, México, Fondo de Cultura Económica, 2003, p. 403.

> [...] se trata de abarcar las zonas periféricas, que de suyo abren caminos para contrarrestar las fuerzas centrípetas, que reafirman un centralismo agobiante e impráctico, el cual pierde de vista el dinamismo de otras prácticas literarias. Asumo que el proceso de producción de la literatura desde el ejercicio de la recepción de fines del siglo XX, requiere una visión más amplia y menos reduccionista. Por ello la zona norte de México, por el momento, es viable para resaltar otra experiencia en los márgenes de lo cultural y por ende en lo literario.[8]

La naturaleza con su desierto, montañas y clima extremoso es escenario de variadas narraciones; es una naturaleza que se apodera de las vivencias, de las emociones y que se presenta como extensión de las vidas de los protagonistas.

Además, son múltiples las focalizaciones que los narradores presentan en los relatos: posición observadora, crítica, contemplativa, cuestionadora. Hay también el intento por retener los espacios de la nostalgia: el Nuevo León de la Conquista, el de la ocupación norteamericana, la ciudad cambiante del siglo XX, así como la necesidad de recuperar usos y costumbres, valores socioculturales y rasgos de la identidad norestense, algunos de ellos extinguidos o en proceso de extinción.

Asimismo, hay una variedad de géneros literarios como la novela realista, la de ciencia ficción, la policiaca, la novela histórica, la novela lírica, la novela del absurdo y una gran pluralidad de temáticas y de estrategias narrativas. Los autores ubican sus creaciones tanto en la región como fuera de ella.

Al igual que algunos escritores del ámbito urbano, los narradores del norte se caracterizan por reflejar las grandes dificultades que ha enfrentado el desarrollo en América Latina, resultado de las aspiraciones de los latinoamericanos por ser modernos y por las grandes contradicciones entre modernización socioeconómica, tradición y modernidad cultural. Así, los escritores plantean el lugar de la cultura en los procesos finiseculares y las causas y consecuencias de la crisis de la modernidad.

Algunos de los personajes de las narraciones norteñas reflejan los graves problemas que traen consigo el desarrollo; por ejemplo, la manipulación de las masas, el analfabetismo, la superstición, los fanatismos, los caciquismos; y frente a éstos, los distintos rostros de la modernidad como proceso del desarrollo socioeconómico. Se da así un entrecruzamiento entre la imaginación lite-

---

[8]   Miguel G. Rodríguez, *Escenarios del norte de México: Daniel Sada, Gerardo Cornejo, Jesús Gardea y Ricardo Elizondo*, México, UNAM, 2003, p. 25.

raria y la mitología social. De este modo, la literatura cuestiona cómo esta nueva forma de vida es sólo un disfraz de las clases dominantes y una utopía para las mayorías.

Los narradores de Nuevo León expresan en su narrativa una desilusión, una actitud crítica hacia la modernidad. Hay también un reproche a la mentira política que se instala en los países latinoamericanos desde sus constituciones hasta sus aparatos institucionales.

Los temas incluyen situaciones sociopolíticas y la desmitificación de las ciudades, así como aspectos de la condición humana donde la crisis ideológica y material deja escollos. La narrativa del norte hace una clara representación de la modernidad, así como de su crisis y el desmoronamiento de sus ideales. El impacto en los escenarios, en las ciudades y en el campo es uno de los temas recuperados en esta literatura: el problema de las grandes masas migratorias, su desplazamiento a distintos estados de un mismo país o hacia otras naciones, los desajustes entre identidad y territorio, etcétera. Es lo que algunos autores denominan el síndrome del *anyplace*, el mal moderno llamado "sin espacio".

La literatura del norte expresa la problemática del hombre contemporáneo frente a los procesos globalizadores y las interferencias entre lo local y lo global, la "glocalización",[9] un nuevo concepto de enlace: lo global y lo local, temas que serán desarrollados a lo largo de la investigación. El conflicto fronterizo es un tema obligado, y va desde cuestiones económicas y sociales —como la influencia y los efectos de las maquiladoras, la presencia del narcotráfico y su repercusión en la economía, la creación de nuevas entidades comandadas por el crimen organizado— hasta la vulnerabilidad de la seguridad. Asimismo, esta narrativa incluye el tema ecológico y aspectos que dan cuenta de las fronteras interiores, psicológicas y culturales.

Ricardo Elizondo Elizondo

Ricardo Elizondo Elizondo nació en 1950 y pertenece al grupo fundador de la "narrativa del desierto", de finales de los ochenta. Es un autor reconocido por abordar temas del norte de México y la frontera. Maestro en Humanidades y doctor en Historia, de 1975 a 1979 fue director del Archivo General del Estado de Nuevo León y desde 1980 está al frente de la Biblioteca Cervantina del Insti-

---

[9]   Término usado por Alicia Llerena.

tuto Tecnológico y de Estudios Superiores de Monterrey. Es, asimismo, informante de la Academia Mexicana de la Lengua, consejero de Memoria del Mundo y miembro para América Latina y el Caribe de la Unesco. De sus textos ha tomado palabras el *Diccionario panhispánico de dudas*, así como la fuente virtual *La palabra del día*. Tiene, además, varios libros publicados sobre historia del noreste de México.

Por su libro *Relatos de mar, desierto y muerte* obtuvo el Premio Nacional de Cuento en 1980, y en 1987, por su primera novela *Setenta veces siete* recibió mención especial del Instituto Nacional de Bellas Artes y fue registrado en el Libro del Año de la *Enciclopedia Británica*. En 1993 publicó el libro *Ocurrencias de Don Quijote*, el cual tiene cinco premios internacionales. Ese mismo año, el INBA presentó su segunda novela: *Narcedalia Piedrotas*. Por dos ocasiones, 1989 y 1995, obtuvo el Premio Rómulo Garza por publicaciones de libros que otorga el Tecnológico de Monterrey.

El Fondo de Cultura Económica publicó en 1996 *Lexicón del noreste de México*, obra con cerca de tres mil vocablos con acepciones regionales, primera en su género en el noreste. En 1998 fue editado *Polvo de aquellos lodos*. En 1999 editó el disco compacto *Llaneza muchacho, no te encumbres*, el cual es una navegación a través del Quijote y de la obra de Cervantes, con más de un centenar de grabados y pinturas sobre la novela mencionada. En el año 2000, fueron editados sus libros *Historia gráfica del Tecnológico de Monterrey, 1943-1973,* y *Lecumberri: ángel y escorpión*. En 2001, *Presas de un lente objetivo*. En el mismo año, la UNESCO lo distinguió nombrándolo miembro del Comité Mexicano de Memoria del Mundo.

En 2002, el Fondo de Cultura Económica reeditó la novela *Narcedalia Piedrotas* y la versión digital de *Lexicón del noreste de México*;[10] asimismo, se publicó la versión digital de la presentación de la Fototeca del Tecnológico de Monterrey. Ricardo Elizondo ha sido profesor huésped en la Universidad de Texas en Austin, en la Universidad de California, en la Universidad de Panamá y en el Archivo General de la Nación de México. Ha colaborado en los principales diarios de Monterrey y del Distrito Federal, y es maestro en la Escuela de Graduados del Tecnológico de Monterrey. En

---

[10] En la publicación *Con la sangre en los confines* escribe: "Desde muy niño junto palabras. Así como mis amigos coleccionaban estampillas o beisbolistas en un álbum, yo en una libreta, con el cerro del Obispado en la cubierta, apuntaba palabras. Cuarenta años después resultaría el Lexicón del Noreste". Ricardo Elizondo Elizondo, *Con la sangre en los confines*, Monterrey, Cátedra Alfonso Reyes, 2007, p. 8.

junio de 2004, la Universidad Autónoma de Nuevo León montó su primera obra teatral, el drama *El indio muerto*. En junio de 2006, el Tecnológico de Monterrey escenificó su segundo drama, *Chanclas de oro*, con la participación de la primera actriz Patricia Reyes Spíndola.

La literatura de Ricardo Elizondo tiene la particularidad de representar los valores sociocul-turales que se observan en alguna gente del noreste;[11] su narrativa cuenta sobre el modo de ser y padecer del mexicano de esta región; recupera su historia, aspectos geográficos, costumbres y, especialmente, su modo de hablar, un léxico que codifica una forma de pensar y de expresarse. Su obra muestra el inicio de la modernidad y representa un escenario para vislumbrar ciertas problemáticas que serán características del presente.

Eduardo Antonio Parra

Eduardo Antonio Parra nació en León, Guanajuato, en el año de 1965; ha vivido en Nuevo Laredo, Tamaulipas; Ciudad Juárez, Chihuahua; Monterrey y Linares, Nuevo León, y actualmente radica en el Distrito Federal. Estudió Letras Españolas en la Universidad Regiomontana de la ciudad de Monterrey. Entre los premios ganados destacan: en 1994, el Certamen Nacional de Cuento, Poesía y Ensayo de la Universidad Veracruzana; en el año 2000, el Premio Internacional de Cuento Juan Rulfo, otorgado en París por Radio Francia Internacional, por el relato "Nadie los vio salir", y, en 2005, el Premio Efrén Hernández por *Las leyes de la sangre y otros cuentos*.

La editorial Era ha publicado: *Los límites de la noche* (1996), *Tierra de nadie* (1999), *Nadie los vio salir* (2001) y el libro de nueve cuentos *Parábolas del silencio* (2007). Ediciones La Rana publicó *Las leyes de la sangre y otros cuentos* (2005); la editorial Joaquín Mortiz publicó en 2002 su primera novela, *Nostalgia de la sombra*. Sus libros han aparecido en España, Chile y Uruguay, y parte de su obra ha sido traducida al inglés, italiano y francés.

Asimismo, Eduardo Antonio Parra ha sido incluido en antologías como *Dispersión multitu-dinaria. Instantáneas de la nueva narrativa mexicana en el fin del milenio, Una ciudad*

---

[11]   En *Con la sangre en los confines*, escribe: "Al venir al mundo me tocó crecer en el horizonte de la línea divisoria internacional, con el mundo fronterizo, confín también, como parte vital de mi historia. Parientes acá y allá, leyendas y anécdotas de allá y de acá, viajes cortos y largos, ropa, comida, lenguaje de éste y del otro lado. Y para mí la incógnita de ser los mismos ojos allá y acá, cuando al mismo tiempo las sociedades y la vida nos volvían tan diferentes". Ricardo Elizondo Elizondo, *Con la sangre en los confines*, Monterrey, Cátedra Alfonso Reyes, 2007, p. 9.

mejor que ésta. Antología de nuevos narradores mexicanos. [12] Asimismo, fue incluido en la antología *Los mejores cuentos mexicanos 1999*, editado por Hernán Lara Zavala. En 1997, el Consejo Estatal para la Cultura de Nuevo León publicó la antología *Ciudad y memoria,* en la que escribe la introducción; ese mismo año fue seleccionado para compilar la colección *Mejores cuentos mexicanos de 2004,* editada por Joaquín Mortiz.

Fue becario de la John Simon Guggenheim Memorial Foundation en 2001 y lo es del Sistema Nacional de Creadores de Arte.

Escribe en la revista *Letras Libres* en la sección "Libros" y "Convivio", así como en la publicación *Hoja por Hoja*, suplemento mensual de libros editado en los periódicos más importantes del país.

Según la escritora Mónica Lavín, las narraciones de Eduardo Antonio Parra "se ubican frente al Bravo; esta predilección por la frontera es también visible porque las preocupaciones del mundo narrado por Parra se ubican entre dos aguas, dos tierras, dos circunstancias, dos grupos sociales".[13]

Parra inició su carrera literaria en los años noventa, participando en talleres literarios con jóvenes escritores como David Toscana, Felipe Montes, Ramón López Castro, Artemio Tamez y Pedro de Isla; en 1992 se forma "El Panteón", grupo que nace del anterior, integrado por Hugo Valdés, David Toscana, Felipe Montes, Eduardo Parra, Ramón López Castro, Rubén Soto y Antonio Ramos: "En El Panteón coincidimos en la disciplina, pero somos individualidades distintas".[14]

La esencia de la narrativa de escritores como Eduardo Antonio Parra es el "ser" norteño, con todas sus particularidades: formas de hablar, de pensar, de sentir, derivadas de ese lugar y de la lucha contra el poder central y la cultura de los "gringos". Miguel G. Rodríguez señala:

> Hasta hace unos pocos años, Parra radicó en Monterrey, ciudad en la que se ubica su novela y gran parte de su producción cuentística. Es cierto que en la actualidad vive en la Ciudad de México; no obstante, los años de experiencia cotidiana en la ciudad regiomontana me permiten colocarlo por el momento como referencia importante del ámbito del norte.[15]

---

[12]   Datos citados por Miguel G. Rodríguez en *El norte: una experiencia contemporánea en la narrativa mexicana, op. cit.,* p. 17.

[13]   Mónica Lavin, "Hojeadas. Rebasar fronteras", *La Jornada Semanal*, domingo 26 de febrero de 2006, núm. 573.

[14]   José Garza, "La cantina, sitio arquetípico donde se beben las miserias: Toscana", *La Jornada*, 5 de julio de 1997, p. 26.

[15]   Miguel G. Rodríguez y Enrique Flores (eds.), *Bang! Bang!: Pesquisas sobre narrativa policiaca mexicana*, México, Unam,

La escritura de Eduardo Antonio Parra crea un universo literario donde se muestra la condición humana en la frontera México-Estados Unidos.[16] A través de variedad de imágenes crea un espacio textual que representa un cúmulo de realidades urbanas, rurales, migrantes, atrapadas tanto en el desarrollo industrial como en el tecnológico.

Su literatura describe todo el norte, el noroeste y el noreste, revelando su preocupación por los temas particulares de esta región. En sus escritos cobran vida elementos tales como las maquiladoras, el narcotráfico, la vida nocturna y el ambiente social que se desarrolla en la frontera cuando se borran las líneas divisorias de dos culturas.

2005, p. 173.

[16] En la entrevista publicada al final de esta obra comenta el autor: "Aunque no nací en el norte, llegué allá de muy niño, llegué a los 4 años, y mucho tiene que ver con el hecho de que haya vivido en cuatro ciudades norteñas, desde esa edad viví en Linares, viví en Monterrey, en Nuevo Laredo y en Ciudad Juárez, eso me dio una perspectiva del norte sobre todo en la etapa de la vida en que creo que se le pega a uno todo, la infancia, la adolescencia, la primera juventud digamos, después como escritor me formé en Monterrey, ahí empecé a escribir, ahí terminé mis primeros libros, entonces siempre escribí con esa perspectiva, con la perspectiva de un escritor norteño".

II. Identidad y literatura del norte

La CUESTIÓN DE LA IDENTIDAD es un tema pertinente en el presente estudio, dado que se articula a la necesidad de esbozar manifestaciones del comportamiento de los habitantes del norte de México representados en su literatura.

Por medio de la escritura puede observarse una figuración de los distintos procesos de la identidad desde su construcción hasta el efecto social sobre los rasgos individuales, como lo enuncia José Manuel Valenzuela Arce —especialista en análisis sobre la identidad—, quien además enfatiza:

> [...] la identidad se construye precisamente en la relación entre lo individual y lo social dentro de un contexto histórico y simbólico, observamos que la complejización de los procesos sociales va a plantear ajustes y transformaciones en las actitudes y rasgos individuales, con lo cual se establecen diferentes posibilidades de adscripción identitaria.[1]

Al profundizar en esta literatura se busca establecer algunos rasgos sobresalientes de la identidad norteña desde la perspectiva de Ricardo Elizondo Elizondo y Eduardo Antonio Parra. En el caso de Elizondo, desde su mirada al norteño del siglo XIX, su evocación a las comunidades rurales y, más tarde, desde la transformación sufrida por este hábitat en el siglo XX. En la narrativa de Parra, la revisión de la sociedad de finales del siglo XX, la configuración de las ciudades mexicanas, así como la imagen de una sociedad rural que aún no ha conquistado el desarrollo.

---

[1]   José Manuel Valenzuela Arce (coord.), *Decadencia y auge de las identidades. Cultura nacional, identidad cultural y modernización*, México, El Colegio de la Frontera Norte, Plaza y Valdés, 2000, p. 15.

Las definiciones de identidad son múltiples pues es un constructo muy complejo con el que se suelen asociar innumerables conceptos, sobre todo en la actualidad, donde los procesos culturales se ven determinados por la globalización.

Héctor Aguilar Camín, haciendo una revisión de los distintos ciclos de la historia mexicana, se cuestiona sobre el futuro de la identidad nacional en los siguientes términos:

> ¿Cuál será la suerte del nacionalismo y de la identidad nacional de México? Es imposible predecir nada, salvo que, hoy como ayer, las señales de identidad mexicanas no permanecerán inmutables ni nadie podrá petrificarlas en sus hallazgos. Los cambios acumulados en el país y los que impone la globalización del mundo, desafían nuestras antiguas certezas. Pero la gestación nacional mexicana ha sido larga y nada de lo sedimentado en ella se evaporará fácilmente, al contacto con los otros, porque nada tampoco llegó ahí de pronto y como al azar, sino a través de largos procesos de destilación simbólica, que ninguna influencia epidémica puede suplantar. [2]

Como sugiere Aguilar Camín, el problema de la identidad se hace complejo desde la apertura económica, cuando en México se adopta un modelo insertado en la globalización. Se suma además una circunstancia determinante en el perfil de las construcciones identitarias: la gran influencia de los medios de comunicación, del Internet, así como los avances tecnológicos de los últimos años.

En el caso de los estados del norte, la cercanía con los Estados Unidos hace aún más fértil la influencia de la cultura cercana, si bien como reacción se han intensificado los procesos de resistencia para defender esa cuestión identitaria que conforma e identifica la personalidad norteña. Roger Bartra hace un señalamiento sobre estas transformaciones:

> Sin duda uno de los grandes retos de México en el siglo XXI es la transformación cultural que está ocurriendo en la sociedad: la cultura mexicana se enfrenta a una tensión similar a la que sufren los alemanes o los españoles, en regiones donde no coinciden las fronteras étnicas con las políticas, y que además han pasado por una etapa nacionalista y fascista, es necesario [...] encontrar los fundamentos de una identidad posnacional.[3]

---

[2] Héctor Aguilar Camín, "La invención de México", *Nexos*, núm. 172, México, julio de 1993, pp. 49-61.
[3] Roger Bartra, *Oficio mexicano*, México, Grijalbo, 1993, p. 103.

Aunque esta reflexión opera para todo el país, es en los estados del norte en donde se podría hablar de una acentuación de la identidad posnacional; Bartra añade además: "La transición hacia una cultura política posnacional ya se está efectuando, y una gran parte de la población mexicana ha incidido el cambio [...] la modernidad, junto con el nacionalismo, está herida de muerte [...] no tenemos más remedio que enfrentar la posmodernidad del fragmentado mundo occidental del que formamos parte".[4]

Hay, ciertamente, una tendencia mundial a la integración, a la creación de identidades supranacionales, quizá la más representativa es la Comunidad Europea. Hay tratados comerciales que funcionan para integrar economías, como el Tratado de Libre Comercio de América del Norte (TLCAN), con el que México se inserta de manera importante en la economía norteamericana. Sin embargo, al mismo tiempo siguen observándose graves asimetrías entre países y fragmentaciones en los propios Estados; como lo puntualiza Luis Villoro: "la paradoja de nuestro siglo es que esta tendencia a la unificación de muchos Estados nacionales en conglomerados más amplios coincide con un resurgimiento de las etnias, comunidades y minorías en busca de su propia identidad, como rechazo a una homogeneización progresiva del mundo".[5] Aguilar Camín comenta también que hay un doble efecto: por un lado, una incertidumbre ante el futuro, y por otro, un enriquecimiento cultural.

El tema presenta múltiples caras: una identidad en constante evolución, un enriquecimiento en el encuentro con el otro, una fragmentación y, por momentos, una necesidad de resistencia.

Se trata de una paradoja por la confluencia de dos movimientos: uno globalizador, empujado por una economía neoliberal y respaldado por las industrias culturales, y otro nacionalista, regional, neolocal e incluso étnico; ambos son los actores que interactúan en la dinámica social. Muchas veces tienen que interrelacionarse, y en otras ocasiones se enfrentan o actúan como medio de oposición y resistencia.

Retomando a García Canclini, Gloria Vergara afirma:

---

[4]   *Ibid.*, pp. 103-104.
[5]   Luis Villoro, "Sobre la identidad de los pueblos", en Ramón Eduardo Ruiz y Olivia Teresa Ruiz (coords.), *Reflexiones sobre la identidad de los pueblos*, México, El Colegio de la Frontera Norte, 1996, p. 23.

[…] los verbos fusionar, mezclar, combinar son rebasados, y lo que se ve de la identidad son nuevas estructuras, nuevos objetos, nuevas prácticas que nos muestran a un individuo en constante movimiento […] La identidad es el fruto de esa condición múltiple y simultánea, pues, aunque –como reconoce García Canclini– los procesos de hibridación relativizan la noción de identidad, ésta aprovecha las prácticas culturales persistentes y genera nuevas formas de manifestarse de una resistencia mayor.[6]

La identidad híbrida es un rasgo que sobresale en los estados del norte de México, y aunque no es privativo de esta zona geográfica, sí se puede afirmar que en la región se intensifica. Este aspecto lleva a la confrontación, por un lado, y al encuentro y diálogo, por otro; es un concepto dinámico, siempre en proceso de construcción por los efectos de la transculturización, como lo advierte el antropólogo Alejandro Grimson: "la frontera ya no es material, sino simbólica; ya no es la línea de las aduanas, sino el límite de la identidad".[7]

El sincretismo cultural es un rasgo acentuado en los últimos años; la ciencia y la tecnología, y especialmente los medios de comunicación, contribuyen a que el ser humano se encuentre permeado de una serie de huellas, de representaciones simbólicas que poco a poco se graban en el imaginario. Pero, por otro lado, hay la pervivencia de lo que el especialista en estudios culturales José Manuel Valenzuela señala: "conjuntamente con los procesos globales de sincretismo cultural, perviven obstinadas resistencias construidas a partir de las identidades culturales y nacionales".[8]

Dado el desarrollo industrial y tecnológico del norte de México en los últimos años, especialmente después de la firma del TLCAN en 1994, las percepciones culturales e identitarias se transforman día a día, y la televisión por cable, el cine, los videojuegos, los satélites, el Internet, el transporte, así como los flujos migratorios están teniendo profundas repercusiones en los procesos de identidad.

Todas estas influencias repercuten en la realidad psicológica de la sociedad así como en sus prácticas comunes: el modo de percibir la existencia, de relacionarse; la forma de trabajar, estudiar, viajar, divertirse y convivir se está modificando y repercute en la conformación de la identidad.

---

[6] Gloria Vergara, *Palabra en movimiento. Principios teóricos para la narrativa oral*, México, Praxis, 2004, pp. 19-20.

[7] Alejandro Grimson, *Disputas sobre las fronteras*, en Alejandro Grimson (comp.), *Fronteras, naciones e identidades: la periferia como centro*, Buenos Aires, ciccus-La Crujía, 2000, p. 14.

[8] José Manuel Valenzuela Arce (coord.), *Decadencia y auge de las identidades…*, *op. cit.*, p. 13.

Su definición significa –además de señalar características afines a un grupo– costumbres, lengua, ritos, instituciones, creencias, rasgos culturales, algo mucho más complejo; es decir, aquello con lo que la persona quiere identificarse, con lo que logra construir el sí mismo. Pero, además, al entrar en juego la suma de un grupo de personas se nombra entonces una identidad colectiva, como lo apunta Luis Villoro: "se trata de una representación intersubjetiva que puede ser compartida por todos los miembros del pueblo y que constituiría un sí mismo colectivo".[9]

Uno de los medios para repensar las particularidades, así como la identidad colectiva, es la literatura como manifestación y expresión cultural, una representación en la cual se identifican ciertos rasgos constantes o sobresalientes.

Tradicionalmente la palabra escrita ha dado forma y construido un imaginario de Latinoamérica. En la literatura mexicana, a partir de sus textos, se puede inferir sobre una serie de atributos de lo mexicano, y en los últimos años, con el florecimiento de la literatura en el norte, se tiene un conjunto de obras que configuran la construcción de constantes que pueden servir como mapa o guía para entender mejor la región, así como para acercarse a la identidad y a la posibilidad de conocer quién es el norteño, sin dejar de ser mexicano y compartir aspectos con los mexicanos de todo el país.

Eduardo Antonio Parra, cuya obra es objeto de estudio de esta investigación, ha discutido el tema en numerosas ocasiones a través de entrevistas, presentaciones de libros y congresos, y al respecto enuncia:

> El norte de México no es simple geografía: hay en él un devenir muy distinto al que registra la historia del resto del país; una manera de pensar, actuar, de sentir y de hablar derivadas de ese mismo devenir y de la lucha constante contra el medio y contra la cultura de los gringos, extraña y absorbente. Derivadas también del rechazo al poder central; de la convivencia con las constantes oleadas de migrantes de los estados del sur y del centro; y de una mitología religiosa "tan lejos de Dios" que se manifiesta en la adoración a santones regionales como la Santa de Cabora (Chihuahua), Juan Soldado (Baja California), el Niño Fidencio (Nuevo León) y Malverde (el "santo" de los narcotraficantes sinaloenses).[10]

---

[9] Luis Villoro, "Sobre la identidad…", *op. cit.*, p. 25.

[10] Eduardo Antonio Parra, "Notas sobre la nueva narrativa del norte", en Javier Perucho (comp.), *Estética de los confines*, Morelia, Verdehalago, 2003, pp. 40-41. Disponible en versión electrónica en http://www.uweb.ucsb.edu//~%20sbenne00/notassobrelanuevanarrativadelnorte.html. Esta cita aparece también en Juan Carlos Ramírez-Pimienta y Salvador C. Fernández (comps.), *El norte y su frontera en la narrativa policiaca mexicana*, México, Plaza y Valdés, 2005, p. 13.

Este argumento se articula a lo expuesto por muchos académicos nacionales y extranjeros en diferentes congresos; por ejemplo, ciertas ponencias del Congreso de Literatura Mexicana Contemporánea, celebrado durante los últimos doce años y organizado por la Universidad de Texas en El Paso, han abordado la literatura del norte. Algunos de estos trabajos han sido publicados en la *Revista de Literatura Mexicana Contemporánea*, y entre ellos se pueden mencionar los textos del investigador mexicano Miguel G. Rodríguez Lozano, quien ha expuesto sobre el tema en diversas ocasiones, y los escritos de la croata-australiana Diana Palaversich. Asimismo, la española Alicia Llerena ha tocado el tema de la identidad de la literatura del norte de México y la boliviana Nuria Vilanova, de la Universidad Mayor de San Andrés, ha centrado su interés en la narrativa de la frontera norte de México. Sirvan estos ejemplos para dar cuenta de la resonancia que el tema ha tenido en diferentes espacios académicos.[11]

La literatura del norte es la expresión, por un lado, de los valores culturales de una región, de ciertos aspectos de su identidad, de problemáticas concernientes a su ubicación geográfica, así como, por otro, de la resistencia de la que habla Parra, la influencia recibida por la cercanía a los Estados Unidos, la determinación de las culturas de otras regiones del país que se han introducido a causa de las fuertes migraciones, y es también la expresión de una región inserta en los procesos de globalización, donde la fuerza de identidades supranacionales influyen también en la construcción o en la crisis de identidad.

Luis Villoro, en su reflexión sobre la crisis de identidad de los países latinoamericanos, comenta cómo la búsqueda de identidad puede tener varias alternativas:

> […] una es el encuentro de aquello que nos singulariza, que nos distingue de los demás. Esta vía generalmente impele a renovar valores antiguos; encontramos la imagen con la que tratamos de identificarnos en un modo de ser tradicional, en un pasado.
>
> Pero hay otra alternativa: frente a la situación confusa de muchas imágenes con las cuales no podemos identificarnos, crear una nueva imagen. Crear una imagen de sí en la cual se integre el pasado con un proyecto que tenemos. Esta segunda vía es una vía de cambio, es mucho más angustiosa que la primera, por

---

[11]   Véase "Las literaturas de las fronteras", de Socorro Tabuenca, quien hace un recuento de la producción de la literatura norteña en los últimos años. En José Manuel Valenzuela (coord.), *Por las fronteras del norte*, México, Fondo de Cultura Económica, 2003, pp. 393-424.

que el refugiarnos en la tradición nos da mucha tranquilidad. Crear una nueva imagen de nosotros mismos nos enfrenta a una tarea angustiosa, difícil.[12]

Y justamente estas dos vertientes se aprecian en la narrativa de Elizondo y de Parra. Aspectos de *Setenta veces siete* y *Narcedalia Piedrotas,* o los cuentos de *Tierra de nadie* remarcan esa singularización y esa resistencia al cambio. Pero al mismo tiempo se plasma la creación de nuevas imágenes, como el intento de ser diferente, de alcanzar la otredad; alteridades que buscan afanosamente dejar de ser lo que son. Estas problemáticas son expuestas principalmente en *Narcedalia Piedrotas,* en *Nostalgia de la sombra* y en algunos cuentos de *Tierra de nadie.* Más adelante se puntualizará sobre estos conflictos.

Literatura e identidad

Coincidimos con el especialista en el tema Fernando Ainza, cuyos vastos estudios sobre identidad especifican que "se puede decir sin exagerar que gran parte de la identidad cultural de Iberoamérica se ha definido gracias a su narrativa",[13] pues la palabra escrita es un vehículo para la construcción de una conciencia que permite al lector conocer y comprender la realidad a partir de la imaginación.

Así, la literatura escrita en el norte de México se ha encargado de plasmar las nuevas tendencias que las identidades en varias partes del mundo están teniendo. Su estímulo de gestación está determinado, como se dijo anteriormente, por los cambios sociales y económicos del nuevo modelo económico neoliberal, directriz de la globalización.

En la región norte se intensifica su transformación y su proceso de cambio por la cercanía con los Estados Unidos, además porque los estados que la conforman constituyen la puerta de entrada al país líder de la globalización. Es frente a esta nueva conformación del Estado-nación donde la región norte busca redescribir su identidad y es la literatura una expresión de esa búsqueda.

---

[12] *Idem*.

[13] Fernando Ainsa, *Identidad cultural de Iberoamérica en su narrativa*, Madrid, Gredos, 1971, p. 23.

La literatura escrita en el norte es un medio de resistencia, en el sentido de edificar un sostén al proceso de construcción de la identidad. Sus textos poseen una serie de rasgos y un conjunto de escenarios comunes que coadyuvan a definir las relaciones entre lo individual y lo social. Muestran también las nuevas tendencias en donde el ser humano vive al mismo tiempo procesos opuestos: por un lado, intenta construir la identidad a partir de actos de resistencia que buscan preservar el origen y las raíces; por otro, queda patente un proceso de fragmentación que lo lleva a vivir una crisis de identidad por la influencia de las nuevas orientaciones de la globalidad.

En cierto sentido, esta crisis está determinada por la polarización que se vive actualmente en la sociedad, donde la brecha social se ha acentuado de tal manera que los beneficios de la globalización llegan a poca gente.

La obra de varios de los escritores del norte que exponen la crisis de identidad como resultado de diferentes aspectos, tales como la migración, la pobreza, la masificación de la urbe, la violencia de las grandes ciudades y la destrucción del campo, entre otros.

La literatura también recupera y hace una revisión de la creación del imaginario histórico; es decir, hace referencia a la manera en que la identidad se empieza a construir, por medio de descripciones puntuales sobre los usos y las costumbres de la región, así como de los rasgos socioculturales de una serie de personajes que pueden ser reconocidos entre los pobladores del norte mexicano, especialmente de finales del siglo XIX y parte del XX, hasta antes del fenómeno económico y cultural de la globalización. En algunos textos se hace referencia a lo que Seymour Mentor llama "nueva novela histórica",[14] en donde el escritor hace una reflexión con una mirada renovada de la historia.

Revalorando esa actitud reconstructora de la memoria, Gloria Vergara comenta:

La identidad como huella nos ubica más bien en los mecanismos internos de la memoria […] La memoria como soporte temporal y preformativo de la identidad nos llevará a hablar de la función del olvido y el recuerdo como estrategias de representación. Así, la identidad, en tanto objeto temporal trascendente, será vista como una red de nociones que se apuntan hacia el pasado y el futuro en el instante de la representación.[15]

---

[14] Véase Seymour Menton, *La nueva novela histórica*, México, Fondo de Cultura Económica, 1993.
[15] Gloria Vergara, *Palabra en movimiento*, *op. cit.*, p. 19.

La narrativa norteña plasma cómo las identidades sufren transformaciones en el tiempo y en el espacio, es decir, nos muestra la movilidad de estos procesos. Los autores presentan problemáticas localizadas en diferentes ámbitos identitarios, algunos fundacionales y otros participando de nuevas articulaciones de identidad, como lo enfatiza José Manuel Valenzuela en el siguiente párrafo:

> El desarrollo de los medios de comunicación y transporte han generado inéditas formas de adscripción identitaria y de procesos imaginarios, lo cual abre posibilidades de adscripciones subjetivas insospechadas hasta hace pocas décadas, y que en muchas ocasiones contrastan con las condiciones de vida de amplios grupos sociales para quienes esas propuestas resultan inalcanzables. Esto genera un importante desencuentro entre las identidades cotidianas y las potenciales identidades imaginarias.[16]

Ricardo Elizondo Elizondo explora estos temas tanto en *Setenta veces siete* como en *Narcedalia Piedrotas*, como se verá más adelante en el análisis sobre este autor.

La literatura del norte representa simbólicamente este desarrollo y subdesarrollo, así como su repercusión en el yo: por una parte, el tema del nomadismo y de las migraciones, del *anyplace*, son penetrados por imágenes de movimiento y desplazamiento; por otra parte, y a manera de contraste, se describe la permanencia, la carencia o la imposibilidad de movimiento; ambas como marcas simbólicas articuladas al progreso o al estancamiento socioeconómico. Las representaciones de estos temas en la escritura norteña son puestas al relieve en *Tierra de nadie* y *Nostalgia de la sombra*, textos de Eduardo Antonio Parra.

Se observa cómo los símbolos del modernismo y el avance tecnológico, representados por los medios de comunicación, contrastan radicalmente con los viajes a pie de los migrantes, los cuales aparecen representados ampliamente en la literatura del norte, donde también se describe la carencia de medios de transporte de vagabundos, pordioseros y prostitutas que pone en evidencia el trastorno ocasionado por la dimensión del progreso.

Las obras aquí estudiadas presentan un análisis de personajes en el que indiscutiblemente se ven las particularidades de cada uno de ellos, pero también la pertenencia a un grupo, red o población. En varias novelas de la literatura norteña puede observarse cómo la vida del hombre

---

[16]   José Manuel Valenzuela Arce (coord.), *Decadencia y auge de las identidades...*, *op. cit.*, p. 30.

moderno se ha visto amenazada por situaciones que tienden a producir una disgregación de la identidad. Por ejemplo, Eduardo Antonio Parra, entre otros escritores de la región, habla de la falta de asideros del hombre contemporáneo, lo cual aparece articulado a la problemática de las ciudades del norte, donde un número considerable de personas ha perdido familia, hogar, trabajo, y donde el poder está en manos del crimen organizado que cobra protagonismo frente a la crisis de Estado. De esta manera, la soledad se presenta como el hilo conductor de la existencia, al tiempo que las pertenencias sociales tienden a diluirse y la identidad se ve eclipsada por una existencia sin sentido.

Los narradores de la literatura del norte de México plasman la crisis que está viviendo la sociedad a causa de la inseguridad y la violencia, así como por los altos índices de crímenes impunes. Las tramas representadas en la narrativa norteña son un espejo del debilitamiento que han sufrido las redes sociales por la agresión, el miedo y la incertidumbre cotidiana.

Es interesante observar cómo algunos atributos —que las novelas ubicadas al principio del siglo XX muestran como parte de la identidad de sus personajes— en la escritura de autores como Toscana, Parra, Montes, Valdés, entre otros, se han degenerado, convirtiéndose en estigma. Un caso específico es, por ejemplo, el de la cultura del trabajo, enaltecida en una época como gran cualidad y ahora desvalorada (por algunos de estos autores)[17] como parte de un estereotipo que ha llevado al ser humano al vacío, a la insatisfacción y a la carencia de sentido de la existencia.

En efecto, el valor del trabajo se desacredita. Así, ese atributo que caracteriza a la gente del norte de México es puesto por la escritura en una situación límite: el trabajo ha deshumanizado al hombre, lo ha llevado a perderse en una encrucijada materialista, pero, por otro lado, la falta de él (o sea, el desempleo) significa la agonía de no tener valor ante la sociedad, de no pertenecer al grupo. El ser trabajador es una representación social que caracteriza y define al norteño, por lo que no tener empleo o tener uno anodino anula a la persona o la desvaloriza.

Otro aspecto interesante de considerar en el caso del norte de México, como ya se ha dicho, es su cercanía a los Estados Unidos, pues esta proximidad propicia una influencia definitoria en la gestación y transformación del proceso identitario.

---

[17]   Este nuevo enfoque puede encontrarse en escritores como: David Toscana (*Duelo por Miguel Pruneda*), Felipe Montes (*El Enrabiado*) y Eduardo Antonio Parra (*Nostalgia de la sombra*), entre otros.

Los libros analizados en este proyecto hacen referencia a distintas variantes de la relación de México con el país vecino; por ejemplo las novelas de Ricardo Elizondo Elizondo, para quien la gente de la región fronteriza, mexicana o estadounidense, es la misma. Es decir, este autor busca subrayar que la diferencia entre los dos países es política y económica, que la demarcación de la línea fronteriza es sólo una cuestión de pago de impuestos. Se establece, con ironía, que la identidad de los dos espacios es muy similar, que lo distinto son los Gobiernos, depositarios del poder.

En otros textos, por ejemplo en los de Eduardo Antonio Parra, se remarca la gran asimetría económica, así como los desafíos que implica cruzar la frontera.

Por otro lado, los símbolos culturales son asidero de resistencia frente al país vecino, el peligro del "entreguismo" de los fronterizos es abordado y se dibujan rasgos culturales como respuesta al fortalecimiento de una identidad: música, comida, diversiones, entre otros.

Paradójicamente, a la par del fenómeno de resistencia, se manifiesta el fenómeno de transculturación que no implica automáticamente una pérdida de identidad, sino sólo su recomposición adaptativa. Sin embargo, la transculturización es inevitable como parte de un proceso cultural en el encuentro entre los dos países y como un rasgo de la globalización, donde se genera un intercambio de lenguaje, moda, creencias, formas de trabajar, etcétera.

La literatura del norte relata la difícil vida del trabajador. Algunas veces, cuando se trata de migrantes, describe la dificultad para adaptarse a la nueva cultura, el habla de los indocumentados, los peligros de vivir al margen de la ley, la mitificación de la cultura original, la utopía y la contrautopía, además indaga sobre la hibridación cultural: el préstamo de lenguajes, los consumos y las prácticas culturales. La obra de Eduardo Antonio Parra es tierra fértil en donde el autor siembra estas temáticas enfrentando al lector con los efectos de la globalización, la crisis de la modernidad y la aculturación.

Como parte de ello sobresale la circulación de la cultura popular: la música grupera, los corridos y las bandas juveniles que le dan expresión a las odiseas transfronterizas. Intertextos que recrean las aventuras de los personajes protagonistas de este espacio: migrantes, narcotraficantes, indocumentados, policías, así como la patrulla fronteriza. La música es para la región norte la expresión que permite la identificación con problemáticas similares. Así, la narrativa del norte recrea estos discursos que permean las sagas propias de la problemática de la región y donde poco a poco se construye esa identidad siempre en proceso de cambio.

Identidad y valores socioculturales

Dado que nuestro objeto de estudio es el análisis de la narrativa de Ricardo Elizondo Elizondo y Eduardo Antonio Parra, hay un interés particular en detenerse en el estudio de los rasgos que su literatura entraña.

En particular, Ricardo Elizondo Elizondo enfatiza los valores socioculturales de la región al dibujar una cultura que puede verse como protagonista en sus textos; su tarea creativa consiste en construir y recuperar el imaginario de la región, principalmente en el siglo XIX y parte del XX. Por otro lado, Eduardo Antonio Parra plasma el desmoronamiento que esta identidad sufre por la crisis de la modernidad.

En este apartado se pretende mostrar la elaboración que Ricardo Elizondo crea a partir de un pasado que deja marcas, para, más tarde, en el tema sobre crisis de la modernidad, analizar el trabajo de Eduardo Antonio Parra, quien confecciona una mirada peculiar de la región en relación con la fragmentación de la identidad.

La identidad en Setenta veces siete

Para contextualizar la manera en que Elizondo aborda la identidad es pertinente identificar la fábula de su primera novela, *Setenta veces siete* (1987). La diégesis se centra en narrar los sucesos de varias familias de la región noreste de México, así como su evolución y desarrollo a partir del transcurrir de sus existencias. De los sucesos descritos en esta obra se pueden inferir y analizar el modo de vida, los usos y las costumbres, los valores socioculturales, las creencias y los proyectos de vida futuros.

La novela no sigue una línea cronológica, al contrario, se da la estructuración de la fábula en cuatro tiempos fragmentados. Ahora bien, en esta línea interrumpida se ubican numerosos aspectos de la cultura del norte, algunos que sobresalieron en el pasado y otros que todavía perviven.

El valor de la narrativa de Elizondo es recuperar esta geografía, historia, usos y costumbres, así como la concepción de su religiosidad, de sus manifestaciones culinarias, de su música, entre otros aspectos. Es importante remarcar que si bien estos rasgos no siempre son exclusivos del norte, sí fueron manifestaciones constantes de la región y algunos han logrado sobrevivir permitiendo al norteño identificarse con ellos.

Setenta veces siete dibuja muy diferentes escenarios, aunque en un momento dado el narrador puntualiza que la historia está ubicada en el noreste. Cuando el revolucionario Alfonso Corona llega a Charco Blanco, se narra que era un "revolucionario jalisciense al mando de una tropa andarina por el noreste del país",[18] sin embargo, nunca se especifica si se trata de Tamaulipas, Coahuila o Nuevo León, como si intencionalmente el autor quisiera dejar ambigua su localización.

La novela se sitúa a finales del siglo XIX y principios del XX, época en donde el realismo era un género sobresaliente. Así, Ricardo Elizondo retoma espacios interiores para hacer corresponder el género de la novela realista con la época que está representando; por ejemplo, le da especial importancia al espacio doméstico, aunque siempre articulado a un paisaje exterior, por lo que las casas de los personajes son escenarios importantes descritos con detalle.

Hay por lo tanto una presencia de lo público y lo privado, un análisis de la historia privada, pero abarcando por momentos un panorama de la problemática exterior.

El origen de la región concuerda con el registro de la historia oficial, pues se mencionan sus antecedentes históricos, desde el siglo XVIII, cuando llegó a la región una misión franciscana muy pobre y se instaló en la parte norte del río Bravo; en ese entonces los pobladores eran indígenas cristianizados y religiosos.

El narrador describe El Sabinal y Charco Blanco, aldeas donde moran los personajes: en El Sabinal, los Govea; en Charco Blanco, los Villarreal:

El Sabinal era más grande, más pueblo, con sus caserones de doscientos años que atestiguaban pasadas bonanzas de mineral y ganadería. Pero aquí era otra cosa. Charco Blanco no era tan grande como un pueblo ni tan pequeño como una ranchería, más bien era una aldea donde todos sus habitantes, en mayor o menor

---

[18] Ricardo Elizondo Elizondo, *Setenta veces siete*, México, Castillo, 1987, p. 206.

grado, guardaban parentesco. Las calles no estaban tiradas a cordel, las pocas que habían se enredaban y desenvolvían unas en otras, el camino al llegar se torcía sinuosamente para poder pasar por los dos barrios que formaban el pueblillo, cada uno con su plaza resolanuda y reseca.[19]

A este pueblo sencillo no ha llegado ningún asomo de progreso, no tiene ayuntamiento, ni iglesia, además el agua escasea, la naturaleza no es pródiga, no hay vegetación. Estos detalles descriptivos hacen alusión a comunidades perdidas, sin vida; sin embargo, para atenuar sus carencias, el narrador enfatiza las cualidades del escenario: el suave olor de la hierba, el dorado de su sol y el azul de la inmensidad de su cielo.

La naturaleza realza el carácter de su gente, y los matices paisajísticos reflejan el estado emocional de los personajes. Los habitantes de Charco Blanco no son exóticos ni artificiosos, por el contrario, la naturalidad y sencillez es una constante en ellos, si bien la complejidad de sus sentimientos contrasta con la aparente simplicidad de sus vidas.

Estos pueblos decimonónicos guardan semejanzas con el mundo rural actual norestense, alejado de la civilización; aldeas de municipios como Zaragoza, Doctor Arroyo o Mina no son diferentes a las descritas en *Setenta veces siete*.

La vegetación se manifiesta a través de huisaches, granjenos, palosprieto, chaparrales, mezquites y ebanillos, y la tierra se nos presenta árida, seca y salitrosa. Esta naturaleza es todavía parte del escenario norteño.

Un atributo característico del escenario son los fuertes calores en el verano; así, se describe "el calor canicular zumbando hasta en los rincones",[20] el sudor, los muertos que tienen que ser enterrados inmediatamente porque los cuerpos se empiezan a hinchar, y hasta los molestos zancudos, que pican y molestan a las señoras. Todos estos aspectos reproducen los veranos sofocantes de la región, los cuales son una constante del universo norteño.

Otro espacio importante es Santa María Carrizales, ubicado al lado de Carrizalejo; ambas poblaciones están separadas por el río Gordo. Éste se puede asociar con el río Bravo, tal como se describe en la novela. Desde el inicio, se dice que los hijos de don José Govea "se habían ido a

---

[19] *Ibid*, p. 42.
[20] *Ibid*, p. 102.

hacer fortuna al otro lado de la frontera".[21] La palabra frontera se asocia con la fortuna, y ésta tiene varias connotaciones: enriquecimiento, negocios, aventuras, suerte, e incluso la alteridad: lograr cambiar el yo y convertirse en "el otro".

Esta particularidad del norteño se enfatiza en su narrativa, incluso como parte de la identidad. Ramón y Agustín Govea encarnan esta "identidad como distinguibilidad". Se van al "otro lado" buscando ser "otros", allá encontrarán diferencias básicas respecto a Charco Blanco, especialmente en la calidad de vida; sin embargo, aun viviendo en Carrizales, buscando la cultura extranjera y siendo los dueños de la Govea Brother's, siguen compartiendo algunas señas de identidad con los habitantes de Carrizalejo y Charco Blanco.

En cambio, para don José Govea, el padre de los viajeros, a diferencia de sus hijos, la frontera "es un decir", no significa nada; para él, los dos lugares son lo mismo: la misma gente, la misma tierra, la misma región, sólo un río los separa y ese río lleva la misma agua de los dos lados.

Como se mencionó antes, el desarrollo de los medios de comunicación y transporte ha generado inéditas formas de adscripción identitaria y de procesos imaginarios, tal es el caso del ferrocarril que aparece en *Setenta veces siete* como símbolo del progreso. Se remarca que el pueblo ubicado cerca de las vías del tren tiene la posibilidad de desarrollarse.

El hecho de que haya ferrocarril desde la capital hasta la frontera representa la posibilidad de realizar viajes largos y tener una mejor conexión entre el centro y las ciudades fronterizas; es el tren el vehículo que inicia una cierta aproximación física del centro a la periferia.

La estación de ferrocarril es el punto de reunión de comerciantes, inmigrantes y gente aventurera, es un excelente espacio para construir comercios que aseguren un buen negocio con los viajeros que por ahí deambulan. Agustín y Ramón, los personajes que encarnan el espíritu emprendedor norteño, instalan en este escenario un pequeño establecimiento que pronto fructificará en una empresa sumamente rentable.

El lector puede ubicar con más seguridad la problemática que expone Elizondo en el norte gracias a la mención de los realemas, pues hay algunas poblaciones mexicanas en la región que se mencionan en forma específica y que corresponden con la realidad, así como también otras esta-

---

[21] *Ibid.*, p. 9.

dounidenses. La utilización de escenarios permite ubicar la narración en la región norte de México y sur de Estados Unidos, como por ejemplo Matamoros, ciudad que se menciona con su nombre real; así, en el texto se da una combinación de poblaciones ficticias con otras reales. Lo mismo sucede con Nueva Orleáns y San Luis Missouri. Otra población que comparte nombre verdadero con otra ficticia es el caso de "San Pedro de Roma", refiriéndose a Roma, Texas.

San Antonio de Béjar se menciona a menudo. Béjar era el nombre de Texas antes de su independencia. Esta ciudad es mucho más grande e importante que las otras.

De acuerdo con la trama, Agustín y Virginia envían a su hijo adoptivo, Carlos Nicolás, al norte de Texas a estudiar en una escuela militar. Esta costumbre era muy común en la clase alta mexicana, especialmente del norte, pues se creía que mandando a los hijos a una academia militar era como se podrían corregir los problemas de comportamiento. En el estado de Texas había algunas escuelas que cumplían con estas expectativas: trabajar por la buena moralidad; sin embargo, en el caso del personaje de *Setenta veces siete,* no se soluciona su problema y no adquiere la disciplina que se esperaba.

El hecho histórico que reconstruye la novela es la Revolución mexicana, la cual tiene graves repercusiones en la frontera. Su impacto aquí es diferente del resto de México por la colindancia del norte con los Estados Unidos.

La actividad comercial disminuye, por lo que bajan las ventas, hay ausencia de artículos perecederos comestibles, la exportación de alimentos mexicanos se detiene y se desata una ola migratoria; hay pueblos, como El Sabinal, que prácticamente desaparecen, pues sus habitantes huyen al país del norte, a pesar de no contar ni con dinero ni con trabajo.

Cuando Carrizalejo queda acéfala, sin autoridad, dada la inestabilidad política, una ola de robos azota al pueblo, llevándose la mercancía a Carrizales; aquí se observa cómo opera la jurisdicción fronteriza y cómo los aduanales impiden el paso de la mercancía. Se puede hacer una comparación con la situación actual, en donde la inseguridad y el caos siguen siendo marcas de la línea fronteriza y la región se asocia con la violencia.

Las familias presentadas en la narración son un espejo que refleja los usos y las costumbres de la sociedad mexicana del noreste de México de la segunda mitad del siglo XIX y principios del XX, cuyas historias estaban alejadas de la modernidad. La literatura de Elizondo ayuda a crear una idea de cómo pudieron haber sido estas familias. Así, de acuerdo al relato, las personas que viven en los pueblos del norte de México se dedican a la agricultura principalmente; en cambio, los del otro lado de la frontera, al comercio.

Mientras en México el modelo que describe la novela es agrario –la agricultura se desarrolla especialmente en mercados locales, con algunas excepciones–, en Estados Unidos ya se habla de una estructura económica comercial, basada en la lógica del mercado, y se visualiza la industrialización. Al comparar la estructura económica productiva mexicana con la del vecino país, resalta una clara asimetría.

En la narración se advierte la fuerte influencia de Estados Unidos en estos pueblos norestenses, y cómo algunos son determinados por ese cambio productivo. *Setenta veces siete* habla de Carrizales, espacio estadounidense, ubicado justo en la frontera, y de cómo este pueblo tiene la necesidad de buscar artículos que son materia prima en el norte mexicano. Así, algunos productos agrícolas son exportados hacia Norteamérica y, como se mencionó ya, empieza a gestarse una actividad comercial y un paradigma socioeconómico: el desarrollo norteamericano.

La mayoría de los varones son agricultores o ganaderos, siembran principalmente maíz y frijol, así como algunos árboles frutales, además de todo lo concerniente al cultivo de la caña de azúcar.

Algunas de estas ocupaciones están asociadas a una serie de ritos que son parte medular de la vida de los agricultores; por ejemplo, el dueño de la cosecha es el primero en beber la miel una vez que la extraen del molino.

Asimismo, se da una descripción de las tareas de la mujer, de sus ocupaciones, así como de los roles asignados a su género, aunque se aclara que algunas sí pueden trabajar. Nicolasa, por ejemplo, siembra la tierra junto con Cosme, su hermano. Además vende la miel que ella misma produce, generando así recursos económicos.

En general, el espacio de acción de la mujer es el hogar, pero nunca se critica el hecho de que algunas de ellas trabajen, por lo que se remarca que el trabajo es un valor importante para los norestenses.

Es importante reconocer la dignificación que el narrador da a las mujeres de la novela. Hay una serie de personajes femeninos que destacan porque aunque guardan las características propias de la época, y del siglo XIX, son, además, independientes, luchadoras, emprendedoras, muy firmes en sus convicciones y defensoras de sus principios. Parecería que el narrador tiene la intención de resaltar que en el norte de México hay una concepción diferente de la sociedad para juzgar el trabajo femenino, por lo que la mujer es vista con menos prejuicios. En este sentido, sobresalen Virginia, Carolina, Nicolasa, Dionisia, Primitiva, Teresa y María Rosa. Todas ellas encarnan una imagen de mujer generosa, entregada con pasión a las tareas que la vida le pone enfrente, dando lo mejor de sí misma y con un proyecto claro de vida.

Las costumbres de los pueblos de esta región, enmarcadas en el siglo XIX y principios del XX, tienen un carácter provinciano. Los noviazgos y matrimonios se pueden estudiar por sus ritos.

Especialmente en Charco Blanco y en El Sabinal, el noviazgo sigue un orden rígido; en cambio en Carrizales, espacio del otro lado de la frontera, el noviazgo es más espontáneo y no sigue un código y un ceremonial tan escrupuloso; por eso Agustín y Ramón se casan sin cumplir con tantos aspectos formales como sí lo hizo su hermana Carolina. Estos rasgos reflejan un mayor conservadurismo en el lado mexicano, orientado por un código de comportamiento estricto y una moral más rígida. Así, los padres son los encargados de fijar las reglas: la novia debe ser visitada por su prometido en su casa únicamente y en presencia de terceros, el tiempo del noviazgo debe estar precedido por un tiempo de distanciamiento de la pareja (para asegurar que el interés es definitivo) y el matrimonio debe ser bendecido por la Iglesia católica. Se habla de la preparación del ajuar de la novia, de la ropa de cama que debe disponer y del bordado de sábanas, fundas y manteles. Posteriormente se ofrece una fiesta de celebración y los recién casados viven solos y buscan descendencia.

Este análisis hace hincapié en esta serie de detalles porque pretende privilegiar la aportación de la novela al dibujar el imaginario de la historia de la vida privada en el noreste.[22]

La educación formal en la región prácticamente no existe, únicamente se habla de una escuelita, sin gran futuro, para los varones. Además sólo se mencionan prácticas relacionadas con el cultivo y la ganadería, y como educación femenina: corte y confección, bordado y lecciones

---

[22]   Un modelo de este tipo de recuentos lo hacen Philippe Ariés y Georges Duby en *Historia de la vida privada*, Tomo 1, Madrid, Taurus, 1990. Su obra obedece a un interés por recobrar los detalles cotidianos de la vida en diferentes etapas de la humanidad. Y también Mario Vargas Llosa en *García Márquez: Historia de un deicidio*, en donde valora el constructo de valores socioculturales que hace Gabriel García Márquez en *Cien años de soledad*.

de cocina. Carolina advierte el potencial de su hija Emilia y lucha para enviarla a estudiar a Carrizales con sus tíos. Allá aprende inglés, además de perfeccionar su gusto y predisposición por la alta costura.

Cuando llega la Revolución, Emilia denota su falta de conocimientos cuando comenta que gracias a la prensa se ha enterado de que en México hay un lugar llamado Zacatecas y otro Tlaxcala, de los cuales no tenía idea que existieran. Esto conlleva a concluir que la interacción de los personajes hacia su región es muy fuerte porque su mundo se concreta al espacio que los circunda.

Hay ciertos elementos que expresan el incipiente desarrollo en la región, por ejemplo, el grado de educación de los personajes. En los pueblos norestenses mostrados en la novela, la gente tiene una mínima preparación académica; un buen nivel educativo es símbolo de elitismo y estatus, así, un suceso sobresaliente marca, desde entonces, las diferencias en el grado de educación entre los dos países: la apertura en Carrizales (poblado del sur norteamericano) del Colegio de las Damas. Este espacio es un símbolo de ascendencia social, dado que es una escuela distinguida para las señoritas de la alta sociedad y que, sin embargo, todavía no tiene cabida en los pueblos del norte mexicano, donde la educación es un valor inaccesible.[23]

Así, para los niños de esta región, los saberes se reducen a la praxis; es decir, su educación se basa en los conocimientos cotidianos y en su propia percepción de la naturaleza.

Por otra parte, para las enfermedades, la medicina herbolaria es la fuente de curaciones, y las mujeres, junto con el aprendizaje de recetas de cocina, aprenden a diferenciar los poderes medicinales de las plantas. Se advierte, sobre todo, la presencia de una sabiduría popular alimentada a partir de la experiencia.

Las diversiones son las propias de una sociedad poco desarrollada; se describen muy pocas manifestaciones, si acaso, algunas bodas, paseos o visitas. En una ocasión llega un pequeño circo a Charco Blanco, pero este paréntesis de esparcimiento es, sin embargo, el inicio de una tragedia, ya que los cirqueros traen, junto con la pobre diversión, la fiebre tullidora que más tarde se conocería como la poliomielitis.

---

[23] "El Colegio Sagrado Corazón de Jesús, de Ponce, se fundó en 1916. Es un eslabón de la cadena formada por más de 200 colegios del Sagrado Corazón diseminados en los cinco continentes. Su historia es más antigua y sus raíces más extensas. Durante 62 años se dedicó exclusivamente a la educación femenina hasta que, en 1978, abrió su matrícula a los varones". Disponible en http://www.salonhogar.com/recursos/sagrado/historia.htm.

En Carrizales, el teatro es la principal fuente de diversión, en donde la música y las representaciones rompen la monotonía a sus habitantes. La música corresponde a los ritmos conocidos en la época decimonónica, así como a melodías características del norte de México: valses, polcas, redovas y habaneras.

En algunos aspectos se habla de desarrollo, como, por ejemplo, el paso de los carros tirados por mulas y caballos al uso del automóvil; en cambio, en el aspecto del entretenimiento no se percibe ninguna evolución, como si, por estar tan ocupados en trabajar, el poco tiempo libre lo dedicaran sólo a descansar.

Setenta veces siete recupera importantes detalles tanto de los usos y costumbres como de la geografía, la arquitectura y la decoración de los espacios; por ejemplo, las construcciones están elaboradas de sillar o adobe y los patios cuentan con plantas y mecedoras: las casas son el principal escenario en la vida de estas familias y son las mujeres las encargadas de decorarlas. Las descripciones de los hogares son un retrato hablado de la personalidad de sus habitantes. La casa de Carolina es blanca y resalta por su limpieza y armonía; la de Virginia está decorada con un excelente y fino gusto; la de Amanda presenta un estilo más pueblerino.

Todos estos detalles son parte de la microhistoria, tal como lo contempla Luis González cuando afirma: "La patria chica es la realización de la grande, es la unidad tribal culturalmente autónoma y económicamente autosuficiente, es el pueblo entendido como conjunto de familias ligadas al suelo, es la ciudad menuda en la que todavía los vecinos se reconocen entre sí".[24]

Un aspecto recurrente en la novela es el de la comida, el gusto por ella y por los diferentes platillos; como afirma E. M. Forster: "la comida en la novela es principalmente social".[25] Así aparece ésta en diferentes modalidades y usos, y con distintos propósitos. Carolina reúne en un libro las recetas con las que el lector se entera de los guisos preferidos de ella y que son parte de la vida culinaria de la región: "calabaza y elote, de borrego con tomillo, de arroz con papas y pasas, de turcos, semitas y pan de boda".[26] Cuando Cosme la visita, ella prepara distintas comidas: "puerco en tomatillo, y frijoles [...] cecina de res con pimienta, tostaditas con queso y de postre calostros

---

[24] Luis González, *Otra invitación a la microhistoria*, México, Fondo de Cultura Económica, 2003.

[25] E. M. Forster, *Aspectos de la novela*, Madrid, Debate, 1985, p. 59.

[26] Ricardo Elizondo Elizondo, *Setenta veces...*, *op. cit.*, p. 27.

hervidos en miel, higos en almíbar cubiertos con crema o dulce de naranja".[27] La preocupación por la buena cocina inicia cuando Carolina sabe que va a casarse. Así, otra tarea más se asocia con la mujer: la cocina.

El tema de la comida relacionada con la mujer se repite a lo largo del relato, como cuando Colasa y Carolina trabajan juntas elaborando platillos sencillos, propios del campo, hecho que sirve de unión de las dos futuras cuñadas y es el medio para que empiecen a conocerse.

Como se mencionó, la comida aparece como eje de celebraciones sociales; así, la boda de Cosme y Carolina es festejada con un gran banquete. En esta ocasión don José, el papá de Carolina, es el encargado de "echar la casa por la ventana":

> Había dispuesto tres carneros, una docena de cabritos y una vaquilla, porque el menú consistía de varias carnes en guiso diferente, medio costal de arroz, frijoles chinos y caldosos, y postres de leche, de calabaza y camote. Eso para la comida, en la merienda variado pan y tanto chocolate como fuese necesario. Si la fiesta continuaba servirían en la noche panza de res en caldo y tamales de puerco. Habían contratado seis guisanderas y dos hacedoras de tortillas.[28]

Y en la boda de Dora Ema y Joaquín se ofrece un novillo de barbacoa, un marrano y varios cabritos. De estas celebraciones y de las distintas menciones que se hace de la comida, se concluye que los productos que provee la región son básicamente maíz, frijol, calabaza, elote, papas, semitas, pan de pulque, higos, naranjas y carne de res y de puerco. La carne seca es mencionada como un alimento de la región que se utiliza en viajes largos. Además, los productos que cultivan y producen los Villarreal, y que más tarde son vendidos para la tienda de los Govea, son chorizo de puerco, dulce de camote y calabaza, piloncillo y miel.

Sólo con los Govea, viviendo en el extranjero, y con los gustos más exóticos de Virginia, se menciona en alguna ocasión el disfrute de alimentos más sofisticados; este detalle contrasta con los gustos locales y habla de la influencia extranjera. Por ejemplo, cuando Virginia inaugura la tienda Govea Brothers se descorchan vinos europeos y se sirven aceitunas españolas, arenque inglés y pastelillos de carne.

---

[27] *Ibid.*, p. 30.
[28] *Ibid.*, p. 61.

Por otro lado, mediante los personajes se presenta la función que cumple la religión en este espacio geográfico. Si bien se practica el catolicismo, pocas veces se señala que haya una influencia de la Iglesia en la vida de sus habitantes. Se trata más que nada de una praxis social. Los personajes se casan por la Iglesia, se reza el rosario los nueve días después de la muerte de algún familiar, como en el caso de don José Govea, pero éstos son aspectos más formales que espirituales.

Algunas veces las prácticas religiosas están asociadas a aspectos mágicos, como cuando Colasa prepara las hierbas para la miel y los jarros: "[…] lo meneaba cuarenta y nueve veces, siete veces siete los dolores de la Virgen".[29] Se advierte en este personaje un pensamiento místico más acorde con las sociedades tradicionales.

Este recuento de los usos y las costumbres de la gente que puebla los espacios de *Setenta veces siete* colabora a construir la noción y los aspectos de la vida privada de ciertos sectores de la región norestense, un imaginario con ciertos elementos identitarios, aunque también podrían encontrase en otras regiones del país. Sin embargo, estos aspectos sobresalen en esta entidad y Ricardo Elizondo Elizondo colabora a construir una mirada del entorno. El autor logra, a través de su novela, recuperar ese espacio privado para darle valor y resguardar la esencia de las personas.

Los usos y las costumbres de El Sabinal, Charco Blanco, Carrizales y Carrizalejo son una expresión de los valores socioculturales de esta geografía y de ese pasado en donde la modernidad es todavía una noción incipiente.

La identidad en Narcedalia Piedrotas

La segunda novela de Ricardo Elizondo Elizondo, *Narcedalia Piedrotas* (1994), describe una fábula que se centra principalmente en el siglo XX, aunque hace referencia constante a otras épocas.

En *Narcedalia Piedrotas* hay una bien lograda caracterización del noreste mediante la descripción de sus habitantes: gente bravía, tosca, áspera, que dice lo que siente, sin sofisticación; pueblos trabajadores, con pocas fiestas en comparación con los del centro y sur del país. En su narración el autor habla del entorno social, emotivo, cultural y humano del norte. Escribe sobre

---

[29] *Ibid.*, p. 52.

el hombre-frontera, siempre en lucha con su entorno y consigo mismo; en ciertos momentos muestra la violencia de la región, el contacto con la cultura estadounidense, la ininterrumpida migración de los habitantes del sur y del centro hasta las tierras jóvenes, las leyendas propias del norte y la mitología regional. Como señala Octavio Paz: "la relación entre sociedad y literatura no es la de causa y efecto. El vínculo entre una y otra es, a un tiempo, necesario, contradictorio e imprevisible. La literatura expresa a la sociedad; al expresarla, la cambia, la contradice o la niega. Al retratarla, la inventa; al inventarla, la revela".[30]

La fábula se ubica en cuatro tiempos distintos, no hay una línea cronológica sino una estructura fragmentada en la cual el lector tiene que ir articulando las distintas épocas: el primer tiempo narra la llegada de los conquistadores a la región en 1615; el segundo describe la llegada del extranjero (el Chino Guango) con todas sus influencias a finales del siglo XIX y su estancia en Villa Perdomo durante años. Se narra también cómo en este siglo se establecen los límites con el país del norte después de la guerra de 1847. Un tercer tiempo se ubica a partir de 1920, cuando nace *Narcedalia Piedrotas*. En esa época el mercado acémilo[31] de tres siglos llega a su fin debido al desarrollo del ferrocarril y las carreteras, y porque la energía eléctrica resulta más barata que la animal. Estos aspectos que señalan el desarrollo de Perdomo lo obligan a transformar su economía, convirtiéndose en un pueblo agricultor y ganadero, especializado en el ganado bovino.

El cuarto tiempo está inscrito en los años setenta, pero se describe desde 1969 con la llegada de los hombres a la luna. La década de los setenta conforma el presente de la narración, cuando todo Perdomo cuenta con luz eléctrica, agua entubada y drenaje, entre otros avances.

La fábula se ubica en Villa Perdomo, un huizachal sin fin ubicado en los confines de la montaña y al principio del desierto. Como escenario cercano a la frontera, establece una relación comercial con los pueblos fronterizos, así, los habitantes pueden viajar de ida y vuelta el mismo día hasta el país vecino. Sin embargo, aunque la gente viaja a los Estados Unidos a comprar ropa —"las garras"— y a pesar de que se nota una cierta influencia fronteriza, la identidad está aún muy

---

[30]   Octavio Paz, *Tiempo nublado*, Barcelona, Seix Barral, 1983, p. 161.
[31]   Según el contexto de la novela, acémilo se refiere a mulas. El *Diccionario de la Real Academia Española* no registra esta palabra ni tampoco el Lexicón del Noreste. El *Diccionario Anaya de la Lengua* (Madrid, España, Anaya, 1991) consigna lo siguiente:"*acémila*: (Del ár. Az-zemila= bestia de carga) 5.f.1 mula o macho de carga. 2. fam. Pesona ruda. Fam. Acémilero, a. sin. 2. Torpe, bruto, asno// Ant. 2. Delicado, modoso, educado".

marcada, perfectamente definida. La novela refleja una necesidad interior de conservar la identidad cultural y la reafirma en algunos rasgos sobresalientes de los personajes, como su carácter y su forma de vida.

Las casas son de adobe, y una que otra de sillar. La gente se dedica a la ganadería, al ganado mular; todos tienen marranos y algunos van a la capital del estado a conseguir un mejor trabajo; otros son "pasaporteados" y huyen ilegalmente, buscando mejores ingresos al otro lado de la frontera. Las diversiones masculinas son la pesca y la cacería, aunque no deja de haber quienes visitan a las Cuchillonas, mujeres galantes que tienen un espacio de diversión.

A menudo se presenta la comida como indicio de los gustos de los perdomenses: el guiso del chorizo es el aroma del crepúsculo de Perdomo. También se habla del machacado, el cual llega a constituir una de las principales industrias del lugar. Los domingos se come barbacoa y chicharrones.

La huerta del Chino Guango es una riqueza de hortalizas que hace que los perdomenses se habitúen a comidas más sofisticadas de las que están acostumbrados y las adapten como propias. De las papas, los tomates, los chiles, los elotes y las calabazas pasan a saborear el pepino, el brócoli, el apio, el nabo, el rábano, la col blanca y morada, la coliflor, la zanahoria, la acelga, la espinaca, los cebollines, el poro, los ejotes, los camotes, el cilantro, el perejil, las hierbas de olor y los germinados de cereal y legumbres.

La naturaleza de Villa Perdomo es descrita como un lugar de chaparrales, densos huizachales, polvo, caliche, si acaso aguacatales, limoneros, naranjos, higueras y canelos. Eso sí, el olor de los limoneros y los jazmines perfuma el viento deleitando a todos. Es importante destacar que estas características son parte de la historia de la región, pues el autor ha recogido muchos elementos de la tradición oral, de sus historias, así como de los usos y las costumbres, reivindicándolos en sus textos- ficción.

La estación del año que describe la novela es, especialmente, el verano con su calidez en las noches: "De noche el clima es delicioso, suavemente cálido, tan suave que puede uno tomarse un baño y sin secarse dormir encuerado y aún así no hay resfriado".[32] Además, zancudos y cigarras

---

[32] Ricardo Elizondo Elizondo, *Narcedalia Piedrotas*, Fondo de Cultura Económica, 2002, p. 70.

acompañan los ardientes meses de calor. Es notorio que los personajes no se pueden desentender del ruido penetrante de las chicharras que el narrador no olvida mencionar.

En este clima crecen los Vega, los Garza, los Villarreal, los Gómez, perdomenses acostumbrados a las llamaradas del sol y a la ventisca del invierno, y a sentarse en sus mecedoras para charlar un rato y ver pasar a sus vecinos.

Por su lejanía del centro del país, los pobladores de Villa Perdomo se hacen autosuficientes, y esto los lleva a ser prepotentes, burlones y hasta socarrones: "Un perdomense siempre se burla de cualquiera, hasta de su madre casi".[33] Además, la gente tiene que ingeniárselas para salir adelante entre tanto salitre; por ello, el espíritu de sus habitantes es emprendedor y de lucha: al norte de Perdomo se acaba el país, "pero todo lo que se hiciera por ese lado era considerado contrabando y traición".[34]

Si bien los habitantes no se preocupan mucho por la moralidad, sí les afecta "el qué dirán" de los propios perdomenses; al resto del mundo no lo toman en cuenta. En relación con el narcotráfico, cuando les conviene se hacen los desentendidos y los disimulados ante los sucesos que ocurren en su espacio. También son apolíticos; no tienen una ideología que los defina, no saben distinguir entre un diputado y un senador; para ellos la política es sinónimo de robo y nunca se interesan en ella; en cambio, trabajar, hacer negocios, desarrollar empresas, son estímulos que los llevan a encaminar sus proyectos de vida.

Es importante mencionar que no puede decirse que Perdomo representa específicamente un espacio único y definido del noreste, constante que se vio también en los escenarios de *Setenta veces siete*, pues su configuración y estilo de vida lo representa como una identidad colectiva con ciertos rasgos particulares. De esa manera, tiene aspectos comunes con los pueblos que se caracterizan por una resistencia social y psicológica, debido a que están tan lejos del centro del país y tan cerca de los Estados Unidos. Además, los perdomenses, aunque se ven invadidos por ciertos elementos de la cultura extranjera, poseen algunos signos que subrayan su identidad y su necesidad de preservarla: conocimientos, creencias, leyes, personalidad, música, comida, lengua, cultura, etcétera.

---

[33]   *Ibid.*, p. 45.
[34]   *Idem*.

Como en *Setenta veces siete*, una de las aportaciones de *Narcedalia Piedrotas* es el hecho de que va edificando una memoria colectiva del noreste, a través de enumeraciones y sus intertextos, puesto que incluye una serie de juegos y canciones que han utilizado los pobladores de la zona.

Perdomo es ingenioso y ocurrente. Una prueba de esto son los apodos de los personajes: Vérulo, "Cascajo", por estar al lado de la Piedrotas; Sergio, "Cerillo", por su pelo rojizo; Mercedes, "la Mecha", por "prender" a "Cerillo". A Helvetia la llama "la Mechuda"; a Hortensia, "la Mocha"; a Eugenia Villarreal, quien toca a Chopin de memoria, "la Chopanona", y a Narcedalia, "Piedrotas", por fuerte y porque una vez apedreó a unos hombres que se metieron con ella. Al respecto, Walter J. Ong señala que "los pueblos orales comúnmente consideran que los nombres (una clase de palabras) confieren poder sobre las cosas".[35] Además, nombrar, es decir, asignar denominaciones, da poder al ser humano sobre lo que está nominando, y de esa manera los perdomenses creen manejar las situaciones.

Refiriéndose a su uso, Ricardo Elizondo Elizondo comenta en entrevistas que aprecia los apodos por su ingenio y por su humor, y que en el norte la gente tiene habilidad para construirlos.

El personaje que recibe más apodos es Narcedalia. Dado que ella es la "matriarca" del pueblo y concentra principalmente el poder económico, los perdomenses se desquitan bautizándola con un buen número de sobrenombres, tratando por ese medio de liberar sus resentimientos. Entre los apelativos destacan: "piedrotas", "zamborondona", "timbona", "gorda", "elefanta", "la gran gordona", "la mamuta", "la torunda", "la gordiona", "sorodombomba", "zangolotona", "zepelina", "botijota", "petacona", "albóndiga", "rinoceronte", "balumba torpedera", "hipopótamo", "gordinflona", "mastodóntica", "marrana ensebada".

Narcedalia Piedrotas describe una gran cantidad de prácticas culturales, lo que permite elaborar el modo de ser de la gente del noreste. El narrador describe la geografía del pueblo, su historia, su alimentación, sus diversiones, su música, su religión, su educación, así como su organización social. También permite identificar el *habitus* norestense; es decir, una matriz determinada por la posición social que posibilita ver el mundo desde una perspectiva propia y actuar dentro de él. El *habitus* se traduce en los estilos de vida, pero también en sus juicios políticos, mo-

---

[35] Walter J. Ong, *Oralidad y escritura: Tecnologías de la palabra, México*, Fondo de Cultura Económica, 1982, p. 39.

rales y estéticos. Es un conjunto de normas y un medio de acción que permite crear y desarrollar estrategias.[36]

Un claro ejemplo del *habitus* es cuando el narrador, en repetidas ocasiones, habla de las formas de ser y del carácter de los perdomeneses; también de cómo, a pesar de que salen del pueblo y se van a vivir a otra región, los personajes conservan rasgos propios que los identifican y con los cuales sobreviven. Por eso la hermana de Narcedalia, sor María Guadalupe, mantiene muchas de las normas, gustos y estrategias de los Vega y de los habitantes de Perdomo en general. Asimismo, para el narrador los perdomenses son personas emprendedoras y muy trabajadoras, autosuficientes y acostumbradas a resolver por ellas mismas sus problemas.

Como se puede ver, hay una lucha simbólica manifiesta en distintas formas donde sobresale la asignación de apodos a los habitantes del pueblo; de esa manera, las personas sin recursos económicos pueden dominar verbalmente al poderoso. Como los habitantes de Perdomo forman parte de una sociedad de baja codificación, es decir, oral, su instrumento de defensa es la palabra pronunciada.

Los valores socioculturales encarnados en los pueblos de la narrativa de Elizondo muestran, así, señas de identidad que reflejan el modo de ser y padecer del noreste y que la literatura del norte permite imaginar gracias a su narrativa y al análisis de la relación entre individuo y colectividad.

Identidad, escritura y oralidad

Algunos aspectos de la identidad se reflejan en el discurso, en la ficción de oralidad codificada en la escritura. Para su estudio hay que tomar en cuenta los elementos culturales que la entrecruzan y detenerse en la palabra como un recurso sobresaliente.

En la narrativa de Ricardo Elizondo Elizondo sobresale la edificación que en sus novelas hace de los pueblos norestenses, a partir de una memoria colectiva que recupera, además de usos y costumbres, un lenguaje.

---

[36] Concepto ampliamente analizado por Pierre Bourdieu en sus estudios sociológicos y culturales.

Hablar de oralidad es representar una cultura tradicional no educada; es decir, la imitación de la manifestación oral de un segmento de la población.

La huella dejada por diversas señas de identidad impulsa al narrador a construir un imaginario actualizando el pasado. Es un proceso dinámico en donde la memoria del narrador imagina y a su vez actualiza diversos aspectos de la condición humana.

Asimismo, es importante rescatar el trabajo literario de Elizondo en su recuperación de la oralidad, pues como señala Gloria Vergara:

> En estos años en los que se baten a duelo las clasificaciones entre lo moderno y lo posmoderno como condición *sine qua non* de las naciones, podemos pensar que los pueblos tienen menos palabras propias, y que, por tanto, su identidad se va perdiendo. Parece, por un lado, que el individuo se fragmenta a cada paso y que no tiene un asidero en el mundo; por otro lado, vivimos un continuo juego de similitudes y cada vez las convenciones generalizadas nos envuelven.[37]

La narrativa de Elizondo utiliza una profusión de recursos para trasmitir la oralidad de los personajes, por lo que el lector se encuentra frente a una riqueza discursiva en las dos novelas comentadas.

Este estudio se enfoca en analizar la representación que Elizondo hace de la oralidad de los pueblos norestenses, pero sólo como un simulacro de la realidad; es decir, crea a través del discurso narrativo un microcosmos que proyecta la oralidad norestense.

Respecto a las estrategias narrativas de las dos novelas, en algunos casos los rasgos de la identidad de los personajes sobresalen de manera clara, y en otros se enlistan los rasgos como una forma de considerarlos porque en su conjunto aportan una visión del habla norestense; cada aspecto es la cara de un prisma que permite imaginar una voz, y en la suma de todas las voces puede evocarse el decir de la región.

Ahora bien, es pertinente ahondar en el estudio puntual de los rasgos tanto de la oralidad como de los recursos literarios de las dos novelas de Elizondo, para así valorar el desarrollo de su poética.

---

[37] Gloria Vergara, *Palabra en movimiento...*, *op. cit.*, p. 17.

La oralidad en Setenta veces siete

La historia de *Setenta veces siete* se centra en una sociedad rural, donde la preparación académica es muy elemental, característica ésta, como ya vimos, de la oralidad.

Los propios monodiálogos utilizados de manera recurrente en la novela remiten a una narración inconexa y dispersa del discurso hablado, como si hubiera un destinatario del pensamiento o del sentimiento que expresan los personajes. Hay una apropiación del discurso oral por parte de los personajes y en este juego de perspectivas se logra una llamada de atención al lector sobre la problemática interna de los mismos.

El narrador, en algunas ocasiones, opina sobre los actantes de su historia, así el lector escucha sus puntos de vista: "Dicen que pretende a una muchacha bonita del pueblo de la Paloma, colorada ella, ojalá que sea una buena mujer. Romualdo se lo merece".[38] Este comentario indica sus buenos deseos, como si fuera un habitante más de la región. Además, la conjugación "dicen" remite a un aspecto oral, refiriéndose a lo que los demás comentan, hablan, expresan.

También se incluyen los diálogos con un estilo directo libre: "A Carola le trajo telas blancas y sombreros, con las telas se hizo vestidos y los sombreros jamás los lució porque todos eran colorinos y no le gustaron, aparte que aquí no se usan, papá, ya me veo ir por la calle con cresta de gallo-gallina".[39]

En este caso, el uso de la estrategia narrativa de incluir el diálogo de Carola con su padre apela a enfatizar la oralidad subrayando la voz del personaje.

El narrador es consciente de la dimensión oral de los personajes, por lo que incluye dentro de su propia narración sus voces.

Charco Blanco y El Sabinal, los espacios de *Setenta veces siete*, están situados en una región aislada en el norte de México, y además la acción de la novela sucede entre los siglos XIX y principios del XX, cuando la población analfabeta era todavía muy numerosa y las escuelas eran muy escasas.[40]

---

[38]   Ricardo Elizondo Elizondo, *Setenta veces...*, *op. cit.*, p. 10.
[39]   *Ibid.*, p. 11.
[40]   Respecto al alfabetismo durante el Porfiriato, en 1895 era de 14.39 por ciento, en 1900 de 16.06 por ciento y en 1910 de 19.74 por ciento.

Por otro lado, el discurso narrativo está permeado de dichos populares que acentúan también este carácter oral: "los hechos son amores",[41] "no hay mal que con bien no venga",[42] "Dios manda el remedio y también el trapito",[43] refranes propios de la cultura oral y de la sabiduría popular.

El humor del narrador contribuye también a crear un efecto auditivo: la risa en el lector; así se da una comunión entre la audición del libro y la recepción por parte del lector. Numerosas escenas son descritas en forma humorística, provocada por las descripciones tanto de los personajes como de sus acciones. El filósofo Henri Bergson definió así la comicidad: "Lo cómico es aquel aspecto de la persona que le hace asemejarse a una cosa, ese aspecto de los acontecimientos humanos que imita con una singular rigidez el mecanismo puro y simple, el automatismo, el movimiento sin la vida. Expresa, pues, lo cómico cierta imperfección individual o colectiva que exige una corrección inmediata. Y esa corrección es la risa".[44]

Situaciones realistas que acaban siendo disparatadas, hay muchas en la novela, la hipérbole funciona como un recurso que provoca humor, como en el siguiente fragmento:

[…] y cinco noches durmieron en medio del peor zancudal que ninguno de los dos hubiera visto nunca, tantos eran que si abrías la boca te picaban en la lengua, al pobre de Agustín se le hinchó toda la retaguardia por su costumbre de dormir boca abajo, yo lo tapaba entre la noche pero el calorón lo destapaba, con decirles que una madrugada estábamos tan enfurecidos por el jejenerío aquel que salimos a caminar junto al mismísimo mar, peligrando nuestras vidas, según supimos después, dado la cantidad de malhechores que por ahí pululan, lo peor fue cuando un zancudo, qué digo zancudo sería jicote, le picó a Agustín en salva-sea-la-parte, ahí no se pueden rascar los hombres porque si se aprietan les duele, yo estaba tamañita de que aquello tuviera consecuencias y además de verlo tan desesperado, así que fui al patio y me traje tamaña bola de lodo, que apenas podía con ella, lo senté en la cama, le abrí las piernas, y le adoquiné perfectamente el negocio […].[45]

Asimismo, se recurre a la utilización de eufemismos para disimular algunas palabras, pues el narrador prefiere no decirlas; sin embargo, el efecto que crea este recurso es humorístico porque la palabra prohibida se pone en evidencia a través de la referencia indirecta: "sin mediar transición

[41]   Ricardo Elizondo Elizondo, *Setenta veces…*, *op. cit.*, p. 27.
[42]   *Ibid.*, p. 160.
[43]   *Ibid.*, p. 178.
[44]   Henri Bergson, *La risa*, Buenos Aires, Losada, 1962, p. 70.
[45]   Ricardo Elizondo, *Setenta veces…*, *op. cit.*, pp. 43-44.

alguna la bata de Agustín creció ahí donde les crece a los hombres y Virginia se subió al coche y paseraron y pasearon por todo lo que no lo habían hecho en dos años".[46]

La propia oralidad provoca risa, como cuando Carolina canturreó: "Agustín tiene el alma de violín, llora y llora chin chin chin".[47] Esta cómica letanía la pronuncia para consolar a su cuñado, y su repetición puede resultar humorística.

Se observa también que al narrador no le simpatiza Carlos Nicolás, porque a través de sus comentarios muestra desesperación por la falta de actividad o carencia de un proyecto de vida; además, si el lector contrasta la vida de este personaje con la de sus padres, personas muy emprendedoras, el hijo resulta un indolente perezoso. Por eso, el narrador lo llama "coso", pues dice que no merece ni siquiera ser llamado cosa; así, en la invención de una palabra se nomina con un gran sentido del humor; asimismo, al referirse a su pereza lo hace con eufemismos: "y si no había arreglado sus papeles era por huevo tibio, ni crudo ni cocido".[48]

Los intertextos que complementan la narración apelan también a la oralidad, son estrofas de canciones norestenses muy pegajosas que se cantaban en aquella época, como "la varsoviana, comadre Juana vamos a bailar",[49] o "el pelillo, el pelillo que tiene el minino, ay morrongo, qué relindo si aquí me lo pongo".[50] Estos discursos, que pertenecen a la tradición oral, hablan de una musicalidad que en ciertos momentos recupera la novela, y también hacen referencia a los ritmos de moda en los años porfiristas.

Setenta veces siete tiene un léxico muy particular que contribuye a matizar la personalidad del narrador, el cual, por su estilo coloquial, parece charlar con el lector. Del vocabulario utilizado por el narrador destacan algunas palabras norestenses que han sido recogidas en el libro *Lexicón del noreste de México*. Algunos ejemplos son:

---

[46] *Ibid.*, 178.

[47] *Ibid.*, pp. 128-129.

[48] *Ibid.*, p. 167.

[49] Mazurca que ya se escuchaba en los años setenta del siglo XIX en la región noreste de México. Tal vez sea la más popular de su género en el país. Muy recordada también como "el pan de maíz". En todas las versiones que conocemos se conserva la forma musical. En referencias bibliográficas, V.T. Mendoza recoge, en Monclova, Coah., una versión de alrededor de 1880. De fuentes orales, Tayer la conserva de su tradición oral familiar. Además, recopila otra versión en inglés (cuya letra describe la forma coreográfica de ejecutar la mazurca), que le comunicó la señora Esthela Ramírez, del West Side (Barrio Oeste) de San Antonio, Texas (1999), quien la aprendió en su infancia, alrededor de 1925. Consultado en http://www.avantel.net/~gtayer/RioGrandeRioBravo/Varsoviana.html. También el músico regiomontano Santos Ibarra (quien ejecuta la mandolina en esta interpretación) la conoce como el *little foot* en el Valle de Texas en Donna, en los años cuarenta del siglo XX. Consultado en http://www.avantel.net/~gtayer/RioGrandeRioBravo/Varsoviana.html

[50] Ricardo Elizondo Elizondo, *Setenta veces...*, *op. cit.*, p. 213.

Susidio. m. Angustia, ansiedad, preocupación.

Tanda. f. Especie de ahorro colectivo donde un grupo fija una cuota de dinero que debe entregar cada uno cada tantos días, y la cantidad que se ocupa se entrega a uno de los miembros previa rifa de nombres; así sucesivamente hasta que todos hayan recibido la misma cantidad, con lo que la tanda termina.

Legüero. Caballo.

Jicote. m. Avispón cuya picadura es temible.

Titipuchal. m. Una gran cantidad de algo.

Legua, La. exp. fam. El camino, la carretera.

Prángana. adj. Flojo, "bueno para nada", desocupado, en quien no se puede confiar.[51]

Sobre el lenguaje hablado en la región, Ricardo Elizondo analizó sus particularidades en un seminario sobre *El Lexicón del noreste de México* y "recordó que el habla norestense ha aportado al español más de 650 vocablos que sólo se escuchan o mantuvieron vigentes hasta hace un tiempo en la región. El habla norestense tiene muchos horizontes".[52]

Como se dijo respecto a *Setenta veces siete,* el desparpajo del narrador sobresale por su estilo coloquial con frases como: "se casaron a lo pendejo",[53] "Así que la pechugona regresó con Agustín a Carrizales, otra vez con jeta",[54] "Colasa le dio un bastonazo a media espalda que más bien fue un chingazo descoyuntador".[55] Como puede observarse, las frases son aderezadas con palabras que fácilmente provocan en el lector esa risa que Bergson reconoce como reacción ante las ironías de un emisor que se burla, en este caso, de la estulticia de sus personajes.

La oralidad en Narcedalia Piedrotas

Narcedalia Piedrotas también recurre a la oralidad como representación del noreste al evocar manifestaciones orales utilizando como medio la escritura. *Narcedalia Piedrotas* aporta la descripción de un escenario que es valioso por la construcción de un espacio con rasgos definitorios y que sintetizan la expresión cultural de una región de México que había sido poco expresada en la literatura: el noreste.

---

51 Cfr. Ricardo Elizondo Elizondo, *Lexicón del noreste de México*, México, Fondo de Cultura Económica, 1996.
52 Abraham Vázquez, "Diagnostica español del noreste", *El Norte*, Monterrey, 7 de marzo de 2007, Sección Vida, p. 4.
53 Ricardo Elizondo Elizondo, *Narcedalia. . . , op. cit.*, p. 193.
54 *Ibid.*, p. 213.
55 *Ibid.*, p. 233.

Los numerosos fragmentos que articulan la novela tienen como eje central a Villa Perdomo; incluso se podría hablar del pueblo como un personaje más de la obra, porque cada uno de sus habitantes contribuye a elaborar la esfericidad del lugar, y así, con el desglose de múltiples caras, tanto del noreste de México como de la condición humana, se tiene una visión muy completa de la colectividad: "El escenario hace resaltar al personaje en el sentido figurativo normal de la expresión; es el lugar y colección de objetos frente a los cuales van apareciendo adecuadamente sus acciones y pasiones".[56]

El narrador tiene puesta su mirada y su oído en Villa Perdomo, y su voz codifica sentimientos, ideas, pasiones, hechos e interrelaciones de los personajes. La voz del narrador presenta un abanico de inflexiones, conjugando distintas perspectivas de la narración.

Asimismo, la novela es el resultado de una rica composición de elementos. Leer sus páginas contribuye a tener una audición de su gente. Elizondo logra captar sus matices y comunicarlos a través de distintos recursos estilísticos, de tal suerte que aporta una serie de registros que dan la visión integral de Villa Perdomo. Así, la narración tiene un papel clave en la reproducción de la esencia del pueblo, como comenta Walter J. Ong:

> [...] la narración es de particular importancia en las culturas orales primarias porque es capaz de reunir una gran cantidad de conocimientos populares en manifestaciones relativamente sustanciales y extensas que resultan razonablemente perdurables, lo cual en una cultura oral significa formas sujetas a la repetición.[57]

El narrador de la historia se comunica además con sus lectores y los invita a estar dentro de su espacio. Así, se vuelve uno más de sus habitantes y entra en el juego del chisme y el espionaje. Vierte opiniones de sus personajes y se desespera por ellos. A lo largo de la novela aparecen juicios como los siguientes: "taruga", "pueblo baboso", "pinche Narcedalia", "torcuato", "se les ve todito", "cuánta memez", "tonta", "el pendejo ese", "bola de comadreros", "güácala", "aunque de blandengue nunca tuvo nada", "no, qué esperanza, puro miedo".

---

[56]   Seymour Chatman, *Historia y discurso*, Madrid, Taurus-Alfaguara, 1990, p. 148.
[57]   Walter J. Ong, *Oralidad y escritura...*, *op. cit.*, p. 138.

La voz de Perdomo se escucha a través del narrador, quien señala que: "Perdomo era burlón burlón, ni a su alcalde respetaba, pero eso sí, casi nunca levantaba falsos, tampoco era político ya que tenían incredulidad por el respeto al voto".[58] Además, su visión del mundo empezaba y acababa en Perdomo, pues no conocían algo más allá; por tanto, a la gente le costaba imaginar que existieran lugares como Veracruz, Acapulco o Tampico. De hecho, la capital del estado la imaginaban "como una ancha avenida con camellón central bordeado por palmeras, y coches, aparadores, restaurantes, gente y ruidos hasta el mareo— los perdomenses no registraban otra cosa que confusión".[59]

A veces, al igual que en *Setenta veces siete,* el narrador es tan educado que evita decir las cosas directamente: "Del puro susto Valentín se quedó bien mojado, por no decir otra cosa". [60] Asimismo, la narración está permeada de circunloquios, así como de metáforas. Se puede ver que temas como la sexualidad y la muerte se narran a través de un estilo decoroso, elegante e incluso irónico, en donde no se dicen las cosas de manera directa pues se elude la realidad y en ocasiones se prefiere sublimar una situación. Los siguientes ejemplos hablan del estilo de un Elizondo irónico, poético, imaginativo, dulce y ocurrente:

"Conducía el dolor desde sus esplendideces".[61]

"Se alegraban el cuerpo uno a otro".[62]

"Se zambulló una y otra vez en las tibias aguas de su mujer".[63]

"El acceso a la llave lo tenía prohibido".[64]

"Dicen que con ella de aquellito… nada".[65]

"Se fue tranquilo rumbo al gran silencio".[66]

---

[58]   Ricardo Elizondo Elizondo, *Narcedalia…, op. cit.*, pp. 85-86.
[59]   *Ibid.*, p. 191.
[60]   *Ibid.*, p. 24.
[61]   *Ibid.*, p. 30.
[62]   *Ibid.*, p. 61.
[63]   *Ibid.*, p. 64.
[64]   *Ibid.*, p. 220.
[65]   *Ibid.*, p. 243.
[66]   *Ibid.*, p. 164.

"Ahí estaban, despernancados en medio de su gemebunda fugacidad".[67]

"Un mediodía la mujer se estrategó… de pronto se secó".[68]

El narrador participa de los acontecimientos narrados; está ahí aunque no es un perdomense. Es un narrador en tercera persona, pero nunca se desentiende de su historia y realiza preguntas que los lectores también se están haciendo. Por ejemplo, al preguntarse sobre el destino de una mujer a la que el marido regresa a su casa por enfermiza, dice: "¿Qué iban a hacer con Mercedes en la casa? ¿A poco iban a mantenerla para siempre?"[69] Estas preguntas caracterizan el relato de un narrador que sabe que no está solo, que forzosamente incluye a sus lectores en el proceso de información.

Es juguetón e irónico, trata con dulzura y burla a sus personajes: "Al menos Narce era armoniosamente fea".[70] También transmite los usos y costumbres del pueblo, sus sufrimientos, y por momentos su tono es el de un fabulador que ha aprendido de contemplar a sus personajes, por lo que advierte con su dosis de sabiduría: "Lo que no pensó es que para cualquiera es más fácil comprar voluntades que ganárselas, pero que el camino de la felicidad es la segunda forma, no la primera".[71] O bien, comparte los dichos de los personajes, como cuando sor María Guadalupe expresa: "en mi casa decían que no hay que ponerse de patadas con la mula, y que de lo perdido, lo que pueda rescatarse".[72] De igual manera, el narrador se desespera por la terquedad de la gente de Perdomo, como de María "La Melcocha", al comentar: "Qué ganas de estarse fregando a sí misma siempre".[73]

Se podría decir que el diálogo aparentemente está ausente en *Narcedalia Piedrotas*; las pocas veces que aparece es indirecto, acorde con el narrador en tercera persona. Sin embargo, como se vio en *Setenta veces siete*, es característico de Elizondo utilizar una modalidad en su narración al incluir el estilo directo libre para reconstruir la información de sus personajes a partir de ellos

---

[67] *Ibid.*, p. 38.
[68] *Ibid.*, p. 47.
[69] *Ibid.*, p. 69.
[70] *Ibid.*, p. 72.
[71] *Ibid.*, p. 81.
[72] *Ibid.*, p. 124.
[73] *Ibid.*, p. 372.

mismos. Así, en diversos momentos, y de manera inesperada, el narrador, sin más, cede la voz a sus personajes. Es él mismo quien se desdobla en ellos y toma su voz transcribiéndola con rasgos y matices propios del personaje y su conciencia. En ese momento, el narrador ya no es quien cuenta la historia. Este recurso sirve, sobre todo, para conceder la palabra a sus personajes, y a quien más le concede este honor es a Juana Maura.

Claramente se ve una cierta consideración al personaje de Juana Maura, ¿por qué?, porque a "Juana Maura la tenían juramentada y ella lo sabía [...] se sabía sentenciada".[74] Con estas líneas se inicia la novela y se marca su destino. Juana Maura es una muchacha feliz, que ama y cree ser amada por Víctor, su novio; Juana Maura desafía al poder que está representado por *Narcedalia Piedrotas*; Juana Maura se enfrenta al qué dirán, representado por Villa Perdomo; Juana Maura desafía el destino anunciado por las premoniciones de muerte que anuncian la tragedia; Juana Maura no acepta el dinero que le deposita uno de sus enamorados en una cuenta bancaria; todos estos retos la hacen una mujer dueña de sí misma, con voz, con atrevimiento, con el privilegio de hablarle a los lectores.

Esta clase de diálogo es un interesante recurso narrativo que permite tener otro enfoque de los hechos y ofrece al lector la posibilidad de oír muy de cerca al personaje y los repliegues de su corazón:

> Fue una infancia de pobreza, de carencias, de oír gritos, de sentir lástima por su padre y una mezcla de pánico y desprecio por su madre, nunca cariño, cariño un poco por su papá, pero por su mamá, nada. Juana, a su mamá, muy pronto dejó de llamarle mamá, y lo hizo porque una vez, caminando yo y mi mamá, no recuerdo por qué, junto a la carretera, una troca se detuvo y nos ofreció subirnos.[75]

Por otra parte, uno de los rasgos que enfatiza la oralidad y expresa una identidad particular es la predisposición a la música. Villa Perdomo tiene buen oído musical, y esto concuerda con una de las características de la cultura oral, la cual tiene fortalecido el sentido auditivo. En cierta medida, podría decirse que el mundo que entra por el oído es totalizador y envuelve al emisor y al receptor. Así, el sonido es un sentido desarrollado en el lugar, por lo que, en su mayoría, los perdomenses

---

74 *Ibid.*, p. 5.
75 *Ibid.*, p. 90.

saben de música: el pueblo cuenta con una filarmónica y dos conjuntos musicales. Uno de ellos, llamado "Ensoñación", cuenta con mandolina, guitarra, tololoche, violín y clarinete, e interpreta canciones como *La barca de oro*, *Alejandra*, *Julia*, *La polca del barril*, etcétera. Más tarde, las integrantes del conjunto, un grupo de viejitas, son conocidas como "Las termitas".

El otro conjunto se llama Los Rifleros del Norte (en clara alusión al conjunto musical Los Tigres del Norte), el cual ejecuta música conocida como "fara fara" y grupera. Asimismo, con corridos de la región, triunfa y puede salir del pueblo. Después de un tiempo, alcanza la fama y hasta llega a aparecer en la televisión.

Una de las historias complementarias de la fábula principal de la novela es el corrido del Turco Bándido; este recurso funciona como un intertexto: la música utilizada es el corrido de *Rosita Alvírez*, y el autor incluye la partitura musical, la trascripción para piano y las estrofas de la canción, las cuales hablan de la vida del Turco y de sus fechorías.

Las manifestaciones culturales descritas en *Narcedalia Piedrotas* permiten rescatar los géneros musicales, la música y las canciones que son expresión artística popular de la región en la que se ubican los sucesos narrados.

Otra característica de los perdomenses es su gusto por el chisme. Las mujeres se dedican a esta actividad en la huerta del Chino Guango y los hombres en el billar de Joel, llamado *El Fin del Mundo*. Como menciona Ong, "la oralidad propicia estructuras de personalidad que en ciertos aspectos son más comunitarias y exteriorizadas y menos introspectivas de las comunes entre los escolarizados".[76] De esta manera, la comunicación oral une a la gente en grupos. Los pobladores de Villa Perdomo platican en la plaza, los muchachos charlan con las jóvenes en las bancas de la misma y los lectores escuchan sus voces.

Elizondo llama la atención sobre la primacía del habla oral y todos sus indicios. Perdomo representa una cultura que conserva gran parte del molde mental de la oralidad primaria. Los personajes están alejados de la cultura escrita, sólo en el convento se habla de lecturas y únicamente al final de la novela aparecen algunos fragmentos que se transcriben de los periódicos; así, la vida de los perdomenses está determinada por la oralidad y el narrador es muy consciente de ello: se

---

[76] Walter J. Ong, *Oralidad y escritura…*, *op. cit.*, p. 39.

empapa de las voces de sus personajes permitiendo que el lector perciba la presencia de esa cultura oral. Por ejemplo, en este diálogo colectivo en donde transcribe sus voces:

> Cerillo, otra vez Cerillo. Está solo de nuevo Cerillo.
> —Al doctorcito le queda muy bien la canción del "Abandonado", sobre todo en el pedacito que dice que me abandonaste por tener la desgracia de ser casado, porque pues nunca se arregló eso, por la iglesia digo yo, ya sé que legalmente está divorciado. Qué mala suerte tiene el pobre.
> —Anda, no le ha de faltar, no te apures, al cabo tiene lo que tiene con la Mecha.[77]

Hay que enfatizar que todos estos recursos orales, al pasar a la codificación del lenguaje escrito, son un simulacro de la realidad, como lo confirma Mauricio Ostria:

> Los textos literarios en sus procesos ficcionales suelen "reproducir" diversas modalidades de la lengua oral. Téngase en cuenta, reitero, que esas formas no son exactamente expresiones orales sino representaciones, figuras de oralidad y, por lo tanto, oralidad ficticia. De manera que todo elemento propiamente sonoro (timbre, duración, entonación, intensidad, altura) aparecerá traspuesto en caracteres gráficos, descrito, contado, sugerido, pero jamás en su propia realidad sustancial.[78]

El valor de la narrativa de Ricardo Elizondo Elizondo radica en que construye un imaginario que acerca al lector a la oralidad norestense. La práctica literaria se encamina a aprehender sus manifestaciones culturales.

Al leer la novela se pueden percibir diferentes tonos, lo que suple la función de los diálogos; así, cuando el narrador habla de sor Guadalupe el tono se dulcifica; cuando habla de Perdomo es irónico, criticón, pero también gozador de su gente. Cuando narra sobre las Cuchillonas el tono es tierno; cuando habla de la fundación de Perdomo y de sus orígenes su tono es más solemne, similar al de un historiador o un cronista.

Un recurso fónico se da cuando utiliza consonancias a manera de verso, creando en determinados momentos de la narración un ritmo que aligera la prosa y que subraya ciertos adjetivos y

---

[77]   Ricardo Elizondo Elizondo, *Narcedalia...*, *op. cit.*, p. 148.
[78]   Mauricio Ostria González, *Literatura oral, oralidad ficticia. Estud. filol.*, 2001, núm. 16, enero de 2007, p. 5. Disponible en http://www.scielo.cl/scielo.php?script=sci_arttext&pid=S007117132001003600005&lng=es&nrm=iso>.

participios. Los fonemas seleccionados influyen también en el significado: "pasaron muchos años antes de que regresara y, cuando lo hizo –más blancosa, adamada y refinada, aunque igual se veía medio corrientona–"[79] o "se la pasaba acostada, recostada, o tirada en una mecedora".[80]

El uso de esta clase de terminaciones es parte de la oralidad; las repeticiones, antítesis, asonancias y proverbios son los sistemas de memoria utilizados en una cultura oral, y aquí el narrador los emplea para contarnos la historia; es decir, el narrador utiliza los mismos códigos de la oralidad. Da su apreciación sobre los personajes, empleando recursos estilísticos con juegos eufónicos y repeticiones que conllevan una ironía y una cierta amargura al lamentarse de la suerte de la gente: "Mercedes, inocente Mercedes, arbusto solitario bataneado por el espíritu del mal".[81] "Horas después, cuando ya había terminado su trabajo con el accidentado, mientras esperaba si le daba o no fiebre de infección, la desesperación se le empezó a subir, la desesperación y la indignación".[82]

Juana, desde que empezó su relación con Valentín, "siempre lo había visto entre penumbras: penumbras de atardecer, penumbras de interior de lujosa camioneta, penumbras de noche lunada, penumbras".[83]

Esta forma reiterativa, utilizando reduplicación, analepsis, anáfora y diferentes formas de repetición, sirve para enfatizar ciertos conceptos que el narrador quiere remarcar y que el lector sutilmente asimila, además de lograr un efecto estilístico rítmico, melódico, enfático.

Parte del estilo oral es la adición con base en la repetición, de esta manera las estructuras orales a menudo acuden a la conveniencia del hablante y lo mantienen en sintonía con el oyente. Como lo menciona Walter J. Ong: "Las culturas orales estimulan la fluidez, el exceso, la verbosidad".[84]

Así, una de las características de *Narcedalia Piedrotas* es que está narrada en la misma sintonía que los personajes de Villa Perdomo, por lo que el lector los oye hablar como si estuviera en esa zona rural del noreste, es decir, parecería que el narrador es un habitante más de la región, por lo que se expresa en forma similar.

---

[79] Ricardo Elizondo Elizondo, *Narcedalia...*, *op. cit.*, p. 35.
[80] *Ibid.*, p. 41.
[81] *Ibid.*, p. 82.
[82] *Ibid.*, p. 53.
[83] *Ibid.*, p. 78.
[84] Walter J. Ong, *op. cit.*, pp. 46-47.

Al igual que en *Setenta veces siete*, en *Narcedalia Piedrotas* el humor es un recurso fundamental del narrador y en ciertos momentos se incorporan formas o estructuras propias del discurso oral. Por ejemplo, al utilizar la voz de los niños para burlarse de alguno de los personajes: "Chino cantonés, guango guangonés, come caca y no me des".[85] El mismo discurso del Chino contribuye al carácter burlón de la novela, pues éste habla con acento propio de su país: "cuatlo cien kilometlos tiela inteliol Guangzhou [...] A los niños los escondielon o se los llevalon, polque ya no vi más. Yo no podel olvidal, el dlagón neglo alaña mi cabeza y pol la noche todo es miedo".[86]

Como en *Setenta veces siete*, aquí también puede ser identificado un amplio vocabulario de la región norestense, donde sobresalen nombres, verbos, adjetivos y frases usadas por el narrador, entre otros. Así, el narrador recurre a arcaísmos, localismos, anglicismos y neologismos que proyectan una variedad léxica, y además recogen el habla muy específica de la zona: "tarolas", "zuaco", "solar", "orilluda", "bola de cuchufletas", "inteligiendo", "vieja tilinga", "camioneta chula", "bien orate", "la fortinga", "la troca", "vestidos bien chulos", "charoleada", "torcuato", "zotaco", "calma chicha", "méndiga y móndriga", "sentirse el muy muy", "la paya de Narce", "casarrangonsona", "de perdis", "chulísimo el mar", "se regó la manteca", "el greñal", "tantales de tiempo", "ni de chiste", "riatazos", "huerca"," huercos".

Con ello, el narrador presenta una forma muy particular de expresarse que define su texto con un discurso que tipifica la zona geográfica que está narrando. Así, todas las estrategias del narrador apuntan a crear una comunidad mimetizada en la escritura, representando una idiosincrasia, un conjunto de usos y costumbres y una forma de hablar y expresarse que guardan articulaciones con la forma de ser del norestense

---

[85] Ricardo Elizondo Elizondo, *Narcedalia...*, *op. cit.*, p. 102.
[86] *Ibid.*, pp. 100-101.

III. La frontera: un espacio textual

La frontera y la proyección en la literatura

En 1985, durante el Gobierno del presidente Miguel de la Madrid, se generó un especial interés del Estado por la frontera, motivo por el cual se creó el Programa Cultural de Fronteras; sin embargo, esta situación generó resistencia por parte de los habitantes fronterizos, pues se consideraba que el proyecto buscaba homogeneizar a la población.

Como lo señala la especialista en el tema de frontera Socorro Tabuenca:

> Francisco Amparán, Guadalupe Aldaco, Humberto Félix Berumen, Sergio Gómez Montero, Francisco Luna, Inés Martínez de Castro, Leobardo Sarabia y Gabriel Trujillo, entre una gran mayoría, concebían la literatura de la frontera norte como algo propio. No lo percibieron nunca como una imposición desde el centro, pues desde antes que llegaran los apoyos ya se escribía, ya se publicaba y ya se hacían investigaciones *desde acá*. La clasificación "de la frontera" no implica estar fuera de la "literatura mexicana". La literatura de la frontera norte ha servido para reafirmar más el sentido regional, para reconocerse en lo local; o, como diría Francisco Luna, "la narrativa norfronteriza de México ha dado más que cualquier otro ícono autenticidad y legitimidad a nuestro Ser norteño. Ha delineado nuestra geografía, nuestro espacio y nos ha heredado historicidad, tiempo y ubicuidad.[1]

Esta resistencia, entonces, es la que ha impulsado el rápido desarrollo de la literatura en los estados fronterizos, expresando su muy particular modo de ser y enfatizando una identidad propia y particular, aunque nunca desligándose de sus raíces nacionales. Así, los escritores de esta región se han desalineado del discurso nacional y de la hegemonía del centro.

---

[1] María Socorro Tabuenca Córdoba, "Las literaturas de fronteras", en José Manuel Valenzuela (coord.), *Por las fronteras del norte. Una aproximación cultural a la frontera México-Estados Unidos*. México, Fondo de Cultura Económica, 2003, p. 407.

Socorro Tabuenca retoma los análisis de algunos escritores del norte y remarca las múltiples manifestaciones que presenta esta literatura, que no es homogénea como tampoco lo es el territorio: "dicha literatura se concibe como una manifestación activada por los distintos factores culturales que se producen a lo largo de la franja fronteriza".[2]

Las expresiones literarias hablan de una necesidad de "reterritorialización"[3] del espacio, a través de la cual los escritores, desde su propio lugar de origen, intentan reconstruir una identidad, una parte de la nación mexicana.

En los diferentes espacios que integran los estados del norte (Baja California, Sinaloa, Sonora, Chihuahua, Tamaulipas, Coahuila y Nuevo León), se palpa una frontera errante, imaginativa, y los escritores recontextualizan la identidad mexicana en variados imaginarios; rompen con la imposición de una cultura nacional homogénea centrada en los mitos nacionales, al tiempo que reinventan un nuevo constructo buscando redefinirse.

Esto se proyecta en las representaciones literarias de la escritura en el norte donde resalta una visión del territorio, así como de la frontera con sus propias problemáticas determinadas por la estructura social. Asuntos como el *American way of life*, el consumismo, la moda, la pérdida de individualidad y el metropolitanismo son constantes en la obra de estos autores. Temas como la modernidad y su crisis, y el desarrollo y subdesarrollo son ampliamente tratados por los escritores de esta región del país, como podrá observarse a lo largo de la presente investigación.

Asimismo, el lenguaje de la escritura que habla de fronteras cuestiona muchas veces la soberanía cultural en un tono irónico, parodiando el orden establecido y hurgando en nuevas posibilidades de representación. En las páginas de los escritores del norte se desgaja la vida compleja del migrante y se describen los procesos migratorios que se viven en la región. Temas como el exilio, la diáspora, el sueño americano, el vagabundeo y la desterritorialización son las distintas caras del prisma que los autores y lectores tratan de asir.

La frontera es, además, una metáfora pertinente de la época contemporánea que reflexiona en el multiculturalismo, la alteridad, la fragmentación. Una frontera que va mucho más allá de la cuestión geográfica para instalarse en los intersticios del ser humano, en el terreno de lo

---

[2] *Ibid*, p. 414.
[3] *Versus* desterritorialización.

liminal; así, se gestan fronteras sociales, psicológicas, culturales y económicas. En ello se introduce también el tema de la otredad: la necesidad de traspasar los muros, el río, los alambres de púas, el desierto, para construir la imagen del otro.

Frontera difícil de asir y definir, porosa como el espacio que hay entre las moléculas de los cuerpos en donde todo se filtra; algunas veces fluye sigilosamente, en otras algo se atora, se resiste a pasar. Frontera que edifica una demarcación, una separación, pero también una relación. Frontera que puede ser una costumbre, una actitud, un estilo de vida; que determina identidades y valores socioculturales. Frontera que puntualiza la diferencia, pero también la vecindad, el parentesco con "los primos", como amigablemente le llaman algunos mexicanos a los estadounidenses; que puede ser vista como negación de una geografía propia y como espacio de coexistencia entre géneros, etnias y clases sociales diferentes.

Así, los escritores Ricardo Elizondo Elizondo y Eduardo Antonio Parra presentan en sus narrativas personajes determinados por la situación geográfica, la lectura de sus textos nos remite a indagar sobre los efectos de la presencia de esta circunstancia en la condición humana.

La palabra frontera se proyecta en los últimos años cargada de una polisemia que nos remite a sus connotaciones físicas, geográficas, políticas y culturales. Para algunos teóricos, las fronteras se han desdibujado por las nuevas implicaciones que los Estados-nación han adquirido ante los fenómenos de la globalización, en donde ciertas entidades como las empresas, las comunicaciones, las compañías trasnacionales y los organismos internacionales traspasan las barreras geográficas, disminuyendo los límites. Sin embargo, la desaparición de las fronteras es sólo aparente, las barreras arancelarias, migratorias e identitarias continúan.

La frontera es una metáfora con una serie de implicaciones simbólicas en donde están involucradas las relaciones entre "los de un lado y los del otro lado", así como el imaginario que cada uno crea sobre el otro y las repercusiones políticas.

Por las características de la literatura del norte de México, donde algunas narraciones tienen elementos históricos y otras buscan reconstruir una identidad, en el que el pasado y el presente se funden, es importante hacer un sucinto resumen sobre la historia de esta región del país, describir la historia de ese límite y ver cómo la literatura lo dibuja en su narrativa.

La frontera mexicana y la historia

La ubicación geográfica de México es muy particular por estar al sur de la frontera de Estados Unidos de América, el país más poderoso del mundo y con grandes diferencias económicas, sociales y culturales. Dada esta particularidad, es importante conocer uno de los momentos históricos fundamentales en las relaciones entre estos dos países: la guerra debido a su territorio.

Se podría afirmar que a partir de la Independencia de México en 1821 las relaciones entre nuestro país y el del norte han sido complejas y han estado marcadas por un trasfondo cultural ideológico muy diferente. El pueblo norteamericano compartía un cierto pensamiento político determinado por instituciones inglesas como el Gobierno representativo, el sistema de jurado popular o la supremacía de la ley. Además, los colonizadores ingleses llegaron unidos por la religión calvinista y puritana que los condujo a justificar una supuesta necesidad de ayudar al mundo y a ensanchar su territorio por el bien de la civilización y el amor a Dios. En cambio, el pueblo mexicano estaba desunido. Dos fuerzas opuestas fueron protagonistas de una gran desestabilidad durante gran parte del siglo XIX; las diferencias entre centralistas y federalistas, conservadores y liberales, llevaron al país a numerosos desacuerdos y contiendas armadas. Este desequilibrio fue una de las causas de la pérdida de más de la mitad del territorio nacional. Así, mientras los colonos norteamericanos estaban identificados con las ideas inglesas que les permitieron constituir una nación unida, el nuevo pueblo mexicano oficialmente quiso ser antihispano y olvidar los tres siglos de la Colonia. Esta reacción negativa hacia su pasado fue el motor para el surgimiento de un nacionalismo que tardó en desarrollarse y en consolidar la nueva identidad mexicana.

Además, los colonos ingleses que llegaron a Norteamérica estaban influidos por el rechazo hacia la cultura española, a la que consideraban inferior por haberse mezclado con la de otras razas, perdiendo así su pureza; asimismo, consideraban que al profesar la religión católica esa cultura inhibía el desarrollo y el progreso. Contrario al pensamiento católico, el calvinista que llegó a América era también un puritano que "se sentía elegido por Dios para transformar el mundo. Como tal debía ser industrioso, pues según su ideología esa era la única manera de glorificar a Dios y obtener el éxito indispensable para considerarse salvado".[4]

---

[4]   Ángela Moyano Pahissa, *México y Estados Unidos: orígenes de una relación...*, *op. cit.*, p. 19.

Simultáneamente, los calvinistas no creían en diferencias aristocráticas, sino que ponían el acento en lo que el hombre sabía hacer. Estas ideas, junto con la ideología política llegada de Inglaterra, constituyeron las bases para la construcción de su democracia. Las ideas de libertad, igualdad, respeto al trabajo e individualismo, son, en efecto, conceptos básicos de este pensamiento.

Es importante señalar que estas ideas originaron la semilla que germinó años después en una política intervencionista de parte de los Estados Unidos en muchos países del mundo y que ha sido determinante en las relaciones con México, su país vecino.

Con ese pensamiento fundamentaron sus políticas contra los indios, quienes, según ellos, no eran capaces de mejorar la tierra, por lo que ésta les dejaba de pertenecer; más tarde utilizarían el mismo argumento para los casos de Texas, Nuevo México y California.

Posteriormente, este pensamiento es sintetizado en el *Destino Manifiesto* que incluye estos conceptos sobre la predestinación, el uso del suelo, el derecho a la defensa, la supremacía del país y la misión de liberar al mundo, entre otros. La literatura ha tomado este tema en diferentes obras, y los escritores en el norte de México también lo harán suyo como asunto histórico del modo de pensar y actuar de los estadounidenses, a través del cual justifican sus ambiciones de expansionismo, autoritarismo e interés económico.

Mientras en los Estados Unidos se consolidaba esa doctrina, en México se libraban los enfrentamientos entre liberales y conservadores después de consumada la Independencia. El país vivió una situación de caos, fue una época de gran inestabilidad, de incertidumbre e inseguridad; situación que no fue desaprovechada por los estadounidenses en su actitud expansionista.

Por otro lado, la influencia ideológica que los mexicanos de la frontera recibieron de Estados Unidos existía ya desde antes de la guerra de 1847.[5] Los motivos son múltiples, resaltan, por ejemplo, la superioridad de las instituciones extranjeras comparadas con las mexicanas, el abandono

---

[5] La guerra estalla por un pequeño incidente ocurrido en la frontera: un encuentro entre el general Taylor y el general Arista, un enfrentamiento armado en un territorio que no tenía dueño. "La parte entre el Nueces y el Bravo era disputada por Texas y Coahuila desde el inicio de la Independencia. Por lo tanto antes de declarar la guerra, se debía haber aclarado a quién pertenecía el territorio". El presidente Polk inició la guerra porque hubo muertes americanas en suelo estadounidense. Los historiadores coinciden en que México perdió la guerra principalmente por los conflictos internos que vivía el país después de su Independencia. Fue una guerra muy desigual en donde no hubo un país unificado que defendiera sus tierras, cada estado tenía sus propios intereses. Además, militarmente los dos países eran muy desiguales en cuanto a armamento se refiere, como lo afirma Ángela Moyano: "Mientras México contaba con cañones de 18 libras como máximo, los enemigos tenían artillería de 30 libras". Ángela Moyano Pahissa, *México y Estados Unidos: orígenes...*, *op. cit.*, p. 94.

en que estaba el territorio por parte de las autoridades nacionales, además había descontento por la explotación comercial de las políticas de las alcabalas y existía también cierta admiración hacia los vecinos del norte. Todas estas causas hicieron que los habitantes de algunas tierras como la tejana se vieran atraídos por el país vecino.

La ideología del *Destino Manifiesto* no estuvo ausente en esta guerra y los periódicos fueron su principal promotor: "Durante la guerra la prensa habló incansablemente de que Dios escogió a los Estados Unidos para regenerar a la población decadente de México".[6]

La guerra entre México y Estados Unidos, librada entre 1846 y 1847, nos habla de dos países muy diferentes: el mexicano, formado por una nación pero con un Estado débil, y el americano, dirigido por un Estado fuerte pero todavía como una nación muy frágil, producto de colonizadores migrantes.

Después de una gran cantidad de pérdidas humanas y de la difícil resistencia, el Gobierno mexicano decide discutir con los Estados Unidos un tratado de paz. El tratado, llamado Guadalupe-Hidalgo, fue finalmente firmado en enero de 1848.

Las negociaciones sobre los límites fronterizos se discutieron entre noviembre de 1847 y febrero de 1848, año en que se determinó la nueva geografía. México tuvo que abandonar los derechos sobre Texas y asumir nuevos límites geográficos: "se estableció como límite el río Bravo, se cedieron los territorios de California y Nuevo México que posteriormente se dividirían entre lo que hoy es Arizona, Nevada, Nuevo México, California y Utha, así como parte de los estados de Colorado, Wyoming y Oklahoma.

¿Qué pasaba con los habitantes de ambos lados de la frontera? Autores como Ricardo Elizondo los convierten en protagonistas de su narrativa y ahondan en sus mundos, permitiendo al lector crear un imaginario del destino fronterizo y colaborando también a la representación del norteño asociado a la frontera.

Algunos pensadores consideran que el resultado de la guerra fue el inicio de la consolidación del Estado mexicano, al tiempo que se refuerza la ideología nacionalista, como lo acentúa Cosío Villegas:

---

[6] *Ibid.*, p. 96.

La guerra con Estados Unidos, la pérdida misma del territorio, ayudó, como pocos hechos, a consolidar nuestra nacionalidad, primero a través de la fuerza negativa, pero tremendamente eficaz cuando se trata de pueblos débiles, de la sensación del peligro y del sentimiento de odio al agresor; segundo, con todo lo injusta y dolorosa que fuera la pérdida de la mitad del territorio, es innegable que redujo a la mitad la tarea material y espiritual de forjar un país, y el tiempo necesario para cumplir esa tarea; en fin esa malhadada guerra nos enseñó también que cuando las luchas intestinas rebasan ciertos límites de encono y persistencia, el peligro de la agresión y de la pérdida irreparable de la nación, es real y palpable.[7]

La guerra dejó en los mexicanos una huella, una cicatriz difícil de cerrar que se abre cada vez que los problemas entre los dos países se complican.[8] Así, desde el siglo XIX la frontera México-Estados Unidos es un espacio conflictuado, y delinea no sólo la geografía sino también la historia, el tiempo, la identidad. La literatura escrita en el norte utiliza este asunto histórico como trasfondo de varias novelas.

En el caso de Ricardo Elizondo, su narrativa revela algunos indicios del carácter de construcción territorial, pues retrata las experiencias de los pobladores que los van definiendo como fronterizos, es decir, son marcados por el hecho de convivir con un espacio liminal.

Otro momento histórico fundamental, en las relaciones entre los dos países, es el Tratado de Libre Comercio de América del Norte (TLCAN), firmado por México, Estados Unidos y Canadá en 1994. Sobre este punto, Víctor López Villafañe comenta: "El objetivo era formar una alianza financiera, comercial y manufacturera en la que, dadas las enormes asimetrías económicas y políticas, Estados Unidos marcaría las pautas a seguir".[9]

La colección de cuentos *Tierra de nadie* y la novela *Nostalgia de la sombra* de Eduardo Antonio Parra muestran algunos de los efectos del TLCAN en la sociedad, particularmente en algunos espacios norteños, como a continuación se analizará.

---

[7]   Daniel Cosío Villegas, "El Porfiriato, era de consolidación", *Historia Mexicana*, México, El Colegio de México, vol XII, julio-septiembre de 1963, p. 78, citado en Jesús Velasco Márquez y Thomas Benjamín, "La guerra entre México y Estados Unidos, 1846-1848", en María Esther Schumacher (comp.), *Mito en las relaciones México Estados Unidos*, México, Fondo de Cultura Económica, 1994, p. 153.

[8]   Las manifestaciones de los migrantes mexicanos en abril de 2006 contra la nueva ley migratoria que propone el Senado estadounidense, en donde se considera delincuente a cualquier persona indocumentada, trae de nuevo al debate el tema de los derechos de los migrantes. La pregunta obligada es si la gente que vive en el territorio americano, que antes fue mexicano, no tiene derecho de permanecer en las que fueron sus tierras. En las marchas aparecen proclamas en donde algunas de las personas indocumentadas cuestionan ese privilegio negado.

[9]   Víctor López Villafañe, "Procesos de integración económica entre México y Estados Unidos", en Nora Guzmán (comp.), *Sociedad y desarrollo en México*, México, Ediciones Regiomontanas, 2005, p. 326.

La frontera México-Estados Unidos

Para algunos estudiosos, como García Canclini, Gómez Montero y Hommi Bhabha, la frontera es "el laboratorio de la postmodernidad",[10] en el sentido de que se vive una serie de procesos opuestos, de desintegración, de crisis, de procesos multiculturales.

Parafraseando al especialista en estudios de la frontera Sergio Gómez Montero, en su libro clásico *The Border: The Future of Postmodernity*, podemos decir que la frontera es siempre frágil y actualmente vive tiempos de ruptura, así como que ideológicamente es pluricultural y que este rasgo corresponde a la descentralización que se promueve en nuestros días. Desde el punto de vista de este autor, el pluriculturalismo es una opción en cuyo proceso de definición pueden intervenir las emergentes clases sociales o las marginadas por la sociedad (clase trabajadora y minorías).

Asimismo, el autor enlista una serie de características comunes a la frontera norte, entre las que destacan las siguientes:

- Carencia de comunicación horizontal: un habitante de la frontera de un estado es desconocido en otro estado vecino del norte.
- La formación demográfica de las ciudades es el resultado del proceso de migraciones masivas, un fenómeno sin precedentes, pero que no ha podido borrar lo propio de los habitantes de la región.
- La apretada interdependencia económica que se da entre los dos lados de la frontera y en la cual hoy –de manera particular– se genera un fenómeno que se acrecienta en cuanto a complejidad. La interdependencia es asimétrica, lo cual significa que las actividades de los mexicanos (políticas, económicas e ideológicas) están subordinadas a las del vecino país.
- El impacto de la alienación causada por los medios de comunicación es significativo en ambos lados de la frontera.
- La resistencia que muestran los jóvenes (en particular los que pertenecen a la clase baja y media de la población) hacia la hegemonía de la cultura del consumidor capitalista, ha

---

[10] María Socorro Tabuenca Córdoba, "Las literaturas de...", *op. cit.*, p. 396.

conducido a reivindicar formas de vida aparentemente obsoletas, creando específicos códigos de comunicación.

- Una profunda interrelación entre las costumbres y modos de vida de la gente de la frontera mexicana y de la gente mexicana que vive en la frontera estadounidense.[11]

La frontera entre México y Estados Unidos mide tres mil doscientos kilómetros de largo; en ella se presenta la mayor desigualdad conocida en el mundo contemporáneo.

Es una región donde año con año se incrementa el paso de viajeros ilegales, donde además se dinamiza el movimiento de capitales y mercancías, se gastan recursos enormes en controles sobre el desplazamiento de personas por la zona, y en la que están instaladas técnicas sofisticadas que buscan impedir la entrada a los cruzadores ilegales.

De la relación entre los dos países pueden estudiarse varios temas, pero destaca principalmente la identidad y la migración como consecuencia de las relaciones entre ambas naciones, las cuales se han visto agudizadas por la relación comercial.

Identidad y migración en Setenta veces siete

Ricardo Elizondo Elizondo, en *Setenta veces siete*, enfatiza la idea de que entre el siglo XIX y el XX la gente de ambos lados de la frontera posee características similares, sin que el lector pueda detectar las diferencias, si bien también ahonda en las particularidades de la identidad, en la distinguibilidad,[12] que la frontera comienza a marcar en ambos lados.

A partir de los detalles, la narración ilustra los contrastes entre los dos países y su evolución. Por ejemplo, al describir Charco Blanco y Carrizalejo, el narrador subraya las diferencias en cuanto al progreso y advierte la asimetría entre las dos naciones, pues el desarrollo de una va aumentando su poder y marcando las diferencias. Allá del otro lado de la frontera, en los Estados Unidos, las posibilidades de realización son mucho más ricas: hay una mejor educación para los hijos, bonanza económica, electricidad, agua entubada, sanitarios, es decir, muchas de las bondades del

---

[11]   Cfr. Sergio Gómez Montero, *The Border: The Future of Postmodernity*, San Diego, California, San Diego State University Press, 1944, p. 82 (traducción nuestra).
[12]   Concepto que se mencionó en el apartado sobre el estudio de la identidad.

progreso; en cambio, en Charco Blanco todavía se usa cal para neutralizar el pestilente olor de los excusados y leña para cocinar los alimentos; así, las diferencias se empiezan a hacer abismales.

Las migraciones fueron una constante a lo largo del siglo XX; en la literatura de Ricardo Elizondo se ven plasmadas cuando aparece el tema de la frontera, al configurar al fronterizo como un ser humano con características muy similares tanto en Carrizales como en Carrizalejo; asimismo, como anteriormente se señaló, al describir el río Gordo (equivalente al río Grande; al río Bravo), pues los políticos se habían encargado de nombrarlo como frontera artificial entre los dos países, el cual aparece como símbolo de impuestos y poder.

Se describe la necesidad de emigrar, de buscar fortuna del otro lado de la frontera, una vez que los personajes advierten las diferencias entre un país que se desarrolla en el contexto de la modernidad y de otro que carece de esa posibilidad.

Las técnicas narrativas utilizadas para el manejo del tiempo ilustran los cambios dados entre los dos países; así, gracias al manejo del tiempo, hay un claro contraste entre cómo las fronteras se ven modificadas y cómo los personajes tendrán un medio de subsistencia muy distinto según sea el lado en que se viva.

Una función de la prolepsis en *Setenta veces siete* es permitir al lector imaginar cuál será el destino de los personajes que se van a la frontera y su importancia dentro de la problemática: "Ésa fue la diferencia entre los hermanos Govea y los demás y gracias a esa diferencia se volvieron millonarios, tanto así que a vuelta de siglo, en el cincuentenario de la tienda, su capital era considerado como uno de los más sólidos de la región".[13] Además de marcar un tiempo específico, el texto invita al lector a tomar conciencia de las diferencias que tienen los Govea del resto de los personajes y de cómo estas diferencias están determinadas por su inmigración a los Estados Unidos.

Identidad y migración en Narcedalia Piedrotas

La frontera es un tema puntual de la novela *Narcedalia Piedrotas* de Ricardo Elizondo Elizondo; se habla de ella en relación a diferentes negocios que se realizan en el límite geográfico entre habitantes de los dos países, es decir, como un lugar propicio para comerciar y ganar dinero.

---

[13]   Ricardo Elizondo Elizondo, *Setenta veces siete*, México, Castillo, 1987, p.. 14.

Pero en los habitantes de Perdomo hay una ambivalencia de sentimientos: atracción por el norte y culpabilidad por desear el espacio ajeno. Desde 1847, en que la frontera se establece más cerca, los perdomenses se alegran de no tener que ir a comerciar tan lejos, saben que en la frontera se realizan negocios sucios y hay violencia: "llegaron a Perdomo diez hombres, contratados en la frontera (por Narcedalia), que tenían fama de pendencieros, además de que, de los diez, ocho eran ex presidiarios".[14]

Cabe destacar, en este punto, que la frontera cerca de Perdomo está enmarcada por el río; las aguas de éste son el límite con el vecino país del norte. La cercanía con los Estados Unidos trae como consecuencia un importante flujo migratorio en la región: "Tiempo después vendría otro abandono masivo, pero ése sí sólo por temporadas anuales; el abandono de los que se iban a trabajar por seis u ocho meses al otro lado de la frontera, para volver luego con ropas nuevas y coloridas y flojonear el resto del año".[15]

Como se muestra en la cita anterior, uno de los principales elementos de la transferencia simbólica se centra en la moda; también Valentín y su hijo van al otro lado del país a comprar su vestuario. Es decir, la gente con capital económico puede darse el lujo de consumir en el vecino país del norte. Las novias van a la frontera a comprar su ajuar, y así, con estas acciones, se habla del valor que la moda tiene para algunos de los personajes.

No obstante, algunos excesos son también referidos como particularidad del otro lado de la frontera; por ejemplo, se habla de un sanatorio para curar adicciones. El comentario de que a Narcedalia le gusta viajar al vecino país, porque ahí es una más entre las gordas, no deja de subrayar el problema de obesidad que caracteriza a la sociedad estadounidense.

Cuando Juana Maura es llevada por Víctor, el hijo de Valentín y Narcedalia, a un hotel de la frontera, sobresalen los objetos que hablan de lujo, ostentación, modernidad y la imagen del otro: una serie de consumos inalcanzables. Por eso, para la joven, ir a la frontera es acercarse a un imaginario casi imposible de tener en su lugar de origen.

---

[14] Ricardo Elizondo Elizondo, *Narcedalia Piedrotas*, Fondo de Cultura Económica, 2002, p. 81.
[15] *Ibid.*, p. 131.

Nunca había ido a la frontera, es más, nunca había salido de Perdomo. El coche era bonito en verdad, tanto lujo ella ni lo imaginaba. Luego el hotel al que llegaron, con alfombra desde la puerta, casi desde la calle. Amplio era el cuarto, con una camotota y su televisión a color, además con un refrigerador chiquito lleno de bebidas, las que quisieras. Nada más llegamos y nos bañamos y... pues tú sabes, pero luego fuimos a cenar a un lugar finísimo, y yo sin vestido, me alisé lo más que pude y me hice tonta. Tomamos una copa primero y luego carne con verduras y de postre un pastel que yo ni sabía que podía existir una cosa tan sabrosa. [16]

El texto es un microcosmos donde se puede observar un sinnúmero de prácticas culturales. Conceptos como: campo, *habitus*, capital y poder simbólico, ampliamente analizados y definidos por Pierre Bourdieu en sus estudios sociológicos sobre la cultura,[17] pueden identificarse en la novela.

En *Narcedalia Piedrotas* el campo es el espacio social compuesto por instituciones, agentes y prácticas. El narcotráfico es un eje fundamental de esta novela; se presenta como una organización con sus propias leyes cuyo fin es alcanzar un capital económico sin importar los obstáculos. Es un campo de relaciones de fuerza entre grupos sociales, de tal manera que cuando se alteran las reglas propias de este sistema surgen conflictos, como el castigo que sufre Valentín (la tortura) por no cumplir con las tareas encomendadas por sus socios narcotraficantes, o la muerte de su amante Juana Maura como "chivo expiatorio".

El tema del tráfico de estupefacientes es importante en la novela porque subraya el problema de la droga en las regiones fronterizas, donde con cierta facilidad se convence de participar en él a gente inocente que desconoce las trágicas consecuencias del negocio. En la novela, la droga es causa de violencia, tortura, represión y asesinatos de inocentes. Así, parecería que Narcedalia se convierte en la protagonista de un corrido de Los Rifleros del Norte, pues se presenta una alusión de la canción *Contrabando y traición* del conjunto regional conocido como Los Tigres del Norte,[18] y estos temas son dos motivos que recorren la novela de principio a fin. Además, el poder simbólico del narcotráfico controla el poder económico y en algunas dimensiones el político, pues compra fácilmente a la justicia y los medios de comunicación.

---

[16]   Ricardo Elizondo Elizondo, *Narcedalia Piedrotas...*, *op. cit.*, p. 400.

[17]   Véanse, de Pierre Bordieu, *Sociología y cultura*, México, Grijalbo, 1990 pp. 9-50, *La distinción. Criterio y bases sociales del gusto*, México, Taurus, 2000, pp. 223-253, y *Meditaciones pascalianas*, Barcelona, Anagrama, 1999, pp. 217-237.

[18]   Los Tigres del Norte cantan un corrido con una problemática que temáticamente se puede articular a algunos temas de la fábula de *Narcedalia Piedrotas*.

La novela concluye con los titulares de los periódicos que informan sobre el desenlace de los personajes. El poder de la prensa se expresa en una violencia simbólica, dado que crea una verdad que es sólo un retrato ficticio de la realidad. El pueblo de Villa Perdomo es engañado por el poder de la palabra escrita, de tal forma que se ve claramente una dominación sobre el pueblo que no cuestiona y que asimila y acepta las noticias de la prensa como única verdad. Hay una coacción hacia el manejo de la verdad por parte del poder. Una ciudadanía iletrada con pocas opciones de información está bajo la dominación simbólica del ámbito político y del empresarial.

Identidad y migración en Tierra de nadie

Como se ha analizado, el escritor del norte redescribe su realidad renovando la identidad mexicana con la creación de formas simbólicas que generan nuevas descripciones.

Una de las características identificables en la literatura de esta región es la recuperación de un lenguaje, de un léxico que se apropia de los resultados de sus encuentros con el otro. Los procesos de aculturación conllevan una transformación del habla, y el escritor es capaz de reconstruirlos a través de diversas estrategias narrativas. Se explicaría lo que Richard Rorty establece como papel de la literatura:

> Nos redescribimos a nosotros mismos, redescribimos nuestra situación, nuestro pasado, en esos términos, y comparamos los resultados con redescripciones alternativas que utilizan los léxicos de figuras alternativas. Nosotros, los ironistas, tenemos la esperanza de hacernos, mediante esa reedescripción continua, el mejor yo que podamos.[19]

Los estados del norte han visto engrandecer sus filas de nuevos talentos literarios que, a través de la palabra, pintan los efectos del nuevo contexto: la apertura del mercado internacional, la privatización de empresas, los nuevos empleos y mercados de trabajo, las nuevas migraciones, la industria maquiladora, las relaciones transfronterizas, las formas de vigilancia, en donde se da una interacción desigual entre el que controla y el controlado, y, asimismo, las grandes polaridades sociales como debilidad del modelo económico.

---

[19]   Richard Rorty, *Contingencia, ironía y solidaridad*, Barcelona, Paidós, 1991, p. 98.

Estos escenarios son algunos de los temas que la literatura del norte recupera. Además, busca redefinir su pasado, indagar sobre su historia y sus raíces, reconstruir quién es el norteño. Indaga sobre la gestación de una identidad siempre en proceso de cambio. Eduardo Antonio Parra comenta al respecto:

> En los últimos años la narrativa escrita por norteños ha destacado en nuestras letras, debido, según ciertos críticos y lectores, a su vitalidad, a la búsqueda de una renovación en el lenguaje, a sus referencias constantes a la tradición literaria mexicana, a su estrecha relación con la realidad actual y, sobre todo, a la variedad de sus propuestas temáticas, pues, aunque se trata de obras que de alguna manera se identifican entre sí, sus autores poseen un sello propio que los distingue de los demás.[20]

Esta redescripción de la realidad es la que interesa observar en la obra de Eduardo Antonio Parra para reflexionar en torno a la manera en que el autor interrelaciona su escritura con los efectos de la presencia de la frontera con los Estados Unidos de América.

La identidad aparece desdibujada en algunos de sus cuentos; en otros, desmoronándose; y en otros más, resurgiendo con fuerza, intentando preservarla.

Narraciones como "La piedra y el río", "Traveler Hotel", "Los últimos" y "El cristo de San Buenaventura", relatos de *Tierra de nadie* (1999), hablan de personajes que buscan el contacto con las raíces, que les cuesta desligarse de ellas, e incluso que idealizan el origen, así como el apego a la tierra. La utopía, en lugar de buscarla al otro lado en el futuro, se construye a partir del pasado, del paraíso perdido.

Por el contrario, otros relatos como "Navajas", "El escaparate de los sueños", y "Viento invernal" reflejan problemas que buscan trascender el espacio, pues hay una atracción por el otro, por pasar las fronteras; es decir, hay un interés por llegar al país extranjero. Los personajes piensan que yéndose a trabajar a los Estados Unidos podrán encontrar un mejor empleo que alivie su pobreza y que los haga ser diferentes, progresar, incluso hasta "blanquear la raza"; en otras palabras, lograr el contacto con la otredad.

---

[20]   Eduardo Antonio Parra, "Norte, narcotráfico y literatura", *Letras Libres*, año VII, núm. 82, octubre 2005, p. 60.

Cruzar las fronteras se considera no sólo atravesar el espacio físico, sino reconocerse en una identidad diferente, tener los ingresos suficientes para el incremento de consumos, obtener los símbolos del país al que se busca ingresar, transformarse y lograr ser otro.

En el siglo XXI el ser humano se enfrenta, por un lado, a la creación de entidades supranacionales o a la idealización de nuevas identidades y, por otro, al resurgimiento del nacionalismo como defensa para no separarse de lo suyo.

Como se remarcó en el apartado anterior, la identidad mexicana se ve también determinada por los efectos de la integración regional llevada a cabo por el TLCAN, y como México es un país con una asimetría económica extremadamente marcada, el mexicano queda muchas veces relegado y preso de un sentimiento de inferioridad ante la gran potencia que representa el vecino país.

Por eso en cuentos como "El escaparate de los sueños", Reyes, el protagonista, se afana por cruzar la frontera; pese a no tener pasaporte o visa que lo avale como persona, quiere dejar de ser un subordinado, quiere vivir para siempre en el país vecino.

Sin embargo, este relato contrasta con el de "Los últimos", donde los padres de una familia se aferran a la tierra, a su lugar de origen, y a pesar de que éste es un pueblo en ruinas, sumido en la desgracia, prefieren quedarse allí. Así, se percibe un repudio al cambio, un rechazo a la modernidad, una actitud reaccionaria que contrasta con la de los hijos, jóvenes que buscan abandonar ese espacio y no comprenden la obstinación de los padres.

En el caso de "Traveler Hotel", se relata cómo dos amigos mexicanos, migrantes e indocumentados, se refugian en un hotel de la ciudad de San Antonio, Texas, para curar la enfermedad de uno de ellos, que convalece. De pronto el hotel se transforma en un asilo de ancianos, los personajes que aparecen son migrantes envejecidos, enfermos, en crisis; frente a una situación límite, transmiten la angustia que significa la labor compleja de buscar una nueva identidad.

Al cambiar de espacio, al vivir en un país extranjero, se está ante el peligro de dejar de ser "uno mismo" para transformarse en "el otro", dilema que es intrínseco a una mutación de la identidad impulsada por el cambio de escenario vital y que puede causar graves fracturas psíquicas.

La frontera o las fronteras pueden considerarse como parte de esa visión; así, el tema espacial, el cronotopo,[21] es muy relevante en el estudio de *Tierra de nadie*: el mismo título que integra los

---

[21] Según Mijail Bajtin: la materialización del tiempo en el espacio.

nueve cuentos del libro hace referencia a un espacio sin dueño. Esta idea se articula a la reflexión del antropólogo Marc Augé y a la hipótesis aquí defendida: "la sobremodernidad es productora de no lugares, es decir, de espacios que no son en sí lugares antropológicos".[22]

El autor se refiere a la "sobremodernidad" como la superabundancia de acontecimientos, la superabundancia espacial y la individualización de las referencias.

De esta manera, la frontera puede corresponder a este escenario que se articula a los "no lugares", espacios de tránsito, de pasaje, de incertidumbre, de inclusión en un tiempo subjetivo, en donde se lucha por dejar el presente y alcanzar un futuro.

La visión de Marc Augé[23] concibe el espacio contemporáneo como no estático, sino poblado por la aceleración de los medios de transporte y por las concentraciones urbanas, conduciendo este fenómeno a un desplazamiento de los parámetros espaciales. Así, el concepto frontera es difícil de aprehender porque además de su connotación geográfica tiene múltiples implicaciones económicas, sociales, culturales y políticas.

La frontera correspondería a una polaridad espacial, México de un lado y Estados Unidos del otro; dos culturas diferentes, dos realidades económicas opuestas. Para unos, un lado significa la realidad, el presente; para otros, la utopía, el futuro.

Los personajes son quienes expresan el efecto de esa frontera en sensaciones y conflictos particulares. Por eso, este escenario proyecta una carga ideológica muy amplia, un cúmulo de referencias que ocupan una parte fundamental de la sintaxis narrativa de Eduardo Antonio Parra.

El autor, al escribir sobre el norte de México, profundiza en una serie de referencias que, al asumir un significado simbólico, se convierten en metalenguaje.

Los lugares de *Tierra de nadie* son prolongación metonímica de los personajes; en "La piedra y el río",[24] las aguas del río Bravo son la esperanza y a la vez la incertidumbre de los migrantes por alcanzar un nuevo destino.

---

[22] Marc Augé, *Los no lugares. Espacios del anonimato. Una antropología de la sobremodernidad*, Barcelona, Gedisa, 2004, p. 83.
[23] Se puede confrontar esta idea con el ensayo de Diana Palaversich, "Espacio y contra-espacios en la narrativa de Eduardo Antonio Parra", *Texto Crítico*, núm. 11, julio-diciembre de 2002, Instituto de Investigaciones Lingüístico-Literarias, Universidad Veracruzana.
[24] El análisis de este cuento es más extenso porque engloba dos temas complementarios: la frontera y la migración, aspectos puntuales de esta investigación.

En el relato, que inaugura la colección de *Tierra de nadie*, los campesinos acuden a una mujer llamada Dolores, originaria de esa tierra, para recibir su bendición antes de partir. Ella es descrita como una piedra, inmóvil, inerme, anciana y con una misión: ser la guardiana de las aguas.

Dolores representa un paradigma para los lugareños, pues es una figura poderosa, de alcances míticos, por lo que nadie puede salir del pueblo sin su bendición; así, los migrantes acuden a ella a rezar, a encontrarse con lo sagrado.

La mujer habita en las creencias de la gente, está en todos a través del aura de su misterio; en el texto, el narrador se refiere a ella como una madre: "madre peregrina continúa otorgando bendiciones a quienes buscan el sustento de los suyos más allá de la frontera".[25] Su frase "cuidado con el río" se repite como *leitmotiv* alertando a todos aquéllos que se lanzan a conquistar un mejor futuro y realizan un viaje que tiene como meta alcanzar un mañana más seguro.

El relato menciona las ilusiones de obreros y campesinos, quienes tienen puestas sus esperanzas en una tierra ubicada en un norte más lejano, una tierra que les debe lo que les despojó a sus ancestros.

Los personajes de "La piedra y el río" son figuras desterritorializadas, que ven la franja fronteriza como la meta en donde se imaginan un lugar más estable. En los Estados Unidos se construye la imagen del otro, de la alteridad, de aquello en lo que se quisieran convertir; así se crean el sueño de una posible existencia.

El cuento muestra la condición del subalterno y la manera como éste es atraído por las necesidades de encontrar el trabajo que en México no existe para él; muestra cómo es seducido por las promesas de lo que podría significar la "norteamericanización"; sin embargo, también se enfrenta a una realidad hostil, al intentar cruzar la frontera y enfrentar los peligros y las dificultades que implica ser indocumentado.

Dolores bendice su paso de un lado a otro de los límites fronterizos, y es testigo de la metamorfosis de los jóvenes que al cruzar se convierten en adultos, como si las aguas del río fueran su rito de iniciación del nuevo camino que emprenden.

---

[25] Eduardo Antonio Parra, *Tierra de nadie*, México, Era, 1999, p. 26.

También es a ella a la que regresan todos los que logran retornar a sus orígenes, a la madre tierra. Volver a ella significa el espacio feliz, el espacio-refugio, símbolo y añoranza del claustro materno, asegurarían los psicólogos.

El presente de los migrantes está determinado por la condición de pobreza, por el desempleo y por la falta de oportunidades, y por las promesas incumplidas de la modernidad se arriesgan a conquistar un nuevo destino al cruzar la frontera; sin embargo, no todos tienen éxito en su recorrido. La lectura subraya que el río se puebla de muertos, de gritos y lamentos, y Dolores es la madre receptora de todos ellos: de los "mojados", de los que se contagian del sueño que el río Bravo les ofrece. Ella es testigo de su viaje, del inicio de su peregrinar hacia la otra vida.

Otro tema que se advierte en el análisis de este texto es la creencia, por parte de los ancianos, de que la migración es una tarea masculina; Dolores lo señala al decir: "Porque es cosa de hombres cruzar al otro lado. Si la mujer los acompaña, echan raíces allá y nunca vuelven".[26] Por eso, el destino de ella como mujer es esperar, su misión es entregarse al Bravo, colocarse frente a él como su guardiana.

Dolores es la raíz, el contacto con la tierra, y el último ser que despide a los migrantes desde su lugar de origen; les da la bendición y a la vez sobrevive al regreso de los que tienen la suerte de volver. Coincidimos aquí con lo que Néstor García Canclini plantea sobre la identidad: "Hay momentos en los cuales la espectacularización de la identidad es necesaria como rito fundacional y como renovación de ese rito, así como la monumentalización sirve para darle continuidad y memoria".[27] Se observa, además, una asimilación de algunos de los migrantes de una cultura híbrida en donde están, por un lado, las tradiciones arraigadas, y por otro, los nuevos símbolos culturales que son asimilados al cruzar la frontera.

En la historia universal de los símbolos, el río se ha considerado como una divinidad, y los artistas lo han representado como un venerable anciano desde la Antigüedad. Por otro lado, el río también es un símbolo ambivalente que adquiere distintas percepciones según su contexto: por una parte significa vida y fertilidad, pero también el transcurso irreversible, el abandono y el

---

[26]   Eduardo Antonio Parra, *Tierra de…*, *op. cit.*, p. 16.
[27]   Néstor García Canclini, "¿De qué lado estás? Metáforas de la frontera de México-Estados Unidos", en Alejandro Grimson (comp.), *Fronteras, naciones e identidades: la periferia como centro*, Buenos Aires, Argentina, ciccus-La Crujía, 2000, p. 150.

olvido. Así, "La piedra y el río" sugiere la unión de dos elementos: Dolores, personaje mítico junto al río, símbolo plurivalente, significa utopía, pero también perdición.

Para los personajes de "La piedra y el río" el sonido del agua del Bravo es su esperanza y, al mismo tiempo, un desafío que presagia paralelamente peligro y conquista.

En *Tierra de nadie* el recurso del río se torna en un cronotopo donde el Bravo está marcado por el tiempo, así como por una carga ideológica de connotaciones sociopolíticas, filosóficas y culturales, como se verá a continuación.

El cuento señala que los pobladores se dedican a la recolección de naranjas. Pasar al otro lado, tener un trabajo con "los gabachos"[28] es el ideal; alcanzarlo significa encontrar la tierra prometida. Pero el choque con la realidad devuelve imágenes tensas, gastadas y marcadas por el miedo y la incertidumbre, donde los migrantes se juegan la vida. Así, la voz de la minoría, del subalterno, es recreada por Parra:

> Mi vida en el otro lado fue igual a la de tantos compatriotas: siempre en tensión, oculto a los ojos de la migra, trabajando en plantaciones, o en la ciudad mientras no hubiera temporada de siembra o cosecha. Años de juventud seducida por la tierra de los espejos, los salones de baile infestados de rubias y jornales más o menos generosos.[29]

Se advierte, primero, la separación de las raíces; al pasar junto a la anciana, ella representa el contacto con los orígenes, después, el intento de ruptura al cruzar ese río que los conduce por un pasadizo hasta el otro lado; sumergirse en él es una transición hacia la búsqueda de una nueva cultura de la cual formar parte, un intento por apropiarse de otros valores. Pero ese proceso es siempre inacabado porque persisten las creencias ancestrales. De esta manera, aunque se da la transferencia cultural, hay marcas que prevalecen.

Eduardo Antonio Parra muestra en el tejido de sus personajes la complejidad de la problemática de la identidad en un mundo globalizado. Su dibujo literario corresponde a la reflexión acerca de la ambigüedad de un tema, donde no hay blancos y negros sino tonalidades y múltiples variaciones.

---

[28] Parra utiliza el sustantivo gabacho. *El Lexicón del noreste de México*, de Ricardo Elizondo Elizondo, registra la palabra gabacho como "Nativo de los Estados Unidos de Norteamérica, gringo", México, Fondo de Cultura Económica, 1996, p. 14.

[29] Eduardo Antonio Parra, *Tierra de...*, *op. cit.*, p. 21.

La lectura del cuento de Parra nos asoma a la cultura latinoamericana, a las creencias de poderes sobrenaturales que influyen en el destino de los personajes y se entrecruzan con los nuevos imaginarios provocados por el tránsito de fronteras: "Unos la creen bruja, practicante de artes negras, inmortal".[30]

Dolores es una mujer misteriosa, de otro tiempo. Algunos dicen que es "la Llorona". Se sabe que nació en el otro norte, pero que después de la guerra de 1847 "cargó con los huesos de los difuntos desde el otro Laredo".[31] Dicen los viejos que ella es la única que vio poblarse las dos orillas, que ha vivido siempre en el mismo lugar. Sabe las historias de todos los que pasan cerca del río.[32]

La mujer es un ser real y a la vez sobrenatural, es la raíz, es la tierra y el agua, es aquello a quien el mexicano se acoge y con lo que tiene vínculos, es el mito que lo sostiene. Así, al poseer a Dolores a través de la fe, se conoce el origen de las cosas y se siente una seguridad sobre ellas, como si, al narrar la vivencia ritual del mito, se pudiera dominar.

La geografía mostrada por Parra es de sequía, matorrales y desierto. Como si la espera, la insatisfacción, las carencias, la soledad, hicieran desaparecer la buena tierra y de ella no quedara nada. Las descripciones del escenario son un reflejo de sus habitantes. Los seres humanos o viven en el vacío o son expulsados.

> [...] al sur del río, un desierto rabioso llegado de quién sabe dónde fue comiéndose la tierra buena, hasta dejarnos estos páramos que a fuerza de la poca agua se salpican de chaparros y matorrales [...] También ha visto todas las sequías, cuando la orilla se ensancha y el Bravo pierde hasta su nombre y se convierte en un chisguete lastimoso.[33]

---

[30] *Ibid.*, p. 15.

[31] *Idem.*

[32] El antecedente más conocido de la leyenda de "la Llorona" tiene sus raíces en la mitología azteca. Se cuenta que la diosa Cihuacoalt aparecía de noche como una señora vestida con ropajes blancos. Asimismo, en las crónicas de la época se registra que entre los presagios funestos con que se anunció la conquista de México, una noche se oyeron voces de una mujer angustiada y con llanto que anunciaba: "¡Oh, hijos míos, ya ha llegado vuestra destrucción, pues ya tenemos que irnos lejos!". Y a veces decía: "¡Hijitos míos, ¿a dónde os llevaré?". Con la llegada de los españoles al continente americano, y una vez consumada la conquista de Tenochtitlán, sede del imperio azteca, años más tarde y después de que murió doña Marina, mejor conocida como "la Malinche", se decía que ésta era "la Llorona", la que venía a penar del otro mundo por haber traicionado a los indios de su raza, ayudando a los extranjeros para que los sometieran. Consultado en http://www.unm.edu/~mestrada/readings/llorona.pdf y en: http://flux64.wordpress.com/2006/10/18/la-llorona/

[33] Eduardo Antonio Parra, *Tierra de...*, *op. cit.*, p. 14.

Como lo señala Zubiaurre, el espacio está "dotado de un fuerte contenido semántico, habla indirectamente de los personajes y contribuye metonímicamente a su definición".[34]

La naturaleza es desgajada por Parra: el viento, el sol, las nubes, las tormentas, las aguas, la tierra, las piedras, las hierbas, los mezquites, son las presencias que hacen compañía a los viajeros y es el bordado que entreteje los distintos sucesos de la narración. La frontera se dibuja como un escenario donde penan los fantasmas, como un lugar extranjero; es otra extensión del espacio que sugiere contacto con el más allá.

El cuento "La piedra y el río" señala también la transformación del espacio. La edad del narrador oscila entre su etapa infantil y su vida de adulto: de niño fue encargado por su padre a Dolores, y de adulto, después de cruzar a los Estados Unidos para ir a trabajar, regresa y observa el cambio de escenario; su percepción tiene otra carga semántica producto de los efectos del progreso: "tras muchísimos años volví. La ciudad que hallé a mi regreso era un laberinto desconocido: gente y automóviles plagaban las calles, el centro había chorreado casas y edificios a lo largo de la ribera; comercios, fábricas, y maquiladoras".[35]

Sin embargo, la problemática de la migración continúa. Así, el cuento concluye hablando de cómo "los mojados" siguen encomendándose a Dolores antes de cruzar el río, invocándola y creyendo que vive dentro del Bravo en un permanente abrazo.

Eduardo Antonio Parra muestra una sociedad polarizada por su asimetría económica, por el incumplimiento de los ideales que llevan al mexicano a emigrar, a tener que vivir un víacrucis para poder cruzar. El narrador revela una identidad fragmentada, así como la asimilación de una nueva cultura híbrida, a veces un lamento por el pasado y la necesidad de imaginar y construir un futuro en un norte más lejano.

Otros relatos que hablan del tema migratorio son "El escaparate de los sueños" y "Traveler Hotel", narraciones con sugerencias de una situación utópica donde los protagonistas apuestan al viaje, a la migración hacia los Estados Unidos, a la edificación de una sociedad completa y cerrada a sí misma.

---

[34] María Teresa Zubiaurre, *El espacio en la novela realista*, México, Fondo de Cultura Económica, 2000, p. 23.
[35] Eduardo Antonio Parra, *Tierra de...*, *op. cit.*, p. 21.

En el cuento "El escaparate de los sueños" se podría hablar de una utopía positiva –en el sentido de superar el orden criticado–[36] si se observa desde la perspectiva del personaje. Se narra la ilusión de Reyes, el hijo de un migrante que vive en México y que quiere ir a los Estados Unidos para recuperar a su padre perdido y concretar los sueños que éste le motivó a construir sobre lo que puede encontrar en el país extranjero. "[...] perdió una mirada pensativa entre los edificios más altos de El Paso. Sólo conocía las partes visibles desde el puente, El Chamizal, o la orilla mexicana del Bravo, pero había deseado habitar en esa ciudad durante toda su vida".[37]

Desde la realidad de Reyes, Estados Unidos representa un espacio exótico, que nada tiene que ver con su mundo actual, donde vive en desventaja; a través de la creación de la utopía idealiza un futuro prometedor.

En el cuento, el protagonista imagina encontrar en Estados Unidos el sueño de un espacio ideal tantas veces narrado por su padre, sin embargo, los indicios llevan al lector a prefigurar una contrautopía o distopía. La noción de utopía lleva implícita una imagen de sociedad armónica y de un Gobierno justo y paradigmático; en una distopía, por el contrario, los elementos ideales no se alcanzan sino que son alterados por una realidad negativa opuesta al paradigma imaginado.

Apropiarse de la frontera del lado de allá, tocar esa tierra prometida, es la ilusión de Reyes, personaje que realiza su trabajo en el límite de la frontera con El Paso, en el puente internacional de Ciudad Juárez, Chihuahua.[38]

Sin embargo, el lector se enfrenta a la realidad del personaje, a la fragmentación familiar, a la pobreza, a la imposibildad de adquirir documentos que le permitan ingresar al país vecino.

Parra edifica los escenarios reales: la realidad mexicana llena de carencias y la negación de la entrada a los Estados Unidos para personas que no cuenten con los documentos prescritos; además, la imposibilidad de encontrar un trabajo legal en el país extranjero, así como la punición por parte de la patrulla fronteriza a cualquier persona que cruce ilegalmente; y, por otro lado, la

---

[36] Véase la referencia a lo que distingue la utopía de acuerdo a Graciela Scheines en María Rosa Lojo, "Dos versiones de la utopía: sensatez del círculo de Angélica Gorodischer", en *Mujer y sociedad en América*, Vol. I, Juana Arancibia, California, Instituto Literario y Cultural Hispánico, 1988, p. 25.

[37] Eduardo Antonio Parra, *Tierra de...*, *op. cit.*, p. 61.

[38] En el análisis de la novela *Nostalgia de la sombra* se puede observar cómo el protagonista durante una etapa de su vida también trabaja en un puente fronterizo, en el de Nuevo Laredo, Tamaulipas, y realiza la misma actividad que el personaje de este cuento, cargar bultos. Por lo que este oficio es señalado por Eduardo Antonio Parra como una actividad muy común en la franja fronteriza. Eduardo Antonio Parra, *Nostalgia de la sombra*, México, Joaquín Mortiz, 2002.

construcción de un escenario compuesto por la realidad utópica que escenifica el protagonista del relato: poder cruzar la frontera y llegar a un posible paraíso

A Reyes le gusta estar cerca del Bravo, el cual se torna un escaparate lleno de sueños: el puente es el espacio desde donde revitaliza cada día su deseo de cruzar. Su oficio es cargar los bultos de las "chiveras",[39] y, así, parecería que Reyes, en el acto de cargar, realiza lo que los estudios culturales conocen como "transferencia", en este caso económica: al transportar los bultos de las mujeres, traslada mercancía estadounidense, contrabando que será utilizado para hacer negocio en México, posiblemente para venta al menudeo.

De acuerdo con Walter Moser, se da una transferencia cultural cuando un agente –sujeto– identificable transfiere un material cultural –objeto– de un sistema a otro en condiciones históricas concretas. La transferencia supone un límite y un obstáculo que frena el desplazamiento o lo vuelve peligroso.[40]

Las transferencias culturales las hacen las "chiveras" al ingresar a México en forma ilegal artículos de consumo, símbolo de la mercantilización estadounidense. Por esta mercancía no se pagan impuestos y se convierte en parte de la economía informal mexicana. Además de representar las necesidades de una sociedad de consumo, los productos de contrabando generalmente están determinados por paradigmas culturales extranjeros, dada la influencia de Estados Unidos a través de la comunicación de masas.

Reyes es también actor de estas transferencias, porque ante la falta de un mejor trabajo, se dedica a cargar el producto que pasan las mujeres como contrabando. Día a día, entre la soledad, el calor de la canícula y su condición de precariedad, Reyes acaricia sus sueños mientras camina sobre el puente; éste se convierte en un pasaje que delimita la frontera, él en un ser transterrado, descoyunturado, incompleto, buscando llegar al otro lado para encontrar su parte rota; para él, el otro lado, el allá, el otro país, lo extranjero, constituye el lugar de encuentro, mitológico, universal.

Reyes, hijo de un migrante, espera encontrar al padre que un día partió, vive alimentado por las historias que éste le contó sobre los Estados Unidos en las vacaciones, cuando regresaba a visitar a la familia.

---

[39] El *Lexicón del noreste de México* define chivera como la persona que se dedica al contrabando. También como viento que viene del sur y que en invierno resulta muy peligroso porque es más frío y mata a las chivas, de ahí su nombre.

[40] Véase Walter Moser, *Pour une grammaire du concept "transferi", appliqué au culturel*, Canadá, Universidad de Ottawa, Colección Cultural Transfers, 2001, pp. 10-11.

Los relatos sirven para construir un sueño decorado por los juguetes, la ropa nueva, los aparatos electrónicos, la porcelana y las latas de conserva que su papá le trae cada Navidad. Un día, ese padre desaparece y lo deja en la orfandad.

El padre es el sujeto que realiza transferencias económicas y culturales en cuanto al traslado de objetos-símbolo de mercantilismo, de nuevos consumos, gustos y valores que la familia va adquiriendo, construyendo nuevos imaginarios.

El cuento está construido en un juego de esperanza-desesperanza, y está cimentado en realidades y mundos que se presentan como opuestos; metáforas, iconos y símbolos señalan las diferencias. En la primera parte del relato aparece el protagonista junto a un bote de basura en donde arroja una carta devuelta por el correo, escrita por él como un símbolo de desilusión, con la que buscaba comunicarse con su padre ausente.

El basurero es descrito con imágenes que hablan de agotamiento y podredumbre, como si la esperanza feneciera junto a los desperdicios:

> Unos metros antes del puente se detuvo junto a un tambo de basura y extrajo un sobre del bolsillo del pantalón. Leyó los datos escritos al dorso y enseguida le dio vuelta para examinarlo por el otro lado. Luego se asomó a la boca del tambo, aspiró los efluvios a la vez agrios y dulzones que despiden los alimentos podridos, y su rostro curvó una mueca de asco. Levantó la cabeza en busca de oxígeno, se limpió con el sobre el sudor de la frente y volvió a mirar los desperdicios en el fondo, pensando que acaso era el mejor sitio para confinar su esperanza perdida: en medio de tanto papel inútil, cáscaras fermentadas, envolturas de plástico y restos de comida a punto de agusanarse.[41]

Por otro lado, en el desenlace de la historia aparece un anuncio panorámico, símbolo de la ilusión: entrar a los Estados Unidos. Este icono mercantilista le da la bienvenida al país de la utopía: "Levantó la vista hacia la rubia del anuncio de bienvenida, cuyos ojos ahora parecían seguirlo sólo a él, y sintió cómo esa sonrisa perfecta se le derramaba por dentro del cuerpo llenándolo de energía".[42] La rubia, lo selecciona a él, lo señala, lo escoge, al menos él se siente distinguido por ella.

---

[41]   Eduardo Antonio Parra, *Tierra de...*, *op. cit.*, p. 59.
[42]   *Ibid.*, p. 68.

Como dice Fernando Ainza acerca del espacio utópico: "Para vivir en el mundo hay que fundarlo, por lo que todo hombre tiende a definir su 'espacio sagrado', el centro a partir del cual construye su geografía individual, al que otorga la dimensión de su experiencia vital".[43]

Reyes había construido ese escenario utópico a partir de los relatos del padre y del sueño de reencontrarse con él, así como de las mercancías estadounidenses que un día recibió como regalos de Navidad.

Parra, en esta geografía imaginativa, señala varios temas que se debaten en la actualidad: el racismo, la desintegración familiar por la migración, el subempleo fronterizo, el sueño americano, la vida del mexicano indocumentado, el divorcio entre la ilegalidad y la migra.

Numerosos símbolos enfatizan al sueño americano; los *freeways*, los Mercedes Benz manejados a alta velocidad por estadounidenses que cruzan la frontera, los tubos de neón y los rascacielos, entre otros, representan el espejismo, el sueño por el que Reyes vive encandilado, codiciando el deseo de cruzar y encontrarse con el otro, pero también con lo suyo, con ese padre desaparecido.

El cuento refleja dos dimensiones: por un lado, la identidad mexicana del personaje, y, por otro, un mundo que ha edificado por el imaginario del padre, así como por el universo que se introduce todos los días a través de la *mass media*, signos con un carácter transterritorializado.

Hay claros símbolos de esta dualidad, como cuando Reyes se refugia del calor bajo el techo de "los mexican curios para obtener un poco de sombra".[44] Así, hay una necesidad del personaje de "refugiarse", de resguardarse en lo suyo, por lo que se acerca a la sombra que el techo de una tienda de artesanías mexicanas le proporciona. Pero hay también una muestra del debilitamiento del lenguaje español y del dominio anglosajón, por eso se recurre al anglicismo, donde se muestra irónicamente cómo las tiendas de artesanía pierden su nombre original y se anuncian con palabras en inglés. El lenguaje sirve como símbolo sustituto que pone en evidencia la influencia de los Estados Unidos y donde lo mexicano resulta ser una simple "curiosidad". La representación de los dos países muestra la oposición centro-periferia, una asimetría material.

El oficio de Reyes como cargador de mercancía ilegal es descrito como una actividad informal, en cierta medida denigrante, en medio de los calores fuertes de la canícula, sin ninguna

---

[43] Fernando Ainza, *La reconstrucción de la utopía*, UNESCO, 1997, México, p. 89.
[44] Eduardo Antonio Parra, *Tierra de...*, *op. cit.*, p. 59.

seguridad, cruzando entre los automóviles y sabiendo que su trabajo es inseguro y mal pagado. Tanto la mano de obra barata de Reyes como el oficio de "chivera" son muestras de una relación de "basurización"[45] que vuelve imposible el diálogo y de ese espacio latinoamericano que es vertedero de las consecuencias negativas de la asimetría norte-sur.

Asimismo, hay un símbolo que expresa la necesidad de Reyes por alcanzar la alteridad, por ser ese alguien distinto a él; en este caso, todo el juego simbólico se da en la imagen de una niña pelirroja que va dentro de un automóvil Volvo: primero, él, decepcionado, se contempla en la imagen desaliñada que le devuelve el vidrio de la ventanilla, después la niña le sonríe y su sonrisa se suma a la de él en "una confusión espectral cuyo resultado fue la imagen de un Reyes infantil, ajeno a preocupaciones y fracasos".[46]

Se describe también a los padres de la niña: él, moreno; la mujer, rubia, y Reyes piensa que si viviera en El Paso tendría una familia así, habitando una casa de tres pisos con paredes claras, y habría logrado "blanquear la raza",[47] como se lo había inculcado su padre.

El relato es narrado en forma realista, utilizando realemas muy específicos como la Avenida Juárez o El Chamizal, así como las descripciones del puente internacional que comunica Ciudad Juárez, Chihuahua, con El Paso, Texas; sin embargo, ese tono realista se modifica en el desenlace y clímax de la historia. La trama sufre una alteración y se entra en el límite con otra realidad, donde se transita de un escenario crudo a uno armónico, a la fantasía que su padre le había creado: el automóvil Volvo vuelve a pasar y la niña pone su mano sobre el vidrio y él pone la suya, y en esa unión encuentra su liberación.

A partir de ahí se describe a Reyes en un arrebato desenfrenado: corre, huye, entra al país vecino, al espacio sagrado, y desde el cruce se alimenta de la sonrisa de una rubia que le entrega el anuncio de bienvenida: "llega a la boca del túnel sin pensar [...] y siguió sin detenerse hasta la calle abierta impulsado por un ímpetu que nunca había sentido".[48]

---

[45] Sobre este concepto véase, Daniel Castillo Durante, "Los vertederos de la postmodernidad: literatura, cultura y sociedad en América Latina", *Ottawa Hispanic Studies*, núm. 23, Canadá, 2000, pp. 29-30.
[46] Eduardo Antonio Parra, *Tierra de...*, *op. cit.*, p. 66.
[47] *Idem.*
[48] *Ibid.*, p. 69.

Finalmente, está en El Paso, Texas. Reyes llega y nace, el túnel es la matriz que lo arroja a la otra orilla y al encuentro con el otro, la posible muerte, el más allá, los ladridos de unos perros, el fragor de pisadas firmes, órdenes urgentes. Así, entra a la geografía imaginada: "No supo si venían por él. En la primera esquina dio vuelta y sus ojos se toparon con un paisaje ya conocido de árboles, prados, casas hermosas y niños jugando por la calle. Mientras a su mente acudían vertiginosos los relatos de su padre sobre la ciudad de sus sueños".[49]

Los jardines, el ambiente armónico del espacio, son el escenario positivo de la utopía, pero quizá muy pronto se desvanezca por la distopía de la realidad.

Esos sueños posiblemente serán destruidos por el proceso de "basurización". Reyes es el distinto, el marginal, el que no tiene "el permiso" para pasar, y con el final abierto se sospecha que los agentes acabarán con él.

En "Traveler Hotel" el realismo de Parra se traslada a otro terreno, el de la literatura fantástica. La creación de la utopía positiva que se desarrolló en "El escaparate de los sueños", ahora se trasmuta en una negativa, donde el escenario de los Estados Unidos tiene una cara muy distinta.

Los protagonistas de la historia son Gonzalo y David, dos migrantes indocumentados que han logrado pasar la franja fronteriza e internarse en los Estados Unidos. La fábula se centra en el siguiente suceso: dos amigos se refugian en un hotel para curar la enfermedad de uno, Gonzalo, que convalece mientras pasa un tiempo indefinido.

El espacio se ubica en la ciudad de San Antonio, Texas, en el invierno; el frío hace que los personajes busquen refugio en un hotel. Hay un contraste entre el calor de los cuentos anteriores y el gélido escenario de este relato.

"Traveler Hotel" es el microespacio descrito como un mundo fantástico, un universo dibujado a través de imágenes decadentes, gastadas, donde la utopía es negativa.

En "Traveler Hotel", Eduardo Antonio Parra presenta la dificultad de los migrantes para salir adelante en un mundo globalizado, individualista, donde la sociedad marginal no tiene oportunidades y su destino es incierto y desesperanzador. A Gonzalo y a David, aunque han logrado entrar a "la tierra prometida", a la utopía, las condiciones a las que se enfrentan les hacen perder las ilusiones.

---

[49] *Idem.*

Un narrador omnisciente describe el hotel como un hospital lleno de enfermos, donde todos los habitantes o clientes están desahuciados y se percibe cansancio, silencio; los símiles llevan a imaginar que se está ante una película muda.

Entrar en el hotel implica pasar de la realidad a otro universo. Tanto un mundo como el otro son agresivos; el de afuera, por las prisas, el estrés, el nerviosismo, la huída, la posible persecución de los agentes de migración, el miedo y el frío intenso; el de adentro, porque muchos de los viajeros están en agonía, como Gonzalo, quien llega estornudando y termina en un estado semiinconsciente. El simbolismo de este escenario, de este espacio que se desintegra, es el desmoronamiento del ser humano; su acabamiento. Pero también da la sensación de un estado de conciencia que nunca se acaba de disolver.

Hay una minuciosidad del narrador en la descripción de los detalles para trasmitir la debilidad del personaje: temblores, sed, debilidad, cansancio, sudor, fiebre, dolor, sueño. En oposición a "El escaparate de los sueños", en "Traveler Hotel" los sueños del personaje se trasladan a su pasado, a una tierra fértil, con agua, con calor, pero los sueños se asocian, se superponen con otras realidades como la de la muerte, y Gonzalo sueña zopilotes acechándolo.

El hotel es un símbolo de pasaje, una extensión del puente en donde los migrantes se juegan la vida intentando conquistar otro espacio. El título del relato juega con la palabra en inglés *traveler*, "viaje". ¿Es el viaje a la muerte donde los migrantes no logran concretar el sueño americano, y el paraíso se mutila por un estado de agonía, por un descenso a los abismos?

El hotel es un vejestorio, un edificio en ruinas casi desintegrado; se describe como un espacio en decadencia, misterioso e incierto, lleno de pasadizos y encrucijadas. La descripción desempeña en este caso una función semantizante dando por extensión notas significativas al personaje, es decir, las cualidades se desplazan del objeto a la persona. Aunque la descripción se centra en el hotel, las características de desintegración, rompimiento y decaimiento se contagian a los personajes, cuyas vidas también están en total deterioro al haber perdido la identidad y las raíces y no encontrar la utopía soñada.

El espacio no remite a una unidad, es una arquitectura desintegrada. A través del escenario, se va intensificando la idea de destrucción conforme se avanza en la lectura. Por otra parte, hay un rompimiento con la temporalidad; elementos fantásticos irrumpen en la narración, los personajes salen del tiempo; es decir, hay una fractura de la cronología. Los protagonistas piensan quedarse sólo una noche, pero al despertar se dan cuenta de que son ancianos y viven en un tiempo eterno, sin mañana.

Tanto el sueño, como la vigilia y la enfermedad son estados que hacen que la narración logre su efecto y se dé el rompimiento de lo real para situarse en un plano ilusorio.

Por medio de las alucinaciones y pesadillas del personaje, la muerte va anticipando el triunfo de su batalla, o quizá ya la haya ganado. A Gonzalo se le aparecen figuras esperpénticas como una anciana calva, con dentadura carcomida y labios muy maquillados, así como viejos con bocas sin dientes y ojos como "globos amarillos a punto de reventar".[50]

El juego de luces y sombras prepara el ambiente desolado de la historia. Todos los elementos hacen alusión a un mundo sin sentido, sin proyecto, sin componente de vida. Remiten a laberintos que no conducen a ninguna salida, ascensores que llevan de un pasadizo a otro, corredores y puertas clausuradas, un encadenamiento de símbolos para enfatizar la ausencia de posibilidades.

Gonzalo se desploma al llegar a su cuarto y está siempre sumido en un letargo. El reloj está parado. No hay espejo en el cuarto que le muestre su realidad. La televisión sólo exhibe a un predicador con una Biblia en la mano y una cruz en el pecho, símbolos también de un posible final. Los habitantes del hotel parecen encerrados, prisioneros de un destino sin escapatoria.

El papel de David en el relato es el del amigo que apoya al enfermo, la esperanza de quien todavía se preocupa y tiene la generosidad de apoyar al compañero; él aporta símbolos de energía vital, como agua, fruta, pan y jugo de naranja, lo alienta también a no dormirse; sin embargo, las pesadillas, el ambiente siniestro, la asfixia, el cansancio y la enfermedad disuelven cualquier esperanza.

Gonzalo pronto se sentirá también abandonado por David y en una reflexión concluirá que su destino fatal lo ha perseguido hasta el país extranjero: "Con el rostro oculto entre las manos se repite que no es más que un espejismo producto del cansancio y la enfermedad, de la desconfianza que le provocara desde el principio internarse en un país ajeno, de la sensación vivida, jamás sentida hasta hoy, de que la desgracia también puede alcanzarlo".[51]

---

[50] Eduardo Antonio Parra, *Tierra de...*, *op. cit.*, p. 78.
[51] *Ibid.*, p. 80.

La debilidad del personaje va en aumento, los ancianos son las posibilidades en las que se puede convertir, hay un traslape entre el escenario y la condición del personaje, el lugar desolado y el miedo que siente "como un millón de alfileres".[52] Las imágenes sensoriales muestran los trastornos de Gonzalo, pues al querer huir toma el ascensor: "el descenso se torna infinito. El aire se convierte en una nube gelatinosa que se pega al cuerpo y penetra por todos los poros de la piel".[53]

Llega finalmente a la recepción del hotel y una atmósfera fantasmagórica lo recibe; se vuelve a enfatizar la destrucción de la utopía y, por inversión, la tierra, el origen, se convierten en el paraíso perdido: "abandonar el hotel, la ciudad, el país y regresar a la seguridad tranquila de su pueblo, del que nunca debió haber salido".[54]

El clímax de la historia se da en el desenlace: no puede salir y de nuevo es presa de las náuseas y vómitos. Además se le cae el bastón, el apoyo, un elemento premonitorio anunciando que el final está por llegar. Se le acerca un anciano y al reconocerlo recibe el gran impacto de ver a David convertido en un viejo, él también ha sufrido una metamorfosis.

"Traveler Hotel" es el camino de agonía del migrante en donde encuentra la posibilidad de morir. Eduardo Antonio Parra se asoma en esta historia al desenlace de muchos indocumentados que no encuentran la superación, pues se quedan en los márgenes, e incluso descienden más abajo. Nunca regresan, rompen lazos con sus seres queridos y, paradójicamente, la tierra, el origen, traslada su significado, convirtiéndose en la nueva utopía, en el paraíso perdido, deseando siempre poder reconquistarlo.

Los tres cuentos anteriores —"La piedra y el río", "El escaparate de los sueños" y "Traveler Hotel"— muestran la condición del subalterno. Tanto los migrantes del primer cuento, como Reyes, David y Gonzalo, son atraídos por las necesidades de encontrar el trabajo que en México no existe para ellos, y son seducidos por las promesas de lo que podría significar la "americanización".

El cuento de "El escaparate de los sueños" dibuja un símbolo de una relación de oposición entre los dos países. Reyes se contempla en el vidrio de un automóvil Volvo, el reflejo le devuelve su imagen sobrepuesta a la de una niña pelirroja. Claramente se dan los opuestos: la niña es

---

[52] *Ibid.*, p. 81.
[53] *Idem*.
[54] *Ibid.*, p. 82.

americana, está acompañada por sus papás, va en un vehículo que la resguarda del calor de la canícula, y lleva los vidrios subidos porque trae aire acondicionado. Reyes, en cambio, carece de automóvil, va a pie, busca trabajo, se le describe desaliñado, sudoroso, cansado, a punto de desfallecer; es, además, huérfano.

Son dos mundos antagónicos; sin embargo, Reyes, como subalterno, representa la mano de obra barata y al mismo tiempo necesita del país extranjero para cumplir su utopía: llegar al norte.

Con su literatura, Eduardo Antonio Parra pone el dedo en la llaga al exponer problemáticas en donde lo subalterno sigue padeciendo las asimetrías de la globalización. Coincidimos con la reflexión de Walter D. Mignolo sobre la construcción de categorías conceptuales, más allá de la modernidad, producto de una rearticulación del nuevo orden mundial:

> Las trasnacionales van creando un mundo global que opera de arriba hacia abajo, más que desde el centro a la periferia. En esta rearticulación, la cuestión de la "otredad" pierde relevancia y comienza a ser desplazada por estructuras económicas globales y políticas transestatales que hacen más visible la "subalternidad" que la otredad; subalternidad, claro está, que sobrepasa el marco de las clases sociales y crea las condiciones para la multiplicación de movimientos sociales y para la rearticulación de la sociedad civil.[55]

Así como en "La piedra y el río", "El escaparate de los sueños" y "Traveler Hotel", la utopía de vivir en la frontera o llegar a los Estados Unidos se fractura y los personajes se sienten exiliados; la diáspora, la migración y la escapatoria hacia un mundo idealizado no se concluye.

Los personajes de estos cuentos emigran intentando romper los límites que los apresan, pero la realidad los clausura en un espacio mucho más restringido: la migra, el hotel en ruinas, la casucha miserable. El ideal que se busca conquistar nunca llega, la opresión de la que se intenta salir se reconcentra.

La utopía se desvanece, este pasaje no se logra aun al transgredir los límites espaciales; la problemática de los personajes y el desenlace de los cuentos pone en evidencia una derrota, la

---

[55] Walter D. Mignolo, "Posoccidentalismo: el argumento desde América Latina", en Santiago Castro-Gómez y Eduardo Mendieta (coords.), *Teorías sin disciplina. Latinoamericanismo, poscolonialidad y globalización en debate*, México, Miguel Ángel Porrúa, 1998, p. 50.

contrautopía. Por ejemplo, en "La piedra y el río" y en "Traveler Hotel" se oscila de la tierra prometida al paraíso perdido.

Ese renacer, ese encuentro con la alteridad, fracasa, se transforma en una realidad hostil.

Así, los espacios de *Tierra de nadie* son una prolongación metonímica de sus habitantes, hay un intercambio semántico que adquiere propiedades simbólicas.

Identidad y migración en Nostalgia de la sombra

En su primera novela, *Nostalgia de la sombra* (2002), Eduardo Antonio Parra plantea el tema del mal, donde el asesinato como realidad y metáfora es el eje de una narración que enfrenta la nostalgia del pasado con la fuerza y los desafíos de un presente siempre en el límite.

Dos tiempos recorren la narración de *Nostalgia de la sombra*: un pasado gris frente a la acción de un presente fascinado por la violencia, que se sintetiza en la frase que saborea el protagonista: "Nada como matar a un hombre", y que como hilo de sangre recorre las páginas del libro.

El eje temático está sostenido por la voz de varios narradores, con distintas focalizaciones narrativas y con la mirada puesta en una ciudad dual, de opuestos, polarizada, en donde centro y periferia aparecen enfrentados. Parra ubica su historia en la ciudad de Monterrey, con un realismo necesario para reconocer muchas de sus características, así como la toponimia propia de esa ciudad; sin embargo, Monterrey trasciende y se convierte en un símbolo de las grandes ciudades de los países en vías de desarrollo: donde los territorios pierden los límites, devoradas por zonas conurbadas, por cinturones de miseria y por municipios que contrastan con la capital.

El protagonista, en una etapa de su vida, se acerca a la frontera; "el Chato" uno de los desdoblamientos del personaje, camina por la carretera a Laredo, pasa a pie por la Cuesta de Mamulique. La experiencia de caminar con el sol lo lleva a hacer una reflexión profunda sobre su condición de errante.

El protagonista se fija una meta: llegar a la frontera y pasar al otro lado; así, Estados Unidos aparece como objetivo de liberación.

"El Chato" llega a Nuevo Laredo desde la ciudad de Monterrey huyendo de las consecuencias de los crímenes que ha perpetrado. En el capítulo diez evoca su llegada, buscando cruzar al otro lado de la frontera. Su paso por la ciudad fronteriza permite la reflexión sobre el problema migratorio; la frontera involucra dificultades económicas, y éste es uno de ellos: el protagonista es testigo de las injusticias cometidas por los "polleros",[56] hombres que cobran por cruzar ilegalmente a los migrantes.

En el caso de *Nostalgia de la sombra,* este conflicto es representado por Gabriel, quien abusa de los campesinos que desesperadamente le entregan su dinero con tal de cruzar la frontera. Además de la explotación, hay muestras de violencia y acoso, especialmente contra las mujeres: "El tal Gabriel les dio vuelta a las tres mujeres como si fuera a comprar ganado. A la más joven le agarró las nalgas con mano morosa, saboreándosela, mientras le susurraba unas palabras a la oreja".[57] Más tarde, una de ellas, para completar su pago que le permitiera realizar el viaje y cruzar la frontera, tiene que servir sexualmente al traficante de indocumentados. El hiperrealismo de la escena ilustra una extrema violencia social y una degradación moral.

Este capítulo de la novela expresa lo que Arjun Appadurai define como paisaje étnico, un flujo cultural global, un segmento de población que constituye el cambiante mundo en que vive la sociedad en la actualidad. Una comunidad inestable, desarticulada de la familia y de las amistades, sin trabajo, sin relaciones sociales armónicas. Appadurai remarca: "tales estabilidades expresan una distorsión o falla que resulta de la colisión con el nuevo entramado del movimiento humano, en la medida en que cada vez más personas y grupos tienen que enfrentarse a la realidad de tener que mudarse de país o a la propia fantasía de querer mudarse".[58]

Pasar al otro lado de la frontera, llegar a los Estados Unidos, significa para "el Chato" una liberación. La frontera es como un lugar de encuentro, encierra la metáfora de la otredad: convertirse en el otro y ya no ser ni Bernardo ni "El Chato".

Es importante citar el punto de vista de Eduardo Antonio Parra sobre la frontera, tomada de la entrevista que le hizo Adriana Cortés Colofón y que se articula con el análisis de la novela:

---

[56]   Pollero es una palabra usual en el tema de la migración. No existe una palabra específica en el lenguaje científico que la denomine. El diccionario de la Real Academia Española registra la palabra pollero como la persona que transporta trabajadores indocumentados a los Estados Unidos de América (http://www.rae.es/). En el lenguaje coloquial también se les conoce como "pateros" o "coyotes".

[57]   Eduardo Antonio Parra, *Nostalgia de…*, *op. cit.*, p. 135.

[58]   Arjun Appadurai, *La modernidad desbordada. Dimensiones culturales de la globalización*, Uruguay, Fondo de Cultura Económica, 2001, p. 47.

ACC: En la novela también se percibe la idea de la frontera de las identidades, la frontera simbólica…

EAP: El asesino cambia de espacio físico y de identidad: siempre está rozando los límites. En cada capítulo te das cuenta de que pierde su personalidad anterior, asume una nueva, se enreda en un hecho de sangre y se desplaza a un territorio distinto; siempre se está moviendo en los límites de la personalidad y de las fronteras geográficas.

ACC: Enfrenta también fronteras psicológicas…

EAP: Sí, este asumir la soledad por voluntad, pero que en realidad nunca está totalmente asumida. Esa soledad lo perturba y siempre está sintiendo una suerte de nostalgia de cuando no estaba sólo . Está en el límite de lo que es su deseo, su realidad y sus circunstancias.

ACC: ¿Entiendes la frontera como una zona de silencio, una tierra de nadie?

EAP: Siempre he jugado con el significado de la zona fronteriza entre México y Estados Unidos. Me gusta la idea: es un limbo donde se desdibujan las personalidades, las nacionalidades, la misma voluntad de los seres humanos. Creo que es una obsesión desde los libros anteriores.[59]

La frontera es un escenario para el nomadismo, lo transterrado, y el protagonista es un errante en huída permanente. El espacio mexicano significa zona de pobreza, impunidad, corrupción, indocumentados, falta de papeles que bauticen la identidad, el desorden permanente. En cambio, el suelo estadounidense implica riqueza, leyes, castigo, papeles, identidad, ser alguien, orden y un futuro esperanzador.

El protagonista ha construido un imaginario de lo que significa vivir en un país de primer mundo como los Estados Unidos, símbolo para él de liberación.

Un fenómeno de la historia moderna es la desterritorialización por los cambios sociales, por el éxodo, por la búsqueda de lo global, por anexar este nuevo principio dentro de un nuevo contexto fabricado en la imaginación. El migrante construye nuevos mitos determinados por la imaginería despertada a través de los medios.

Éste es el caso de "el Chato", quien cruza el río Bravo a nado; en la frontera se juega la vida. Él también es un migrante buscando la salvación. El primer contacto con el agua es como una emancipación, la corriente purifica su pasado, "la sed que lo acosaba desde que tenía memoria",[60] pero después esta libertad es sólo pasajera, lucha con los peñascos, las yerbas y las aguas bravas,

---

[59]   Adriana Cortés Colofón "El asesinato como una de las bellas artes, en *Nostalgia de la sombra* de Eduardo Antonio Parra", en *Tierra Adentro*, México, Conaculta, núm. 2, febrero-marzo de 2005, pp. 67-72.

[60]   Eduardo Antonio Parra, *Nostalgia de…*, *op. cit.*, p. 253.

río donde se extiende un cementerio de cadáveres a través de su historia; finalmente el personaje llega a la orilla:

> Al pisar suelo gringo una intensa sensación de extrañeza lo recorrió por entero […] ¿Y ahora? La cerca de púas indicaba propiedad particular, y no quería servir de blanco a ningún ranchero gringo […] No pudo seguir dudando. Un fanal se encendió con un chasquido frente a él; enseguida otro a su derecha y uno más a su izquierda […] Escuchó órdenes en inglés que le sonaron a insultos. Levantó las manos, como había visto hacerlo en muchas películas […] Un oficial rubio que ladraba sin descanso advertencias ininteligibles para el Chato se adelantó y le colocó las esposas.[61]

A partir de ahí, "el Chato" se transforma en Genaro Márquez. Es el primer nombre que se le ocurre cuando los hombres de la patrulla fronteriza lo interrogan. Es deportado y lo recluyen en la cárcel de Nuevo Laredo, ya que es buscado porque mató al pollero Gabriel antes de pasar a los Estados Unidos.

Un escenario también relevante de análisis es el penal de La Loma, cárcel de Nuevo Laredo, espacio fronterizo que remite al mundo de la delincuencia. La prisión alberga diferentes presidiarios; sin embargo, la novela se centra en aquéllos que se dedican al narcotráfico. Varios presos gozan de protección y privilegios, pero sobresale "el Coster", quien además tiene vínculos con el pollero Gabriel, puesto que eran socios en el paso de mercancía ilegal. Hay escenas de enfrentamientos y de un motín en donde mueren asesinados el compañero de celda de Genaro y "la Florinda", un homosexual. [62]

Esta novela muestra el poder paralelo al Estado, el narcotráfico, y marca la frontera como el escenario idóneo para su desarrollo; la región norte es terreno fértil para su desenvolvimiento y se manifiesta en la falta de un control real sobre las fronteras como industria multinacional y en los grupos armados que dependen de los espacios que les brinda el crimen organizado.[63]

En *Nostalgia de la sombra*, el crimen organizado, el contrabando, los negocios ilegales, el tráfico de indocumentados, son temáticas que sobresalen en las páginas de la narrativa de Parra.

---

[61] *Ibid.*, pp. 254-255.

[62] "Los penales en Tamaulipas muestran todas las características de un sistema penitenciario en problemas: violencia al interior, sobrepoblación, falta de capacidad para invertir en seguridad y nula capacitación de custodios y celadores", *El Norte*, Monterrey, 6 de junio de 2005, p. 16.

[63] Véase Jorge Fernández Menéndez, *El otro poder*, México, Nuevo Siglo, 2001, p. 15.

El autor retoma muchos de estos aspectos como soporte para la construcción de sus acciones, creando así una compleja relación entre el espacio literario representado y su referente: el realema.

Por otro lado, el escenario de la prisión retrata un estadio más del mundo de barbarie del protagonista, como si fuera descendiendo a los infiernos. Hay una clara referencia a la problemática actual del país en donde la impunidad y el ejercicio de la violencia son eventos cotidianos.

Los diversos ámbitos de la novela muestran distintos enfoques de lo que Gilles Lipovetsky calificaría como "la era del vacío", donde se da una conmoción de la sociedad en distintos órdenes, costumbres, valores socioculturales y relaciones interpersonales, entre otros.

Hay un entrecruzamiento de poderes, donde la cabeza de la hidra está oculta; es una guerra desigual, se sabe de la implicación de Estados Unidos en el problema, es el país con más consumo de cocaína en el mundo, pero se desconoce quiénes son los altos mandos que encabezan los cárteles. La novela sugiere una complicidad en algunos de los presos encerrados en la prisión de Nuevo Laredo que podrían tener lazos con los capos estadounidenses.

Al tratar como un tema principal la violencia y la delincuencia organizada y al mencionar la frontera como un escalón más en el descenso del protagonista, *Nostalgia de la sombra* ilustra las relaciones espaciales entre el estado de Nuevo León y la zona fronteriza. Más adelante se examinará la problemática particular de la novela en relación con la crisis de la modernidad.

Así, el narcotráfico resuena varias veces en la novela, muchos de los presos encarcelados en el penal de Nuevo Laredo están ahí por delitos contra la salud. Este tema no es gratuito en la obra de Parra. Si se revisa el historial del noreste en relación con el narcotráfico, el tema es una noticia permanente en los periódicos y delata cómo la seguridad y la salud de la ciudadanía están siendo amenazadas continuamente por el poder de la delincuencia organizada y cada año se incrementan los crímenes, la muerte de policías, el asesinato de gente inocente, la guerra entre cárteles, así como la impotencia e impunidad de la justicia.

Nostalgia de la sombra pone en evidencia la frontera y el narcotráfico como dos temas que se entrelazan, la demanda por parte de los Estados Unidos y la oferta desde México, así como de algunos países latinoamericanos que usan ese espacio como objeto de deslizamiento de la transferencia ilegal. La cara del narcotráfico es la de la violencia, aunada a la inestabilidad, a la corrupción y al poder.

Sobre este tema, el especialista en temas de narcotráfico y seguridad Jorge Chabat declara que "los beneficios que deja el narco a la economía de un país, los empleos que genera, la infraestructura que se crea, los vacíos que llena ahí donde el Estado no llega"[64] hablan de una complicidad entre varias instituciones sociales, por eso en la cárcel se observa una permisividad con ciertos reos que tienen libertad y facultades para concentrar el poder; dominan cotos que aluden a una organización superior con la que están aliados. Chabat enuncia que el narcotráfico es una arista del crimen organizado.

La novela de Parra plantea los nexos entre las distintas instancias del crimen organizado que se relacionan para debilitar al sistema político mexicano. La paradoja es que dentro del propio Estado hay protagonistas, aliados al narcotráfico, que planean estrategias para desestabilizarlo y a mediano plazo destruirlo. Por un lado, hay confrontaciones entre estos dos entes y, por otro, alianzas. Este debilitamiento del Estado se analizará en otro capítulo de esta obra.

---

[64]   Jorge Chabat, "Narcotráfico y estado: el discreto encanto de la corrupción". En *Letras Libres*, México, año VII, núm. 81, septiembre de 2005, p. 14.

IV. Representación literaria de la modernidad

L AS NARRACIONES QUE AQUÍ se analizan tienen una constante: la presentación de escenarios donde la modernidad tiene un lugar preponderante, al igual que sus efectos en la sociedad del norte de México.

La literatura de esta región también refleja las dificultades que ha enfrentado el desarrollo en América Latina en ese afán de alcanzar la modernidad, pese a las grandes contradicciones entre modernización socioeconómica y cultural y tradición. Así, los escritores del norte plantean el advenimiento de la modernidad y el lugar de la cultura en ese proceso, así como las causas y consecuencias de esta crisis.

La historiografía y la literatura han ayudado a representar la realidad de los pueblos a través de diversos acercamientos y diversos modos discursivos, y a construir una imagen de la identidad. Ricardo Elizondo Elizondo, a través de su narrativa, tiene un diálogo con la memoria colectiva del noreste y con su historia; y mediante su proceso estético muestra la realidad mexicana finisecular de la región, creando un referente imaginario de una parte del siglo XX. Las novelas de este escritor son una expresión cultural que conforma parte del legado de la literatura del norte de México y contribuyen a delinear un dibujo de la incipiente modernidad.

Setenta veces siete se ubica en el siglo XIX y en las primeras tres décadas del XX; en ella se alude a Porfirio Díaz, cuyo lema "Orden y Progreso" representaba las metas de su proyecto político y la entrada de México a la modernidad. La novela, además, está estructurada en cuatro tiempos fragmentados.

En el primer tiempo se narran los antecedentes de los Govea y los Villarreal, familias protagonistas y, por sus características, representantes de los rasgos norestenses. Se narran sus ocupaciones, el matrimonio entre Carolina Govea y Cosme Villarreal, la migración a Estados Unidos de los hermanos Ramón y Agustín Govea y el casamiento de Agustín Govea con Virginia, artista de la región.

El segundo tiempo narra el crecimiento de la empresa Govea Brothers & Company en la frontera, el embarazo de Carola Villarreal y la enfermedad que azota a la región: la poliomielitis o fiebre tullidora.

En el tercer tiempo se habla del matrimonio de Ramón Govea con Amanda Zárate, mujer de una localidad vecina, del crecimiento de las familias, del significado de la adopción de Carlos Nicolás, hijo de Cosme Villarreal y de Carolina Govea, así como de la consolidación de las empresas Govea, del arduo y constante trabajo de la familia Villarreal y de la llegada de la Revolución.

En el cuarto tiempo se muestra el destino final de los protagonistas, junto con su mundo interior, sus sentimientos y actitudes y el significado de sus vidas a través del tiempo. Estos cuatro tiempos corresponden a las primeras luces de la modernidad en México.

La segunda novela de Elizondo, *Narcedalia Piedrotas,* también está narrada en diferentes tiempos, si bien la mayor parte de los sucesos se ubican en el siglo XX. La novela describe el paulatino desarrollo de un pueblo y cómo ciertos aspectos de la modernidad impulsan su crecimiento económico.

Los tiempos de *Narcedalia Piedrotas* son los siguientes:

- En el primero, utilizando analepsis, el narrador habla del siglo XVII, cuando Villa Perdomo fue fundada durante el periodo colonial.
- El segundo se sitúa a finales del siglo XIX, cuando llega el emigrante chino.
- El tercero se ubica en el siglo XX, durante la búsqueda por alcanzar cierto progreso y desarrollo.
- Finalmente, el cuarto corresponde al presente de la novela: se mencionan los años sesenta y setenta, donde algunos aspectos de la modernidad han alcanzado a ciertas áreas de la región.

La construcción de la modernidad: rasgos y constantes

Si bien no hay un consenso por parte de los autores acerca de en qué fecha se podría ubicar el alumbramiento de la modernidad, algunos la identifican desde la reforma protestante en el siglo XVI, otros con la Ilustración en el siglo XVII,[1] y algunos más en los inicios de la Revolución Industrial en el siglo XVIII. En el caso de México, correspondería al siglo XIX, con su primera Constitución[2] como país independiente. En ella ya se habla de conceptos modernos como división del poder, República representativa y federalismo; también de democracia como un aspecto implícito y como parte esencial de sus principios.

Sin embargo, es una modernidad incipiente, ubicada más en el discurso que en los hechos; la firma de la Constitución es un espejismo que crea un imaginario de modernidad, misma que en la práctica está muy lejos de cumplirse.

Es durante el Porfiriato cuando México empieza a vivir su modernidad, con un modelo capitalista, paradigma del presidente Porfirio Díaz, sustentado en el libre comercio, en el ingreso del capital extranjero y en el valor de la propiedad privada, y sostenido en una infraestructura que recién inicia su crecimiento y cuyo símbolo será el desarrollo del ferrocarril como medio de comunicación, no sólo entre las distintas regiones del país, sino en su conexión con los Estados Unidos:

> Simultáneamente, en el mero corazón del norte, del desierto, surge otra población, aunque ésta bajo el signo capitalista. En Torreón se juntan los rieles del Ferrocarril Central que van de México a Paso del Norte con los del Ferrocarril Internacional que vienen de Piedras Negras. Torreón, que era un mero nombre, a partir de esa fecha adquiere la responsabilidad de convertirse en centro administrativo y mercantil de La Laguna, la mayor comarca agrícola uncida al progreso durante el Porfiriato.[3]

---

[1] Uno de los teóricos estudiosos de la Modernidad, Zygmunt Bauman, señala lo siguiente: "llamo Modernidad a un periodo histórico que empieza en Europa occidental con una serie de cambios socioestructurales profundos y transformaciones intelectuales en el siglo XVII y que logra su madurez: 1) como un proyecto cultural "con el crecimiento de la Ilustración"; 2) como una forma de vida socialmente construida "junto con el desarrollo del capitalismo industrial", y más tarde también con la sociedad comunista. De modo que la manera en que empleo el término Modernidad no es idéntico al de modernismo. Éste es una tendencia intelectual (filosófica, literaria y artística) que se remonta a algunos acontecimientos intelectuales y particulares y alcanza su completa expresión en el siglo XX, y que puede ser vista retrospectivamente (por analogía con la Ilustración) como un "proyecto" de postmodernidad o un estadio de la condición posmoderna. Con el modernismo, la modernidad volteó su mirada hacia sí misma e intentó sostener una visión clara y una autoconciencia que eventualmente desplegarían su propia imposibilidad, abriendo paso a la revaluación posmoderna". Zygmunt Barman, *Modernidad y ambivalencia*, Barcelona, Anthropos, 2005, pp. 22-23.

[2] La Constitución de Apatzingán en 1824, que tomaba como modelo la estadounidense proclamando la república federal constituida por 19 estados y cuatro territorios.

[3] *Historia General de México*, México, El Colegio de México, 1981, p. 952.

Sin embargo, la modernidad de México en la etapa porfirista está muy lejos de los sueños de la Ilustración; el país inicia un planteamiento moderno, pero sólo en algunos ámbitos, sobre todo los ligados al desarrollo económico. Es "la modernidad inconclusa", como la llama Habermas, porque algunas regiones del mundo, como las latinoamericanas, todavía aspiran a concretar sus planteamientos e ideales. Así, la modernidad es el producto de una transformación de la civilización que trae como consecuencia nuevas ideas, instituciones, discursos y formas de vida. Abarca diferentes aspectos: científicos, humanísticos, económicos, sociales, políticos y culturales.

La modernidad nace como una respuesta del espíritu humano que rompe con la época donde el hombre vivía sumergido en un ámbito mítico, entre dogmas y frente a una verdad unívoca; el desarrollo de la razón condujo a la búsqueda de nuevos órdenes y la ciencia fue concebida como un vehículo de progreso.

En la modernidad se considera que la razón es un medio para llegar a la verdad, así los conocimientos originados por la fe a menudo son desterrados o cuando menos puestos en duda. Los modernos apuestan a la objetividad, a la experimentación, a lo real, por tanto la ciencia se convierte en un instrumento fundamental para el conocimiento y para el desarrollo; la noción de superación se liga a este proceso y la historia. En la modernidad, la libertad individual para regir el destino personal adquiere gran importancia, por ello a este proceso se le asocia con la Ilustración, sobre todo en cuanto a sus principios básicos respecto a la libertad de pensamiento, de religión, de expresión, de acción.

La sociedad desarrolla una conciencia sobre sí misma, y sus integrantes se definen como modernos. En cuanto a su significado del tiempo, este proceso expresa un interés por el presente y por la conquista de un futuro perfecto; se caracteriza por la adaptación a lo nuevo y una valoración de la evolución. Sobresale un secularismo alimentado por la concepción de un hombre superior y por la prioridad hacia lo real y lo material. Se dignifica el poder del hombre para cambiar y mejorar el mundo. La velocidad es una marca indeleble de esta nueva concepción vital, así como el movimiento. Se podría hablar de un nuevo paisaje simbolizado por lo dinámico, en el que sobresalen las máquinas de vapor, las fábricas automáticas, el ferrocarril, las áreas industriales, los desplazamientos migratorios, las urbes, el telégrafo, el teléfono, la radio y el mercado mundial, entre otros.

Las instituciones modernas, como afirma Anthony Giddens, asimilan un ritmo de cambio: "la interconexión que ha supuesto la supresión de barreras de comunicación entre las diferentes regiones del mundo, ha permitido que las agitaciones de transformación social estallen prácticamente en la totalidad de la superficie terrestre".[4]

La modernidad se considera el proyecto más ambicioso de la cultura occidental y en el cual coinciden conceptos como entronización de la razón, proyecto de la razón, imperio del progreso, valor de la ciencia y la tecnología, fin de los valores supremos, relativismo, nuevas formas de pensar y razonar la naturaleza y la sociedad, entre otras.

A partir del Siglo de las Luces se da pauta a una nueva representación de la sociedad en donde filósofos, literatos, científicos y críticos de las antiguas representaciones del mundo sistematizan nuevos saberes y crean grandes relatos con la imagen de paradigmas sustentados en la ciencia.

En la modernidad hay una nueva organización marcada por la burocracia y por los nuevos valores: el dinero, los mercados, los consumidores. Aparece una serie de estructuras institucionales determinada por un sistema legal universal y por una asociación democrática. Se da un especial énfasis a la educación, por lo que se incrementa la alfabetización y la escolarización. Hay una ampliación de la participación política, de la cultura ciudadana y la valoración de los derechos humanos. Se desarrollan nuevos espacios culturales urbanos como cafés-tabernas, salones, clubes, asambleas, teatros, galerías, hospitales, prisiones, escuelas y fábricas. Se da la expansión y el impulso de los medios de comunicación, como el periódico, que permite la transmisión de ideologías y un pluralismo en la opinión pública. Estos nuevos escenarios reorganizan el entramado de la vida con consecuencias sociales.

Sin embargo, los ideales de la modernidad se extenderán de maneras diferentes en el mundo occidental, sus procesos y su difusión se estructurarán del centro a la periferia, y tendrán identidades diferentes.[5]

En la actualidad hay un intenso debate sobre la validez de las instituciones producto de la modernidad. Desde algunas perspectivas, en América Latina la idea del progreso ha sido una utopía;

---

[4] Anthony Giddens, *Consecuencias de la Modernidad*, Madrid, Alianza, 2002, p. 19.
[5] Cfr. José Joaquín Brunner, "Modernidad: centro y periferia", *Estudios Públicos*, núm. 83, invierno de 2001, Chile. Disponible en http://mt.educarchile.cl/archives/Modernidad_5_.pdf

su representación en el desarrollo de la ciencia y la tecnología, así como su meta, la felicidad de la humanidad, no han tenido éxito. En el caso de México, el propio fracaso del liberalismo político de Porfirio Díaz llevó al estallido de la Revolución mexicana en busca de democracia. Así surgió el lema "Sufragio efectivo, no reelección" como un nuevo paradigma que aspiraba a conquistar la libertad política.

Esta falta de viabilidad de los procesos iniciados por el presidente Díaz son puestos en evidencia por la narrativa que aquí analizamos.

La gran semejanza social y económica entre los continentes y dentro de los propios países refleja la dificultad de concretar el ideal moderno. Las guerras mundiales (la dialéctica civilización-barbarie) muestran sociedades ajenas a los ideales de tolerancia, igualdad, libertad, cosmopolitismo, pluralismo y progreso.

En el caso de América Latina, la modernidad llegaría en el siglo XIX, plasmándose en las ideas liberales que codificaron las distintas constituciones. El escritor mexicano Octavio Paz analizó el tema en obras como *El ogro filantrópico, Corriente alterna* y *El laberinto de la soledad*. En esta última expone cómo las ideas llegan de una forma artificial, cuando la sociedad todavía no está educada, cuando todavía no hay una clase media ni una industrialización que pueda asimilar los nuevos planteamientos filosóficos, sociales y políticos:

> Cada una de las nuevas naciones hispanoamericanas tuvo, al otro día de la independencia, una Constitución más o menos (casi siempre menos que más) liberal y democrática. En Europa y en los Estados Unidos esas leyes correspondían a una realidad histórica: eran la expresión del ascenso de la burguesía, la consecuencia de la revolución industrial y de la destrucción del antiguo régimen.
>
> En Hispanoamérica sólo servían para vestir a la moderna las supervivencias del sistema colonial. La ideología liberal y democrática, lejos de expresar nuestra situación histórica concreta, la ocultaba. La mentira política se instaló en nuestros pueblos casi constitucionalmente.
>
> El daño moral ha sido incalculable y alcanza a zonas muy profundas de nuestro ser. Nos movemos en la mentira con naturalidad. Durante más de cien años hemos sufrido regímenes de fuerza al servicio de las oligarquías feudales pero que utilizan el lenguaje de la libertad. Esta situación se ha prolongado hasta nuestros días. De ahí que la lucha contra la mentira oficial y constitucional sea el primer paso de toda tentativa seria de reforma.[6]

---

[6]   Octavio Paz, *El laberinto de la soledad*, México, Fondo de Cultura Económica, 1993, pp. 133-134.

El fin del siglo XIX en México estuvo marcado por el Positivismo, corriente epistemológica acorde al desarrollo industrial propuesto por el presidente Díaz y que se articula con la modernidad. Esta corriente presupone la realidad como objeto científico y la experimentación como su condición esencial.

Como se comentó anteriormente, el Gobierno porfirista tuvo como fin el orden y el progreso, conceptos asociados a la filosofía positivista, la cual el filósofo Gabino Barreda desarrolló durante la dictadura; sin embargo, esta corriente no fue interiorizada más que por unos cuantos, pertenecientes éstos a la "inteligencia mexicana" de la época.

Las ideas del Positivismo se centraban en impulsar la educación científica y en buscar una libertad ordenada; la sociedad debía estar por encima de los intereses de los individuos y la ciencia debía regir el entendimiento. Pensadores como Comte, Spencer y Darwin determinaron a los intelectuales mexicanos de la época, pero la influencia de sus ideas no llegaron a las mayorías, pues, por ejemplo, la preparación académica de la clase media inglesa y francesa distaba mucho de la que poseía la sociedad mexicana. El propio Justo Sierra hablaba de un pueblo muy heterogéneo y con pésimas condiciones de vida.

En el caso mexicano, el proceso modernizador a finales del siglo XIX se concreta en hechos puntuales, como la aparición del ferrocarril. Este medio de transporte genera una nueva visión del país, un hecho que redunda en migraciones, viajes al exterior, comercio, transformaciones sociales, conectividad con Estados Unidos e, incluso, más tarde, se convierte en uno de los motores de desplazamiento en el proceso de la Revolución.

Octavio Paz sintetiza el espíritu de este periodo al utilizar la simulación como descripción de una época:

> La simulación porfirista era particularmente grave, pues al abrazar al positivismo se apropiaba de un sistema que históricamente no le correspondía. La clase latifundista no constituía el equivalente mexicano de la burguesía europea, ni su tarea tenía relación alguna con su modelo. Las ideas de Spencer y Stuart Mill reclamaban como clima histórico el desarrollo de la gran industria, la democracia burguesa y el libre ejercicio de la actividad intelectual. Basada en la gran propiedad agrícola, el caciquismo y la ausencia de libertades democráticas, la dictadura de Díaz no podía hacer suyas esas ideas sin negarse a sí misma o sin desfigurarlas. El positivismo se convierte así en una superposición histórica bastante más peligrosa porque estaba fundada en un equívoco.[7]

---

[7] *Ibid.*, p. 119.

En el Gobierno de Díaz se vivió la paradoja de lograr un desarrollo industrial y económico viviendo en una dictadura política. La libertad se ejerció en la economía, en el comercio, en la entrada de capital extranjero, pero no en la política ni en la democracia. Esta forma de Gobierno se articula con las ideas reflexionadas por Paz: "la mentira política se instaló en nuestros pueblos casi constitucionalmente". Esta situación de falsedad, de fraude e incongruencia, se erige como coordenada del sistema político mexicano. Los ideales de la modernidad no se consuman.

El especialista en estudios culturales Néstor García Canclini, al reflexionar sobre la modernidad, comenta:

> La modernidad es vista entonces como una máscara. Un simulacro urdido por las élites y los aparatos estatales [...] Las oligarquías liberales a fines del siglo XIX y principios del XX habrían hecho como que constituían Estados, pero sólo ordenaron algunas áreas de la sociedad para promover un desarrollo subordinado e inconsistente; hicieron como que formaban culturas nacionales, y apenas construyeron culturas de élites dejando fuera a enormes poblaciones indígenas y campesinas que evidencian su exclusión en mil revueltas y en la migración [...].[8]

El proceso de la modernidad en Setenta veces siete

Esta debilidad, este disfraz en la aplicación de las nociones de la modernidad, se ven reflejados en *Setenta veces siete* de Ricardo Elizondo, pues los personajes, semejantes a algunos habitantes de la región noreste de México, están muy alejados de las bondades y de los sueños modernos. La mentira positivista oculta un proyecto de Gobierno alejado de la verdad y sin integridad de sus ideales.

La historia de *Setenta veces siete* se desarrolla a finales del siglo XIX y principios del XX. El año 1881 está representado por un hecho significativo: la llegada del tren México - Estados Unidos a Carrizales. Este medio de transporte representa para México la entrada a la modernidad, un vehículo de unión entre países, entre regiones, y un instrumento para impulsar el progreso.

Los hilos sociopolíticos detrás de los personajes son los últimos años del Porfiriato y las primeras etapas de la Revolución mexicana; sin embargo, como dice el narrador, en esa región del país no vivieron "heroísmos desmesurados".

---

[8]   Néstor García Canclini, *Culturas híbridas*, México, Grijalbo, 1989, pp. 20-21.

Por estar Carrizales al lado del Río Grande, podría deducirse que corresponde a algún pueblo fronterizo de Texas y que Carrizalejo formaba parte de Tamaulipas, antes conocido con el nombre de Nuevo Santander.

Esta región había sido conquistada por un grupo de franciscanos. Además, se puede apreciar la síntesis histórica que hace el narrador, pues con el pretexto de hablar de su fundación, se remonta al siglo XVIII. El contrastar épocas permite enfatizar los rasgos que las diferencian. De esta manera, habla de los religiosos que se ocuparon de esa zona, así como de la agricultura como el medio fundamental de subsistencia.

También se menciona el siglo XIX, con la Independencia y la fragmentación del país en dos grupos con dos ideologías opuestas, como se puede apreciar en la siguiente referencia:

> […] había comenzado siendo, siglo y medio atrás, una pobrísima misión de franciscanos, […] Por aquel entonces los frailes y sus indios cristianizados vivían sólo en el margen norte del río. Años después, alrededor de la misión fueron instalándose hombres blancos, quienes vivían básicamente de la tierra. Al crecer el número de pobladores y a resultas de los frecuentísimos ataques de los indios bárbaros que bajaban de las llanuras del norte, el virrey de la Nueva España envió un destacamento de soldados para proteger el incipiente pueblo, llamado ampulosamente en la cartografía colonial como Misión y Presidio de Santa María de los Carrizales. Vino después la guerra de Independencia y luego de consumada ésta, las luchas entre centralistas y federalistas.[9]

Estos datos históricos, combinados con nombres ficticios, hacen referencia a ciertos elementos de la novela histórica. En efecto, de acuerdo con Seymour Menton,[10] "cuando existe distorsión consciente de la historia mediante omisiones, exageraciones y anacronismos y se da la ficcionalización de personajes históricos, se está ante una narración con cierto carácter histórico".[11]

Otro acontecimiento histórico al que alude la novela es la guerra de 1847, cuando México pierde parte de su territorio y se crean nuevos límites entre nuestro país y Estados Unidos. Por ejemplo, cuando llegan los Govea a Carrizales se menciona que "allá por mil ochocientos cuarenta y tantos"[12] se había creado la división entre los dos países siguiendo los márgenes del río.

---

9   Ricardo Elizondo, *Setenta veces siete*, México, Castillo, 1987, pp. 22-23.
10   Seymour Menton, *La nueva novela histórica*, Fondo de Cultura Económica, 1993. Menton clasifica *Setenta veces siete* como novela histórica porque "cuenta una acción ocurrida en una época anterior a la del novelista y recupera elementos históricos", p. 24.
11   *Ibid.*, p. 25.
12   Ricardo Elizondo, *Setenta veces…*, *op. cit.*, p. 25.

El Nuevo Reino de León, el Noreste mexicano, formado por Tamaulipas, Coahuila, Nuevo León y Texas, pierde este último estado después de tres siglos de historia común.

Estas referencias tienen una función en la narración, y el narrador da su punto de vista sobre los hechos al señalar, irónicamente, que la diferencia entre los dos países no eran las personas sino los intereses políticos de los países. Las diferencias radican en las ambiciones de cada Gobierno y cada gobernante las maneja a su conveniencia.

Esta nueva geografía marca una clara distinción entre un Estado claramente moderno, como ya lo era Estados Unidos, que gana la guerra entre otras cosas gracias a la tecnología de su armamento, y otro que apenas está intentando iniciar el proceso de cambio a una nueva mentalidad que repercuta en los distintos ámbitos sociales.

El Gobierno de Porfirio Díaz es descrito como una época de paz, pues la inseguridad que se vivía en los caminos era solucionada por la mano dura del presidente, hombre aguerrido capaz de controlar bandoleros. Se menciona que los indios apaches del norte representaban una amenaza para los lugareños, pero con las nuevas políticas del Gobierno sus agresiones tendían a desaparecer.

Sin embargo, al paso de los años la prensa comienza a hablar de un presidente despótico, de la falta de libertad política y de las grandes injusticias sociales; el narrador comenta que en el sur del país existe una enorme desigualdad social y que hay personas que viven y trabajan como si fueran esclavos. Libertad e igualdad se quedan como conceptos vacíos, sin una realidad que los complete.

Es importante remarcar que en la región que habitan los personajes de la novela no están tan acentuados los contrastes sociales, si bien la condición social de varios de ellos es precaria, determinada por la situación geográfica de la región, así como por la incomunicación con el resto del país. Los pobladores de Charco Blanco y Carrizalejo no conocen de asuntos políticos, de ahí que les llame la atención la palabra huelga, la cual se ha sumado a su vocabulario como parte de las noticias, sin que conozcan su verdadero significado.

Como ya se dijo, el progreso de la época es representado en la narración por el ferrocarril; así, don José Govea presume haberlo utilizado para ir primero a la capital del país y después a la frontera: "El tren ya pasaba, no muy cerca es cierto, a una hora de camino, pero por lo que decían era el gran progreso".[13]

---

[13]   Ricardo Elizondo, *Setenta veces...*, *op. cit.*, p. 11.

Los rasgos de la modernidad que pone en evidencia el presidente Díaz no alcanzan a la población, además su liberalismo sólo permea algunos aspectos de la economía en general, y la libertad política queda oscurecida por una dictadura de treinta años. Así, la utopía del liberalismo se queda sólo en hermosos sueños que no benefician a las mayorías.

Los historiadores y analistas hablan de los rasgos positivos y de las sombras que dominaron la época cuando la modernidad iniciaba su trayectoria en México. Octavio Paz, al analizar este momento histórico fundamental para entender el siglo XX, señala sobre la actuación y contrastes de Porfirio Díaz:

> Organiza el país, pero prolonga un feudalismo anacrónico e impío, que nada suavizaba (las Leyes de Indias contenían preceptos que protegían a los indios). Estimula el comercio, construye ferrocarriles, limpia de deudas la Hacienda Pública y crea las primeras industrias modernas, pero abre las puertas al capitalismo angloamericano. En estos años México inicia su vida de país semicolonial.[14]

Estos antagonismos del Porfiriato se reflejan en algunos aspectos de la novela. Las fortalezas de este periodo histórico fueron muy limitadas y su impacto muy superficial en el México rural, pues prácticamente no se concretaron. La novela expresa la influencia del nuevo transporte y el inicio de un comercio más formal, así como la influencia del capitalismo norteamericano.

Como una consecuencia de la inconformidad por la falta de libertad política y por las marcadas injusticias sociales, llega la Revolución; en *Setenta veces siete* este proceso se advierte en la alteración del orden y la paz. Así, los caminos se vuelven peligrosos, y en El Sabinal y Charco Blanco se sabe de asaltantes que pasaban y despojaban a los habitantes de sus pocas pertenencias. La novela describe también la llegada de la tropa del general Alfonso Corona, de quien sólo queda el encargo que hizo a Cosme y a Carolina de cuidar a su hija María Rosa, la cual se queda de manera indefinida como hija adoptiva.

A Carrizales, por el contrario, llega una tropa americana para proteger la frontera, y su presencia cambia el destino de algunos, como Emilia, quien se enamora de un médico del regimiento. Este suceso enmarca los intereses de los estadounidenses, quienes desde entonces tienen una mayor presencia militar porque temen por la inseguridad de su espacio fronterizo.

---

[14] Octavio Paz, *El laberinto...*, *op. cit.*, p. 117.

La novela de Elizondo puntualiza cómo en esta parte del noreste mexicano la Revolución sólo es un acontecimiento que trajo consigo la interrupción de los caminos y una mayor inseguridad al momento de viajar. Los hombres que se unían a las tropas eran, como los califica el narrador, "amantes del guateque y la pólvora". Parecería que la región tiene su propio tiempo, se sale de la historia nacional y define su progreso particular.

La Revolución pretendía también ideales modernos, como la libertad política expresada en el lema "Sufragio efectivo, no reelección"; sin embargo, este proyecto también pasa desapercibido para los habitantes de la región representada en la novela.

La fase económica que se perfila en *Setenta veces siete* corresponde al inicio del crecimiento económico basado en la exportación-importación, en el desarrollo de exportaciones agrícolas a cambio de importaciones de productos manufacturados europeos y americanos; así tenemos el ferrocarril como medio de transporte entre los dos países y se habla de la manta inglesa, del lino de Holanda, del encaje de Manchester, nuevas costumbres que, como se comentó, forman parte de los símbolos, del léxico y del discurso de la modernidad: "el comercio exterior se disparó: se multiplicó por nueve entre 1877 y 1910. Estados Unidos se convirtió en el primer socio comercial".[15]

Sin embargo, estos nuevos procesos económicos sólo los viven unos cuantos, como también lo enuncia José Joaquín Brunner:

> [...] para ser modernos nos faltó casi todo: reforma religiosa, revolución industrial, burocratización en serio del Estado [...] y la difusión de una ética individualista, procesos que recién producidos hubieran hecho posible, después, la aparición en estas latitudes del ciudadano adquisitivo que produce, consume y vota conforme a un cálculo racional de medios y fines.[16]

El gran relato de la igualdad, del desarrollo de las ideas liberales, de la Revolución y de los procesos democráticos se quedan suspendidos, y Elizondo plasma esta parálisis en diferentes ámbitos sociales, políticos y económicos.

Para los historiadores Skidmore y Smith,

---

15 Thomas Skidmore y Peter H. Smith, *Historia contemporánea de América Latina*, Barcelona, Grijalbo Mondadori, 1996, p. 248.
16 José Joaquín Brunner, *América Latina: cultura y modernidad*, México, Grijalbo, 1992, p. 121.

[…] el progreso económico de los años de Díaz también tuvo su coste. Mientras que los ricos prosperaban y copiaban puntualmente a la aristocracia europea, la vasta mayoría de los mexicanos se enfrentaban a una pobreza agobiante. Dado su excedente en mano de obra, los salarios seguían muy bajos. De hecho, un cálculo (sin duda exagerado) muestra que el poder adquisitivo medio en 1910 era sólo un cuarto del de 1810. México exportaba productos agrícolas, mientras que el cultivo de la dieta básica de la mayoría de los mexicanos –maíz y frijoles– apenas se mantenía a la altura del crecimiento poblacional […] En 1900, el 29 por ciento de todos los niños varones morían antes de cumplir un año y muchos de los sobrevivientes acababan trabajando doce horas diarias en una empresa explotadora. Sólo un cuarto de la población sabía leer y escribir.[17]

En su novela, Elizondo plasma los efectos mortales de las epidemias, la vulnerabilidad de los agricultores ante los problemas de salud y las carencias de recursos médicos, además del terror que provoca su indefensión ante pestes como "la tullidora".

La geografía de la región noreste del país es el contexto que rodea a los personajes: Charco Blanco, El Sabinal, Carrizales y Carrizalejo, separados por el río Gordo. Estos nombres, convertidos en espacios, son escenarios de una cultura que se desarrolla en los estados norteños de la República Mexicana, donde los personajes configuran y dejan entrever los nacientes valores en el aspecto socioeconómico.

Setenta veces siete presenta una sociedad determinada por una Constitución y un Gobierno modernos; sin embargo, en la práctica se refleja una nula presencia de los rasgos centrales de la modernidad. Además, como ya se analizó, la asimetría entre México y su país vecino se empieza a visualizar y el narrador lo remarca al hablar de la diferencia entre una sociedad determinada por el mercantilismo y el consumo y otra todavía apegada a las costumbres rurales.

El valor de la educación, tan ensalzado por los teóricos de la modernidad, también se ve caracterizado por las diferencias: en Estados Unidos ya se puede apreciar un buen nivel educativo, mientras que en el norte mexicano la única alternativa es la escuela elemental. El proyecto escolar como opción está ausente de sus vidas, y por la mentalidad de la época esto se hace más severo para el sexo femenino; tal es el caso de Emilia, hija de Carolina Villarreal: "por otro lado el pueblo no ofrecía posibilidades, dentro de poco ya no podría seguir en la escuelita porque era

---

[17]   Thomas Skidmore y Peter H. Smith, *Historia contemporánea…*, *op. cit.*, p. 249.

la ley, cuando las niñas comenzaban a redondearse, no más trato con los muchachos".[18] De esa manera, Emilia acaba yéndose a Estados Unidos para buscar una alternativa con más proyección que la que le ofrece Charco Blanco.

Algunos personajes de la novela sobresalen por su carácter "moderno"; el espíritu emprendedor y visionario se presenta con la creación de una empresa, la cual surge como una pequeña idea que poco a poco se va concretando hasta convertirse en un emporio comercial: la Govea Brothers, localizada en la frontera entre los dos espacios principales de la novela, Carrizales y Carrizalejo; sin embargo, los hermanos Govea tienen que irse del lado estadounidense de la frontera para progresar. Su empresa surge por la visión empresarial de crear un negocio con el agua, es decir, de vender el vital líquido, el cual es muy difícil de conseguir.

Elizondo refleja la postura de la gente del norte hacia el trabajo, el cual no es mal visto ni por pobres ni por ricos, ni por hombres ni por mujeres. La novela muestra una sociedad donde el trabajo se convierte muchas veces en el fin de la existencia, en el sentido de la condición humana. Éste es el caso de Agustín y Ramón, quienes llegan a Carrizales con muy poco dinero, pero quienes por su astucia, visión y tenacidad en los negocios se convierten en los hombres más ricos de la región. La capacidad de trabajo de estos personajes se sostiene, además, por la aspiración que tienen de un futuro mejor, es decir, el deseo de vivir una vida diferente a la de su padre agricultor.

Estos personajes norestenses forman parte de la sociedad mercantilista en ciernes, de acuerdo a los rasgos que nombra Giddens y que son característicos de la modernidad:

> Con el declive del feudalismo, la producción agraria que tenía su base en el señorío local fue reemplazada por la producción dirigida a mercados, tanto de ámbito nacional como internacional, con lo que se transformó en mercancía no sólo una indefinida variedad de bienes de consumo sino también la misma mano de obra. El orden social que emerge de la modernidad es capitalista, tanto en su sistema económico como en lo que respecta a sus otras instituciones.[19]

Los mensajes de los Govea, en su uso de la mercadotecnia, sintetizan algunas de las nuevas ideas, donde se puede apreciar un espíritu emprendedor, un interés en el comercio, en el consumo, en

---

[18]   Ricardo Elizondo, *Setenta veces...*, *op. cit.*, p. 121.
[19]   Anthony Giddens, *Consecuencias de la...*, *op cit.*, p. 23.

lo material, en el futuro, y aunque los personajes no tienen una conciencia respecto de la modernidad, algunas características de ésta ya forman parte de sus intereses y de su sentido de vida. Su negocio traspasa la frontera y se empieza a crear una sociedad de consumo determinada por los valores comerciales que los Govea empiezan a difundir.

Los hermanos quieren ir a Estados Unidos porque en el imaginario colectivo ese país implica orden y se asocia con el mundo moderno, así que se representa como un lugar seguro de triunfo y conquista económica. Zygmunt Bauman, al teorizar sobre la modernidad, infiere que "el impulso de la modernización era, y sigue siendo, remover del mundo la molesta e inquietante ambigüedad; es construir objetos unívocos y evidentes en sí mismos [...] Esa liberación de la ambivalencia es el significado más profundo de la idea de 'orden', y toda modernización tiene que ver con 'colocar las cosas en su lugar'".[20]

Esta actitud moderna de los Govea contrasta con otros personajes de *Setenta veces siete,* ya que la novela expresa la vida de los pueblos agrícolas, premodernos; sin embargo, a través de una revisión crítica señala también el inicio de una incipiente modernidad.

Además de proyectar los efectos de los metadiscursos, la novela se detiene en la narración de acontecimientos cotidianos. Incluso el gran relato de la Revolución es sólo un aspecto lateral de la problemática. Lo que le importa a Elizondo es ahondar en la vida común, en la historia privada, y en las aspiraciones individuales. Por eso es tan importante la casa como espacio donde se ubican las acciones privadas, donde se confina la vida de la mujer. La percepción del narrador es similar a lo que expone Carmen Ramos Escandón al describir el estilo de vida de las mujeres porfirianas:

> Ese hogar se entiende como un ámbito especial, intocable, a donde no llegan las tensiones, un espacio reservado exclusivamente para la vida familiar, totalmente desligada del mundo social [...] Así, la mujer queda enclaustrada en la esfera doméstica que se le designa como su ámbito natural, como el único en donde puede expresarse plenamente.[21]

Sin embargo, la novela también muestra situaciones que rompen ese esquema de la mujer enclaustrada y presenta otras alternativas, aspectos que podrían definirse como la entrada al mundo

---

[20]   Zygmunt Bauman, *Modernidad y ambivalencia, op. cit.*, p. 12.
[21]   Carmen Ramón Escandón, *Mujer e ideología en el México progresista*, México, El Colegio de México, 1987, p. 151.

moderno. Además de la lucha por un nuevo modelo político a través de la Revolución, aparece la fuerza de la mujer buscando conquistar un lugar fuera del hogar, la ilusión de un progreso que determine un mejor futuro. Pero esta modernidad es muy periférica, y muy pocos personajes son tocados por esa nueva perspectiva vital. Éste es el caso de Virginia Rosales, quien junto a su marido trabaja arduamente en la tienda e, incluso, gracias a su carácter emprendedor, da buenas ideas para mejorar el establecimiento y convertirlo en un almacén de departamentos. Sabe perfectamente los gustos de las mujeres y comercialmente influye en el mercado femenino; cuenta además con un refinado gusto que hace que la Govea Brothers sea algo más que un local pueblerino. Es un personaje que, por tener elementos culturales híbridos, es, por una parte, afín a los valores mexicanos pero, por otra, asimila también costumbres estadounidenses.

El espíritu negociador de Virginia Rosales la lleva a convertirse en prestamista –oficio que por miedo a su marido practica a escondidas– pero cobrando siempre los intereses justos, sin aprovecharse de sus clientes. Sin embargo, termina por contarle esta actividad a su esposo: "[…] hasta que no pudo más con el sigilo y una noche despertó a Agustín y se lo contó todo, ya lo sabía, me di cuenta desde el principio, no te lo dije porque siempre lo haces sin aprovecharte, ahora duérmete y mañana hablamos".[22] La comprensión de Agustín es muy valiosa para el desarrollo y crecimiento de Virginia, pues ella es una mujer valiente, impulsiva y que rompe con los condicionamientos sociales y los códigos femeninos. Su visión la lleva a contratar una empleada doméstica para hacer las labores de la casa, pues considera que es más redituable trabajar en los negocios. Claramente resalta la mentalidad moderna de quien prefiere la productividad económica a quedarse en casa.

En todo momento el narrador deja ver la admiración que Agustín tiene por su mujer, y cómo el marido también va desarrollándose profesionalmente gracias al apoyo incondicional de su compañera. Además, ella logra que poco a poco Ramón, su cuñado, la admire. Finalmente, surge entre los tres una camaradería que les permite enfrentarse a los negocios y hacerlos progresar.

El gusto por el comercio y la facilidad de Virginia para introducir productos nuevos en la tienda la llevan a viajar a Charco Blanco e iniciar la comercialización de un jarabe para la tos que fabrica Colasa. Este episodio deja ver su interés por la mercadotecnia como una estrategia para ganar clientes, pues siempre tiene en mente las necesidades de la región.

---

[22]   Ricardo Elizondo, *Setenta veces…, op. cit.*, p. 44.

Su actitud empresarial contrasta con la de Nicolasa, hermana de Cosme Villarreal, quien tiene una mentalidad más pueblerina, premoderna, puesto que a pesar de su interés por vender su producto no se tensa ni se acongoja cuando la producción no se logra.

Así, la novela *Setenta veces siete* construye un referente imaginario que identifica culturalmente la región y representa la realidad del México finisecular en el noreste del país, mostrando incipientes rasgos modernos como parte discursiva de una época, es decir, el Porfiriato y el inicio del siglo XX.

El proceso de la modernidad en Narcedalia Piedrotas

Si los filósofos de la modernidad hablan de conceptos como la creencia absoluta en la razón, la desconfianza en el conocimiento atribuido a la fe, la ciencia como responsable de dar respuestas unívocas, la libertad incondicional para regir el destino de la humanidad, la creencia en la superioridad del hombre, la construcción de la democracia como opción política, la mirada puesta en el futuro, el progreso como reto permanente, entonces es conducente preguntarnos si estos rasgos aparecen como parte de la problemática expuesta en la novela *Narcedalia Piedrotas* de Ricardo Elizondo.

De inicio, podría hablarse con más propiedad, en el caso de México, de una "seudomodernidad", ya que dada la limitación de sus alcances la modernidad se queda inconcluso; es quizá un relato liminar de grandes promesas.

¿Se advierten en *Narcedalia Piedrotas* elementos modernos? El escenario que imagina Elizondo es la reconstrucción de un microcosmos con personajes que toman un carácter específico, que amalgaman algunos aspectos modernos y que dan vida a un universo simbólico y arquetípico de lo que han sido algunos rasgos del norte de México.

Narcedalia Piedrotas es una muestra de las contradicciones de la modernidad; esboza la condición de vida de una mujer con vestigios de la época del feudalismo, pero desplazada a la economía moderna.

La fábula de la novela de Elizondo contiene una serie de eventos importantes que Seymour Chatman denomina "sucesos narrativos" y que Barthes define como "núcleos".[23] Se describe la

---

[23]   Según Barthes, cada uno de esos sucesos de gran importancia, que llamaré "núcleo" traduciendo su *noyau*, forma parte del código hermenéutico y hace avanzar la trama al plantear y resolver cuestiones. Los núcleos son momentos narrativos que dan origen a

vida de un pueblo, de sus habitantes, sus relaciones interpersonales, el crecimiento económico, los valores socioculturales, así como temas determinantes del destino de su gente: el progreso, el narcotráfico, la frontera, entre otros. Se podría hablar de una homologación entre el texto narrativo y la realidad de la región norestense: "Se puede afirmar que la mayoría de las fábulas se construyen de acuerdo con las exigencias de la 'lógica de los acontecimientos' [...] (la cual) se puede definir como: un desarrollo de acontecimientos que el lector experimenta como natural y en consecuencia con el mundo".[24]

Entre esos múltiples sucesos se encuentra ubicado el proceso en el que se inicia la modernidad en Villa Perdomo; sin embargo, este tiempo es interferido por otros más para dar una visión totalizadora de las distintas temporalidades, los distintos tiempos históricos que han tocado a la región, así como los contrastes y la evolución entre unos y otros.

Es pertinente mencionar algunos apuntes sobre la cronología de *Narcedalia Piedrotas,* dado que uno de los momentos importantes de la ubicación de la modernidad estaría enmarcado por el proceso de industrialización de los países; sin embargo, debido a la estructura fragmentada no se sigue una cronología lineal, sino que se interpolan épocas diferentes.

Es por esto que uno de los recursos sobresalientes de la novela es la estructura narrativa, ya que muestra los sucesos desde perspectivas múltiples; no hay capítulos, sino fragmentos separados por espacios en blanco que proporcionan al lector instantáneas, viñetas, pinceladas de los diferentes personajes, de tal manera que se van construyendo las caras de los perdomenses, semejante a una pintura cubista que al final da la visión de un microcosmos completo con su historia y su devenir en el tiempo.

Los sucesos no son un encadenamiento de núcleos continuados, y esta fragmentación obliga al lector a asumir un papel activo para interconectar los fragmentos discontinuos, para completar las elipsis que la narración deja sin enunciar. Como lo define Bal, se llaman *"desviaciones cronológicas o anacronías* a las diferencias entre la ordenación de la historia y la cronología de la fábula".[25]

---

puntos críticos en la dirección que toman los sucesos. Seymour Chatman, *Historia y discurso: la estructura y narrativa en la novela y el cine,* Madrid, Taurus, 1990, p. 56.

[24]   Mieke Bal, *Teoría de la narrativa: una introducción a la narratología,* Madrid, Cátedra, 1985, p. 20.

[25]   *Ibid,* p. 61.

Asimismo, la tipografía facilita el cambio de un fragmento a otro, ya que las primeras palabras de cada uno de éstos inician con mayúsculas y hay un espacio en blanco entre uno y otro; nunca se hace referencia a un mismo personaje en dos fragmentos seguidos. Para ayudar a la lógica de la historia, se refuerzan y complementan, en diferentes partes de la narración, los sucesos relacionados a un personaje, así como su personalidad y su proyecto de vida. En esta estructura fraccionada se van reconociendo particularidades propias al cambio, empujadas por un proyecto modernista siempre intermitente, que aparece y desaparece en el transcurrir del relato.

Estos fragmentos se ven detenidos por tres interrupciones, así las llama el narrador, como si en la continuidad del relato éste se interrumpiera por tres intermedios que ofrecen una visión lateral de la historia. Estas tres partes están escritas con un discurso diferente, valen por sí mismas, pero completan y enriquecen la historia principal.

La primera interrupción se llama "El Chino Guango –su historia–", y consiste en el relato de un chino que llegó tiempo atrás, en el siglo XIX, a Perdomo. Esta historia ilustra cómo las influencias extranjeras a menudo enriquecen el mestizaje cultural; en este caso, el chino aporta conocimientos en el plano de la alimentación, así como en el cultivo de plantas medicinales, en el desarrollo del molino de viento, en la planta de luz y en el estilo culinario de su país de origen. Con esta narración, Elizondo toca un tema muy actual: las transferencias culturales.

En la segunda, "Las Cuchillonas", el autor explícitamente establece que esta interrupción es necesaria. La historia de "Las Cuchillonas" es contada en un tono suave que enfatiza la simpatía y comprensión del narrador hacia tres mujeres. El nombre de "Cuchillonas" alude a tres hermanas dedicadas a la "vida alegre" que llegan a Perdomo contratadas por un chino paisano del Guango: "[…] acomedidas; hermosas como pocas cosas; quienes ofrecen dos o tres servicios por noche, las Cuchillonas cortan con deleite la calurosa necesidad de los hombres".[26]

Las Cuchillonas no son bien vistas por las mujeres de Villa Perdomo, excepto por Narcedalia, quien coincidentemente es la mujer que en ciertos aspectos impulsa la modernidad.

La tercera y última interrupción es la de "El corrido del Turco Bándido (Indagación sobre cómo y por qué lo compusieron)", donde se describe que el bándido es un marchante que fía y

---

[26] Ricardo Elizondo Elizondo, *Narcedalia Piedrotas*, México, Fondo de Cultura Económica, 2002, p. 180.

vende cortes, hilazas, broches, cintas, listones, agujas y trapos, pero nadie lo quiere, y Perdomo inventa un cuento que provoca golpes y desperfectos. Así, el Turco Bándido se convierte en un corrido que interpreta el conjunto musical "Los Rifleros del Norte". El texto incluye, además de la historia del personaje, la letra del corrido y la partitura musical para piano, las cuales funcionan como intertextos.

Dos de las interrupciones, la del Chino Guango y la del Turco Bándido, pueden tener vínculos con el tema de la modernidad que se está explorando. En el caso del Chino, su influencia deja ver algunos aspectos que por su carácter migrante transfiere del exterior y que los perdomenses adoptan como parte del progreso. En cambio, el corrido visualiza lo que será un intertexto valioso en la novela: la necesidad de narrar las aventuras de personajes que se salen del marco de la ley. Como ya se comentó, "Los Rifleros del Norte" cantan historias de héroes y antihéroes de la región; con ello se avizora lo que más tarde serán los *narcocorridos:* música popular, principalmente del norte del país, que muestra el incremento del narcotráfico como problemática contemporánea y que se articula al desarrollo de las comunicaciones. Por cierto, éste es un tema relacionado con ciertas desviaciones de la modernidad que más adelante se analizará como parte de la problemática que enfatiza la novela *Narcedalia Piedrotas.*

Las tres interrupciones y la fragmentación en que se cuenta la historia de *Narcedalia Piedrotas* están sostenidas en cuatro tiempos.

Como ya se ha dicho, no hay narración cronológica y es el lector quien debe tejer el hilo del relato para identificar los tiempos importantes. El primero habla de la fundación de Perdomo, que se remonta allá por 1615. El narrador toma la voz de un cronista para contar la historia de la Misión de San Alberto Magno, cuyos misioneros, "casi de pasada", fundan el pueblo. Es la época donde aún se intercambian esclavos con "los güerejos del norte", y a pesar de que todavía no están definidas las fronteras ya se observan los intereses de conquista y colonización. El lector cruza fronteras entre la ficción y la historia, y así esta parte de la novela adquiere características de la novela histórica, tal como sucede en *Setenta veces siete.*

Utilizar varios tiempos históricos permite, además, advertir la diferencia entre la incipiente modernidad y la época pasada, donde se advierten elementos eminentemente premodernos, pues la Colonia está regida por la legislación imperial española, con una estructura todavía semifeudal y con un modelo productivo agrario y ganadero. En el aspecto social sobresale la aceptación de la esclavitud.

El periodo colonial descrito en la novela se caracteriza por las actividades utilitarias de los encomenderos, quienes primero trafican con esclavos que venden en pueblos mineros y después se convierten en ganaderos de mulas. Se trata del pueblo español ubicado más al norte de América. Aquí, el narrador analiza una posible causa del carácter que tendrán los perdomenses, explicando cómo sus antecesores vivían tan lejos del centro que, debido a que estuvieron abandonados "por siglos a su propia voluntad y justicia, se fueron haciendo […] prepotentes […] burlones […] socarrones".[27]

Como ya se dijo, el segundo tiempo narra la llegada en el siglo XIX del Chino Guango. Este personaje aparece repetidas veces a lo largo de la narración. Es un hombre solitario, prácticamente sin amistades, pero cabe remarcar que se identifica e incluso traba una relación amistosa con *Narcedalia Piedrotas*; eso sí, ella dicta cómo y cuándo se da la relación.

La presencia del Chino modifica los hábitos alimenticios de los perdomenses, y por lo tanto también sus consumos. Se infiere que él aporta técnicas de cultivo más sofisticadas, por lo que a pesar de que son tierras áridas se logra cosechar una gran diversidad de productos.

Se señala también cómo en este siglo se establecen los límites con el país del norte, después de la guerra de 1847, tema abordado en el capítulo anterior.

El tercer tiempo se desarrolla en el siglo XX, desde 1920. De él se da una extensa información en buena parte de los fragmentos y esto es fundamental para ver la evolución y el progreso que Villa Perdomo experimenta en ciertos ámbitos gracias a la determinación de la protagonista, a su visión progresista y a su interrelación con Estados Unidos.

El cuarto tiempo está inscrito en los años setenta, pero se describe desde 1969, con la llegada del hombre a la luna, noticia que se enuncia y refiere un aspecto eminentemente moderno.

La novela se inicia en ese tiempo histórico, los setenta, cuando ya Perdomo había entrado a la modernidad, simbolizada ésta en aspectos materiales como la luz eléctrica, el agua entubada y el drenaje, conquistas muy retrasadas si se comparan con los países desarrollados.

---

[27] *Ibid*, p.74.

Ahora bien, es importante señalar que la novela empieza en el presente y rompe el relato lineal para oscilar constantemente en los cuatro tiempos mencionados y finalmente volver de nuevo al presente. La página que inicia la novela señala que a Juana, uno de los actantes principales, "la tenían juramentada", suceso que se verá interrumpido y que continúa cuatrocientas páginas después. Así, la fragmentación se unifica en un *continuum* hasta llegar al desenlace de la historia. Este final lo da el narrador, utilizando los titulares de los periódicos que los perdomenses leen ese día.

Narcedalia tiene una cualidad irrefutable: su capacidad para el trabajo; dedica todo su tiempo a enaltecer esta forma de vida, pues trabajar es el motivo de su existencia, es su proyecto de vida, es su presente y su futuro.

Cuando ve la oportunidad de realizar un buen negocio, no la desaprovecha; así instala un negocio de cría y engorda de marranos para vender carne fuera de Perdomo, incluso llega a comerciar con gente de la frontera. Cuando los estadounidenses le proponen extender su empresa más allá de los límites geográficos de su país, no titubea; al contrario, la promesa de ganar dinero en dólares la lleva a crear un negocio de equinos. Esta carne, supuestamente, sería utilizada para procesar alimento para perros, pero la ambición de Narcedalia le impide ver el interés extranjero, de tal suerte que se ve envuelta, sin saberlo, en un jugoso negocio vinculado con el narcotráfico.

Narcedalia representa el detonador de la entrada de Perdomo a la modernidad, y aunque es una modernidad muy lejana de las ideas de la Ilustración, al menos tiene cierto contacto con la industrialización y el progreso material. Convertirse en socia de un negocio en el que se construye la carretera que va desde la capital (pasando por Perdomo) hasta la frontera, habla de la significación y los alcances de Narcedalia. Ella vincula a Perdomo con el mundo, y crea la posibilidad de que las puertas de su pueblo se abran al exterior.

No obstante, a esta faceta de Narcedalia se le opone un conservadurismo y una falta de libertad intelectual y espiritual, un cierto oscurantismo personal que contrasta con la parte valerosa y libre para emprender acciones que la lleven a destacar en el plano material:

> Narcedalia era media puritana, pero no con una moral recta, sana, no, sino con una moral ranchera, una moral llena de prejuicios, de convencionalismos, de tonterías limitantes. Para ella era inmoral que un hombre se pusiera una camisa rosada, enseñara los pies desnudos, o usara ropa interior en forma de calzón; esas eran cosas de mujer o de maricones, decía. Igualmente no concebía que alguien pudiera mencionar por su

nombre las partes pudendas, las vergüenzas como les llamaba, o que una mujer tomara alcohol, así fuera una copita; sólo por Navidad, si acaso, pero nada más. Por eso, si no se permitía –ni lo permitía– tomar alcohol, mucho menos pensar en drogas, eso nunca le pasaba por la mente, lo más era que cuando veía algún malandrín, en lugar de nombrarlo raterillo le llamaba mariguano, pero nada más.[28]

En síntesis, Narcedalia Piedrotas es un personaje símbolo del siglo XX que representa la dualidad, el interés de abrirse al progreso, de sujetarse a los valores que impone la modernización. Narcedalia, mujer emprendedora que funda un consorcio económico, que comercia con la frontera, que ve el interés del extranjero por su economía es, al mismo tiempo, una mujer que preserva la identidad cerrada perdomense, a quien se le dificulta asimilar las ideas de la modernidad aunque le da la bienvenida al progreso y a las prácticas a que éste obliga.

Se advierte una dicotomía entre los aspectos culturales eminentemente regionales y la dimensión económica que presagia una carga ideológica de intereses capitalistas acordes con la futura mundialización de la economía.

Así, la población de Villa Perdomo se sujeta al ámbito de dominación capitalista de Narcedalia Piedrotas, dueña de las empresas que rigen la vida económica del lugar. En sus empresas –una marranera, una carnicería, una lechería, un rastro y varios ranchos– son empleados todos los pobladores de la región.

A través de Narcedalia se inicia la relación comercial con Estados Unidos y adquiere importancia la economía de la región:

Narcedalia había aceptado la propuesta de unos norteamericanos procesadores de alimentos enlatados para perro. La oferta consistía en llevar a la frontera equinos, de cuya carne dependía su producción. Los animales debían pasar vivos la frontera, mediante un permiso especial, y de ahí se iban directamente al rastro donde los gringos se hacían cargo de todo lo demás. A la sociedad Tres Piedras le convenía el contrato por varias razones, entre ellas la obtención de dólares, por eso Narce amplió su rango de cobertura y se preocupó por relacionarse con los ganaderos de varias partes del país y así traer, de donde los hubiera, los animales necesarios. Fue así como, un poco lejos de Perdomo, donde la carretera que va rumbo a la frontera se cruza con la vía del tren, Narcedalia Piedrotas instaló unos establos, e instaló también, sin saberlo, un lugar propicio para que las púas de la perdición destilaran su letal untura.[29]

---

[28] *Ibid.*, pp. 333-334.
[29] *Ibid.*, p. 211.

Narcedalia desarrolla paulatinamente un emporio comercial, compra más y más tierras, el ganado sigue reproduciéndose, adquiere el rastro de la zona y empieza a industrializar alimentos propios de la región:

> Narcedalia tuvo su primera idea genial. Antes que a otro se le ocurriera, pese a que todos en Perdomo estaban hartos de conocerla y comerla, Narce industrializó, o comercializó, en grande, la carne seca, o sea el tasajo. Puso una instalación para secar carne, primero en cecina, y al poco tiempo, y por la demanda, machacada y deshebrada. Nunca nadie imaginó que detrás de la carne seca hubiera tantísima plata, es más, aunque no hubiera hecho el resto de los negocios, ése solo hubiera bastado para que la Piedrotas se volviera millonaria. En cinco años, Narcedalia tuvo más dinero, constante y sonante que el que jamás tuvieron todos los Vega juntos.[30]

Es pertinente incluir en este espacio el análisis de un personaje que está acorde con esta reflexión; se trata de Juana Maura, de quien se habló en el apartado sobre identidad y valores socioculturales. Juana es una joven trabajadora de la cremería de la empresa Tres Piedras: "La cremería donde trabajaba Juana Maura tenía un solo dueño, dueño negrero y explotador. Ese dueño era mujer, era la gorda esposa de Valentín".[31] Sin embargo, como se señaló, su personalidad la hace rebelarse contra las estructuras sociales de Villa Perdomo. Ella es el eje de la tragedia expuesta en la novela. Es el "chivo expiatorio" sacrificado por los intereses económicos y de poder enunciados en la narrativa de Elizondo. A través de ella se da el suceso más inesperado de la novela.

A Juana Maura se la describe como una mujer "más que bonita apetitosa", de muchos amigos, con ideas muy claras, mujer que cree saber lo que quiere. No le importa lo que el mundo opine de ella. De carácter fuerte, como buena descendiente de los Vega, es muy trabajadora, y a lo largo del relato el lector va conociendo los detalles de su vida, algunos de los cuales se comprenden hasta el final de la historia. Juana, sobrina-nieta y trabajadora de Narcedalia, es un vértice del triángulo amoroso que forma al lado de esta última y de Valentín, pues se convierte en la amante del esposo. Se enamora atraída por la conversación de un hombre treinta años mayor que ella. Sin embargo, Juana no se aprovecha de esta situación y rechaza los costosos regalos que

---

[30]   *Ibid.*, pp. 124-125.
[31]   *Ibid.*, p. 73.

él le ofrece; es una joven sencilla y trabajadora, y gracias a su sueldo la familia puede pagar los servicios de la casa. A diferencia de su hermana María la Melcocha, quien es floja, amargada e insípida, Juana es colaboradora y protectora, si bien tiene dos ambiciones en la vida: el poder y el amor. Por momentos aparece como un ser conflictivo con luchas interiores, abandonada por una madre alcahueta y un padre sin carácter, y determinada por unos sentimientos equivocados que la arrastran a la tragedia:

> Tampoco Perdomo le ofrecía mucho, ¿dónde iba Juana Maura a prepararse si ahí no había dónde? Ella se desesperaba, inútilmente porque por más maromas que daba volvía a caer en el mismo lugar. Estas intranquilidades le aparecían a rachas, duraban unas semanas, las olvidaba, y luego, a los tantos meses, volvían otra vez con la carga. Cuando inició los tratos carnales con Valentín ella vivía un periodo de calma, no pensaba por ese momento en sus ambiciones ni en sus deseos de prosperar, quizá por eso conscientemente registró al esposo de Narcedalia como un hombre por demás guapo —cosa que siempre supo— que la pretendía, halagando su ser mujer y haciéndola pensar, o sentir, que eso era amor, aunque en el fondo quizá la guiaban otras cosas. Luego un día le volvieron las comezones de ser más y tener más y mandar más; claro, Valentín le podía dar dinero, pero eso era volverse zorra, y el papel no le gustaba. Era un lío. Por dentro Juana era un lío.[32]

Esta cita revela también los límites de la sociedad de Perdomo, la imposibilidad de ascender socialmente y las pocas oportunidades que ofrece para el crecimiento intelectual. Continuamente se enuncian estas asimetrías en una sociedad dispar, con mentalidad cerrada pero con impulsos progresistas.

Conforme los conflictos avanzan, Juana va decepcionándose de su relación ilícita. Poco a poco las caricias le disgustan, la pasión se acaba, el olor de Valentín le molesta, además empieza a percibir la vejez de su pareja. Juana Maura es la víctima de la novela: su papel es la del héroe trágico. Así, su inocencia la lleva a enamorarse de Víctor, hijo de Valentín, y a creer en su amor como verdad. Finalmente, Juana acaba trágicamente anulada por la venganza del narcotráfico.

En su relación sentimental con el esposo de Narcedalia, Juana muestra su rebelión, su ruptura del orden establecido; el propio lenguaje pone en evidencia la nota discorde de su relación: "Juana, desde que empezó su relación con él, siempre lo había visto entre penumbras, penumbras de atar-

---

[32]   *Ibid.*, pp. 235-236.

decer, penumbras de interior de lujosa camioneta, penumbras de noche lunada, penumbras".[33] Nótese cómo se amalgaman imágenes de oscuridad y de ceguera con las del lujo. Además, la descripción de la camioneta de Valentín se refiere a un vehículo de la zona fronteriza, con placas extranjeras, grande, moderno, con llamas pintadas en las puertas, proyectando un simbolismo de la cultura americana. Así, la descripción connota el lujo y lo extranjero, asociados con lo prohibido o con la posesión de lo "otro"; una vez más, se está ante el fenómeno de la otredad. Esta situación se duplica, se ensancha posteriormente, cuando Juana Maura va al otro lado de la frontera.[34]

El progreso llega a Villa Perdomo y encuentra impulso en Narcedalia. El lugar se desarrolla hasta tener restaurante, hotel, gasolinera, camino pavimentado, ampliación de la red eléctrica, línea de camiones y una carretera que llega hasta la frontera. Así, la sociedad de consumo se instala en casa de los ricos como Narcedalia:

> Ni duda cabe, Narcedalia y familia eran quienes se daban la mejor vida en todo Perdomo. Tenían camionetas; casa grandota –aunque incómoda–; un cocinón pendejo, apto para hacer comidas hasta para cincuenta; pileta a modo de alberca; papalote y bomba para el agua; ventiladores de aspas en todos los cuartos; radio, tocadiscos, y otros lujos inusitados, como un extractor de jugos, un tostador de pan que no usaban porque en Perdomo aún no distribuían el pan para eso, un alto reloj de pie con sonería, un aparato eléctrico para hacer helados, una vasija especial para hacer palomitas de maíz, y una sala que nunca usan y que está amueblada con mullidos sofás en color vino, reproducciones de marinas en las paredes y en el suelo una alfombra amarilla, ah, y dos lámparas de mesa con base de cerámica en forma de briosas cabezas de caballo a las que, según decían, nada más les falta babear.[35]

Se menciona la decoración de la casa como un espacio que podría denominarse *kitsch*, pues es una expresión del mal gusto. Narcedalia, al comprar y combinar cantidades de objetos, se siente a la moda; con la exhibición de fotografías en las salas de sus posesiones quiere exponer todos sus consumos y marcar una distinción de clase ante los otros: es una especie de nueva rica que cree valer por lo que posee.

---

[33] Esta cita se había utilizado como referencia a la oralidad, sin embargo, es evidente aquí el referente simbólico que está implícito en la relación adúltera de Valentín con Juana Maura.

[34] Cita ya enunciada en donde Juana va con Víctor, hijo de Narcedalia, a un hotel de lujo y admira y disfruta las comodidades y consumos.

[35] Ricardo Elizondo Elizondo, *Narcedalia...*, *op. cit.*, pp. 278-279.

Sin embargo, hay una ironía implícita en la manera en que el narrador describe a Narcedalia y por momentos la caricaturiza. Además, la línea de sucesos que se relacionan con el personaje —por ejemplo, el involucramiento de su esposo con el narcotráfico— le dan a la protagonista un perfil que desmerece su papel de heroína.

La novela *Narcedalia Piedrotas* presenta además una carga política cuando muestra a la protagonista en alianza con autoridades mexicanas y estadounidenses; entre líneas se lee una probable dosis de corrupción entre el capital económico y el capital político, dos fuerzas aliadas a favor de los intereses del poder.

Es interesante observar que aunque Elizondo presenta una problemática aparentemente local, la temática que expone en su narrativa deja ver cómo la sociedad se empieza a ver perturbada por intereses que teóricos como Mc Luhan, Wallerstein y Giddens discuten sobre la mundialización en su dimensión económica; es decir, la ruptura de límites y soberanías al pasar por encima de ellos los réditos del mercantilismo. Los intereses capitalistas del personaje de Narcedalia están por encima de la soberanía del Estado político y, dadas sus conveniencias, se asocian con el capital americano.

La percepción integradora de los sucesos narrados en *Narcedalia Piedrotas* demuestra una conjunción de tiempos y procesos socioculturales superpuestos; un palimpsesto construido en una superposición temporal; así, la estructura no es gratuita, sino que responde a una realidad pluri-perspectivista.

En la novela tenemos personajes con una mentalidad diferente, con pensamientos contras-tantes, rasgos cerrados, tradicionales, heredados del sistema social y cultural determinado por la Colonia, pero al mismo tiempo en convivencia con los aspectos implícitos de la modernidad. La cercanía con Estados Unidos induce a una transculturación que se asimila en valores sociocultu-rales nuevos y que son consecuencia de los adelantos del país vecino.

Hay, por otro lado, la perversión de principios, la distorsión de lo que significa el desarrollo y la prostitución del ideal de progreso, transformado en intereses personales y utilitarios, como el narcotráfico.

Hay también la evidencia de un postcolonialismo, donde la intervención de Estados Unidos se da en el plano material; la alianza entre intereses americanos y mexicanos es aparente, con una posición de supremacía en donde el otro, el subalterno, es una mercancía. Así sucede con las relaciones entre Valentín, el esposo de Narcedalia, y los americanos dueños del negocio. Se pueden apreciar intereses de opresión y dominación, donde finalmente la víctima será Juana Maura: la heroína trágica, el sujeto subalterno. La muchacha que desafía las reglas, pero que carece de una identidad reconocida, viene de una madre que la abandonó, sin papeles, sin dinero, hay una ausencia de futuro, así como de documentos que la avalen; por tanto, no posee historia.

Juana Maura, quien a su paso por la frontera se ve extasiada en esa mirada efímera al cruzar y abrazar el progreso, no logra el diálogo con los otros y termina asesinada por el poder del narcotráfico. La realidad de su muerte, además, además se ve fracturada por la verdad de los periódicos, cómplices de la historia oficial.

Diferentes declaraciones sobre su desenlace aparecen en los titulares de los periódicos; los intertextos periodísticos que complementan la narración traducen la construcción de una verdad oficial hegemónica:

TRAICIÓN AMOROSA DESCUBRE RED DE TRAFICANTES. Por celos mata a su amante. AMANTE Y AMASIA DIRIGÍAN UNA BANDA DE COMERCIANTES DEL VICIO. Joven mujer y hombre maduro, cabecillas de una pandilla de traficantes. ELLA LO TRAICIONA CON SU HIJO, ÉL LA MATA DE CUATRO BALAZOS. Relaciones sucias en actividades sucias. ERA SU AMANTE, ERA LISTA, PERO SE PASÓ DE LA RAYA.

AL ASESINARLA SE DESCUBRE EL PASTEL. Al parecer, la asesinada era la jefa intelectual de una poderosa pandilla de traficantes. LA MUERTA ERA DUEÑA DE UNA ENORME FORTUNA. Era tan sagaz que ni su familia sospechaba de ella. VALENTÍN CASTRUITA SE DECLARA INOCENTE. En su confesión previa dice que él ignoraba lo del tráfico de enervantes. JUANA MAURA, LA ZARINA DEL VICIO, ERA DUEÑA DE GRANDES PROPIEDADES EN EL VECINO PAIS. La red de la malvada incluía vendedores de droga entre estudiantes. EN SU PROPIA CIUDAD LA DESCONOCEN: PERDOMO DICE NO CONOCERLA. Confiscan las cuentas bancarias de la muerta.[36]

La fe moderna en el poder del hombre se observa en algunos matices del personaje de *Narcedalia Piedrotas*, quien en apariencia consigue lo que desea y cuya vida se organiza a partir del dinero, de los mercados y de los consumidores. Ella acaba dominando al de "afuera", borrando al "otro", al sujeto, pero finalmente termina traicionando el ideal de libertad. El poder material e individual coarta el ideal moderno de una sociedad más igualitaria y justa y se concreta a un mero cambio

---

[36] *Ibid.*, pp. 254-255.

cuantitativo, dispar, irregular y limitado: "Narcedalia era peligrosa en los negocios, porque para hacer dinero no medía ni los sacrificios personales ni los de los demás".[37]

Y aunque en la región descrita por Elizondo se logra el desarrollo de la industrialización, la ampliación del consumo y del empleo, la urbanización y la expansión de la educación, no todos los perdomenses se ven beneficiados por estos alcances. Además, la mentalidad está aún permeada por prejuicios conservadores que se vuelven intolerantes y dogmáticos. Se podría hablar de un tradicionalismo ideológico cuando el pueblo se une para impedir el inicio de las clases porque consideran que el director de la secundaria es comunista:

> Traía un portafolio de piel plástica lleno de papeles, y la mensada supuso que era pura propaganda comunista, pura cosa mala. No sabían lo que significaba ser comunista, pero como estaban enterados que los mentados no podían entrar al vecino país del norte, donde hasta los presos criminales encuentran buen trato, pues eso les hizo concluir que ser rojo era una especie del más protervo mal. Además, era bien sabido, aunque no les constara, que la Iglesia excomulga a masones y comunistas, por algo sería [...] Es una mosca muerta, parece que no quiebra un plato pero ha de tener toda la vajilla rota –dijeron al día siguiente las mujeres en la huerta del Guango–, de seguro está divorciado, trajo una maletita de plano mísera, no ha de tener un quinto, y se le nota lo inmoral. A media mañana fueron al consultorio de Cerillo para preguntarle por qué había traído como director de la secundaria a un divorciado, muerto de hambre, metiche, inmoral y, por si fuera poco, malvado comunista.[38]

Otra debilidad, aún manifiesta como parte de la cultura latinoamericana, es el autoritarismo que se permea, representado por las autoridades, el alcalde, el doctor Sergio Garza, pero especialmente por la empresaria dueña del capital económico, Narcedalia Piedrotas. Su autoritarismo determina hasta el destino de Juana Maura. Su poder alcanza incluso los medios masivos de comunicación, simbolizados en la prensa, los cuales forman parte del clásico clientelismo asociado al poder de Narcedalia.

Otra asignatura pendiente de la modernidad se representa en la marginalidad económica y social, y en la novela se ejemplifica con la polarización social: hay una gran diferencia entre los consumos y el estatus social de Narcedalia, y los distintos personajes como Juana Maura y los trabajadores de las empresas Tres Piedras.

---

[37] *Ibid.*, p. 196.
[38] *Ibid.*, p. 313.

Narcedalia es individualista, ambiciosa, egoísta, visionaria y hábil para los negocios, por lo que acaba siendo, irónicamente:

> […] una mujer muy respetada en todo el estado y por la frontera, ya la han nombrado dos veces ciudadana ejemplar y a la casa que se mandó hacer por las afueras –con calzada de palmas, huerta de nogales y un "bunga-low" para recibir invitados– llegan muchos políticos. La empresa Tres Piedras ahora tiene un pequeño aeropuer-to; Víctor viaja mucho al vecino país, además lleva amistad con casi todas las autoridades de ambos lados.[39]

Contrariamente a esta descripción paródica del desenlace de la protagonista, se da en Villa Per-domo una despolitización de la sociedad; no se observa una conciencia ciudadana ni una pre-ocupación por la política. Aceptan de manera conformista que el doctor del pueblo, Sergio Garza, se convierta en su alcalde y no hay ninguna preocupación por la comunidad, son además muy escépticos y desconfían de toda intención política:

> Era tan común, que la verdad no resultaba un insulto. En Perdomo, el fulano que una vez ocupaba el puesto de alcalde se convertía en ladrón para siempre, ni más ni menos, fuese cierto o no. Todos los que alguna vez, o algunas veces, habían pasado por la alcaldía, eran llamados rateros, y bueno, algo de cierto había. Los perdomenses, de su propia ocurrencia, no hacían campaña política, de hecho nunca hubo opositores al que desde la capital elegían como futuro alcalde, porque Perdomo no era político, como que no tenía capacidad, o mente para ello, o quizá porque estaba medio atortolado, o medio incrédulo a que en verdad hubiera respeto al voto. Uno que otro logrón, o bocón, siempre los hubo y los habría, pero político en serio, pendiente de sus conciudadanos, al tanto de los problemas de la comunidad, consciente de la fuerza de un líder, en fin, un político con ciencia y maña, capaz de mediar entre los contrarios para beneficio de todos, un político así, nunca nació en Perdomo.[40]

Los intereses estéticos de Elizondo, además de conducirse hacia la recuperación de la identidad norestense, de sus valores socioculturales y de tratar la historicidad de la frontera y de la línea fronteriza,[41] se encaminan también a mostrar una modernidad que se inicia en el siglo XIX y que no logra cristalizar sus planteamientos en el XX.

---

[39]   *Ibid.*, p. 256.
[40]   *Ibid.*, p. 229.
[41]   Temas mencionados por Miguel G. Rodríguez en el libro *Escenarios del norte de México*, México, UNAM, 2003.

Su narrativa ilumina los alcances del progreso, pero también esa modernidad inconclusa y esa crisis que se empieza a vislumbrar a partir de la aparición del narcotráfico como un nuevo poder alterno, superpuesto al Estado, con sus propios espacios de influencia en distintos ámbitos: político, empresarial, familiar e, incluso, a través de fenómenos de expresión popular como los corridos que narran su impacto en la sociedad.

La narrativa de Elizondo permite leer una trágica ironía de la realidad que están viviendo las regiones del norte afectadas por este fenómeno.

> Víctor Castruita Vega estuvo viviendo varios años en el vecino país, de allá se trajo a la esposa, a la que apodaron la Jeringa. Víctor lleva las riendas de todos los negocios, él financió y donó el edificio del auditorio escolar y la cancha deportiva. Los perdomenses le pusieron Víctor Motas, dicen que por las motitas que los hijitos tigritos heredan de sus papás tigres, pero también, por qué no decirlo, porque la palabra mota es un sinónimo de algo que por ahí nunca se nombra.[42]

La novela de Elizondo suscribe el nacimiento y desarrollo de una clase media, que será protagonista de la modernidad, pero que empieza a sufrir una decadencia de sus valores morales.

Narcedalia Piedrotas es una novela representativa de la realidad política, social y económica del norte de México, con la ineludible presencia del narcotráfico, su interdependencia con Estados Unidos y su débil control fronterizo, dando como resultado el contrabando y la inseguridad. Una nueva industria multinacional que violenta los órdenes institucionales.

De esa manera, Ricardo Elizondo Elizondo plasma cómo el Estado nación como constructo de la modernidad, se debilita con la aparición de un poder alterno que se extiende, altera la soberanía mexicana y entorpece los valores de las distintas esferas sociales, arrasando con los principios de progreso y bienestar que enarbolaron los pensadores de la modernidad.

---

[42]   Ricardo Elizondo Elizondo, *Narcedalia…*, *op. cit.*, p. 256.

V. Horizontes de la crisis de la modernidad

Como ya vimos, la representación del inicio de la modernidad y su desarrollo se muestran a través de las novelas *Setenta veces siete* y *Narcedalia Piedrotas* de Ricardo Elizondo Elizondo. En ellas vemos cómo esta modernidad no logra desarrollarse en México a la par de otros países del primer mundo debido a que su desenvolvimiento ha sido asimétrico, pues las repercusiones positivas de este proceso sólo alcanzan a ciertos estratos sociales. Así, en muchos países latinoamericanos todavía se busca conquistar un progreso que subsane la precariedad en distintos ámbitos de la sociedad.

A finales del siglo XX esa modernidad, que en el México decimonónico se veía como una meta, modificó su semblanza. Es evidente la transformación sufrida por un país que ha pasado de una sociedad eminentemente rural a una urbana. Sin embargo, el crecimiento de las grandes ciudades ha planteado nuevas problemáticas y aspectos contradictorios; y junto al crecimiento de la clase media aparecen distintos conflictos tales como soledad, marginación, pérdida de identidad, desempleo, violencia e inseguridad. Como comenta Nicolás Casullo, "algunos autores, algunos novelistas hablan de que esto es el absurdo de la vida, que ya no quedó vida, y otros se plantean la forma de explicarse la vida de la ciudad, esta subjetividad anónima o esta subjetividad que trabaja esencialmente desde la problemática de la soledad".[1]

Por su parte, en *Tierra de nadie* y *Nostalgia de la sombra,* Eduardo Antonio Parra muestra justo estas temáticas que interrogan a la modernidad. La literatura de este autor radicaliza temas siempre en situación límite; como lo apunta Diana Palaversich, el narrador se "interesa exclusi-

---

[1] Nicolás Casullo, Ricardo Forster y Alejandro Kaufman, *Itinerarios de la modernidad: corrientes del pensamiento y tradiciones intelectuales desde la Ilustración hasta la posmodernidad,* Buenos Aires, Eudeba, 1999, p. 21.

vamente en la vivencia de los marginados de la sociedad mexicana: campesinos, clases populares y trabajadores o en el lumpen, cuya experiencia no está marcada por la hibridez y 'bi' o multiculturalismo, sino por pobreza, la crisis y la itinerancia".[2]

Los pensadores de la modernidad creían que al obrar de acuerdo con la razón se lograría abundancia, libertad y felicidad; hoy se cuestiona hasta dónde las satisfacciones humanas son por completo racionales y hasta dónde, a través del mal uso de la razón, se alcanza la libertad y la felicidad.

La literatura pone al relieve las consecuencias que ha ocasionado el abandono de los fundamentos de la modernidad o la falta de realización de sus propuestas. Se habla de una crisis por la fragmentación de sus principios, donde la razón queda a un lado y la libertad es desplazada por intereses ajenos. Así, el arte, la literatura en este caso, cuestiona los alcances y limitaciones de los procesos de la modernidad y la representa en diferentes imaginarios.

Numerosos intelectuales han debatido la pérdida de los valores que la modernidad había ponderado, por lo que a finales del siglo XX se ha hecho una crítica de la sociedad moderna, de su cultura y del fracaso de la consecución de sus ideales. Se reflexiona en torno a la pérdida de racionalidad del capitalismo que olvidó sus principios superiores y se centró únicamente en la fuerza, el poder y el dinero, y en la obtención de bienes materiales y deteriorando la vida del espíritu y la reflexión.

La crítica a la modernidad expone cómo el individualismo exacerbado se convierte en un enemigo de la razón, y cómo las ideologías utilitarias sustituyen al universalismo de la Ilustración.

Los ideales de la Ilustración fueron traicionados y hay una incapacidad para conciliar el entendimiento humano con la naturaleza de las cosas. Por esta incompatibildad, los pensadores Adorno y Horkheimer cuestionan el fracaso de los paradigmas de la modernidad, dado que la razón se vuelve instrumental y el materialismo es el ideal que conduce las acciones del individuo:

El aparato económico adjudica automáticamente a las mercancías valores que deciden sobre el comportamiento de los hombres. Desde que las mercancías perdieron, con el fin del libre intercambio, sus cualidades económicas, hasta incluso su carácter de fetiche, se expande éste como una máscara petrificada sobre la vida social en todos sus aspectos. A través de las innumerables agencias de la producción de masas y de su cultura se

---

[2]   Diana Palaversich, "Espacios y contra-espacios en la narrativa de Eduardo Antonio Parra", en *Texto Crítico*, Instituto de Investigaciones Lingüístico-Literarias, Universidad Veracruzana, núm. 11, julio-diciembre de 2002, p. 73.

inculcan al individuo los modos normativos de conducta, presentándolos como los únicos naturales, decentes y razonables. El individuo queda ya determinado sólo como cosa, como elemento estadístico, como éxito o fracaso. Su norma es la autoconservación, la acomodación lograda o no a la objetividad de su función y a los modelos que le son fijados.[3]

En el caso europeo, la crisis de los procesos de la modernidad es parte de una transformación que se inicia a finales del siglo XIX; en cambio, en el acontecer latinoamericano hay un desfase producido por la inmadurez de los procesos políticos, sociales y económicos.

La situación política de México, determinada por la dictadura de un partido político por más de setenta años, ha dejado una profunda huella debido a que los ideales de la modernidad, plasmados en las distintas constituciones, son sólo un revestimiento retórico que cubre las incongruencias de la clase política, así como la ausencia de un perfil ciudadano comprometido con el desarrollo.

El "orden y el progreso" propuestos por Porfirio Díaz en el siglo XIX, y el autoritarismo del partido de Estado en el siglo XX, quedan en el nuevo siglo desbancados por el desasosiego del nuevo desorden producto de la extinción o debilitamiento del Estado nacional. Se da la ausencia de un centro rector y los controles ahora son diferentes, inciertos, erigiéndose más allá de las fronteras, como es el caso de los capitales y las empresas trasnacionales.

Paradójicamente, siguen coexistiendo las formas tradicionales de estructuración social, pero con graves deficiencias y enfrentadas al desorden del que hablan los teóricos de la globalización y de la crisis de la modernidad.

Mabel Moraña, al reflexionar sobre los movimientos subalternos en América Latina, da cuenta de la conformación de las naciones como una totalidad contradictoria y fragmentada y cuestiona lo siguiente: "¿Cómo arbitrar la entrada a la postmodernidad de formaciones sociales que viven aún una (pre) modernidad híbrida, donde se enquistan enclaves neofeudales, dependientes, patriarcales, autoritarios, donde sobrevive la tortura y el colonialismo interno, la impunidad política, la explotación, la marginalidad?".[4]

---

[3]   Max Horkheimer y Theodor W. Adorno, *Dialéctica de la ilustración: fragmentos filosóficos*, Madrid, Trotta, 1998, p. 82.
[4]   Mabel Moraña, "El *boom* del subalterno", en Santiago Castro-Gómez y Eduardo Mendieta (coords.), *Teorías sin disciplina. Latinoamericanismo, poscolonialidad y globalización en debate*, México, Miguel Ángel Porrúa, 1998, pp. 237-238.

Los imaginarios de Eduardo Antonio Parra están ubicados en escenarios específicos del norte de México, y hace un planteamiento desde la visión del arte de la subjetividad: disconforme, pesimista, desarraigada, violenta, escéptica. Parra da cuenta de los conceptos que los teóricos de la modernidad –y de su decaimiento– señalan como rasgos comunes de una época turbulenta, determinada por las crisis espirituales y materiales de fin de siglo, donde se pone en evidencia el fracaso de las utopías, el desasosiego y la incertidumbre, posicionándose estos rasgos como la huella indeleble de las nuevas generaciones.

La razón instrumental empieza a ser cuestionada y se confirma que no es la redentora de todos los males. Así, se inicia un movimiento crítico de desentrañar su dualidad, su capacidad para construir y destruir al mismo tiempo. Y es que en nombre de la razón, y con base en supuestos ideales ilustrados, se pueden llegar a justificar muchas cosas, como las razones de Estado, los crímenes, el terrorismo y la xenofobia, entre otros.

La literatura contemporánea ha colaborado a crear una alegoría del derrumbe de algunos ideales que eran el sueño de la Ilustración; así, la crisis de la modernidad es provocada por el engaño y la deslealtad a una razón que buscaba la liberación y el desarrollo del hombre. "El *debate modernidad-postmodernidad* va a desplegarse en lo estético, en lo cultural, en lo ideológico, en lo sociológico, en lo científico, en lo político",[5] advierte Nicolás Casullo, y esta polémica se representa en los textos objeto de este estudio.

Los grandes relatos dejan de tener primacía y como repercusión se transita a una etapa de deconstrucción, como lo explica Ihab Hassan, representantante del postmodernismo americano:

[…] deconstrucción, descentración, desaparición, diseminación, desmitificación, discontinuidad, diferencia, dispersión, etc. Tales términos expresan un rechazo ontológico del sujeto tradicional pleno, del cógito de la filosofía occidental. Expresan también una obsesión epistemológica por los fragmentos o las fracturas y un correspondiente compromiso ideológico por las minorías en política, sexo y lenguaje. Pensar bien, sentir bien, actuar bien, de acuerdo con esta episteme del deshacimiento, es rechazar las tiranías de las totalidades: la totalización en cualquier empresa humana es potencialmente totalitaria.[6]

---

[5]   Nicolás Casullo *et al.*, *Itinerarios de la modernidad…*, *op cit.* p. 202.
[6]   Ihab Hassan, "The Critic as Innnovator: The Tutzing Statement in X Frames", en *Amerikastudien* 22, núm, 1, 1977, p. 55, citado en Nicolás Casullo (comp.), *El debate modernidad postmodernidad, La dialéctica de modernidad y postmodernidad*, Buenos Aires, El cielo por asalto, 1993, p. 321, nota 2.

Dicho en otros términos, hay una deconstrucción del cógito. Autores como Eduardo Antonio Parra revelan estas desviaciones, estas incongruencias, y las plasman en su narrativa: los aspectos destructivos, la enajenación y la masificación como un corolario de un proyecto inalcanzado o incompleto.

Sin embargo, no podemos hablar de un postmodernismo a la manera europea o norteamericana porque, como se ha comentado, México ha vivido una asimetría en los logros de los ideales modernos. En este sentido, Diana Palaversich considera que es pertinente hablar de un postcolonialismo que incluye un planteamiento de la situación social y económica de los países del tercer mundo, además de tocar temas y estilísticas posmodernas como el "otro", "el marginado", el "subalterno". Al hablar del postcolonialismo, Palaversich señala cómo

> [...] borra los límites entre la historia y la ficción, cuestiona la misma disciplina histórica como depositaria de la verdad, crea la historia alternativa del continente subalterno [...] la muerte del gran relato; la reconstrucción de la noción del sujeto e identidad; la crisis de la representación y referencialidad; y el fin de la ideología y el consiguiente reemplazamiento de las oposiciones binarias por el reconocimiento de la pluralidad y la diferencia sin jerarquía.[7]

Los escenarios socioeconómicos en México han sido muy distintos después del modelo económico de sustitución de importaciones, cuando el Estado benefactor deja de responder y la nueva economía se orienta a la privatización de la banca y las empresas paraestatales, a la reducción de la administración pública, a la congelación de los salarios y a la entrada a la globalización iniciada a partir del Tratado de Libre Comercio de América del Norte (TLCAN).

Al hablar del modelo económico neoliberal, la economista Ana Olga Rodríguez explica cómo el neoliberalismo es "una ideología definida en términos de la primacía del crecimiento, una creencia en el crecimiento, una creencia en el dinamismo intrínseco del mercado y una aceptación tácita de las inequidades sociales".[8]

---

7   Diana Palaversich, *De Macondo a McOndo. Senderos de la postmodernidad latinoamericana*, México, Plaza y Valdés, 2005, p. 22.
8   Ana Olga Rodríguez, "Alternativas de desarrollo en el modelo económico actual", en Nora Guzmán (comp.), *Sociedad y desarrollo en México*, Monterrey, Castillo, 2002, p. 162.

El Estado deja de tener una fuerte presencia en la regencia de los países como productor de bienestar social, específicamente debido al alto costo social que condujo, entre otras cosas, a una crisis en las finanzas públicas, a un endeudamiento externo, a un estancamiento productivo, a un decaimiento de las inversiones y a una inflación incontrolada. Además, en su función de interventor, coarta el libre mercado, por lo que se opondría al sistema neoliberal de pensamiento económico.

Las consecuencias del nuevo modelo parecerían encaminadas a aliviar los trastornos ocasionados por los sexenios de los años setenta y ochenta; sin embargo, el costo social pone en tela de juicio el pragmatismo del modelo, así como sus buenos resultados macroeconómicos. Desempleo, pérdida del poder adquisitivo y aumento de la pobreza son efectos de las medidas económicas. Las secuelas sociales provocan un gran desajuste en la calidad de vida. El progreso se percibe sólo en función de acumulación y no como una distribución del capital.

Victoria Camps relaciona mundialización con neoliberalismo al comentar que éste apuesta "por un Estado mínimo, por el derecho a la libertad como único derecho a proteger, y, en consecuencia, amenaza con desmantelar los logros sociales alcanzados".[9]

Esta perspectiva económica se vincula al desencanto de la modernidad, y la crisis del sistema capitalista y su reformulación se relacionan, además, con la caída de un Estado de bienestar que ya no funciona, con la inoperatividad de un sistema político con graves deficiencias en cuanto a la repartición del poder y con la aplicación de la justicia.

Estas reflexiones se pueden articular directamente a la problemática representada en la narrativa de Parra, pues presenta distintos síntomas de la realidad –de finales del siglo XX e inicios del tercer milenio– en sus múltiples dimensiones, incluyendo los efectos de las políticas económicas.

La incapacidad del modelo económico-político para resolver la situación del hombre contemporáneo y la falta de lógica en los procesos alternativos son, entre otras, las causas de la precariedad social, con pocas opciones para salir adelante conforme a un proyecto de vida viable y digno, y con la consecuente pérdida de los valores humanos por los altos costos que implica la supervivencia, como bien explica Victoria Camps al hablar de "la exclusión real de muchos individuos de

---

[9]   Victoria Camps, "Universalidad y mundialización", en Manuel Cruz y Gianni Vattimo (eds.), *Pensar en el siglo*, Madrid, Taurus, 1999, p. 74.

la categoría de ciudadanos. Sólo los ricos, los que han pasado por la tercera revolución industrial o por la revolución tecnológica, se benefician de la mundialización".[10]

Varias de las narraciones de *Tierra de nadie* y la novela *Nostalgia de la sombra* meditan sobre estas carencias del hombre contemporáneo. Las dificultades del sujeto para conciliarse con el mundo, para entablar un diálogo, así como la muerte de la esperanza y la carencia de un proyecto de vida son algunas sintomatologías de la semántica parriana.

Los teóricos hablan de diferentes visiones sobre la modernidad,[11] una de éstas parte de las ideas de la Ilustración, donde se enaltecen conceptos como autoconciencia, autonomía, emancipación, libertad, igualdad y crítica; sin embargo, Ricardo Forster habla de una "Ilustración libertaria" y "una contrailustración":

> [...] ilustración que se traiciona a sí misma [...] una ilustración inconclusa, es decir, que perdió la batalla contra una ilustración que no supo resolver las contradicciones de la libertad y la igualdad; una ilustración que se convirtió en ideología de la dominación, en ideología de una sociedad imperial, en ideología de la modernización a ultranza, en ideología de la racionalización científico-técnica del mundo.[12]

Los resultados de esta "contrailustración" son fatídicos para el ser humano que se encuentra a la deriva, y la narrativa de Parra ejemplifica metafóricamente la reacción que puede llegar a manifestar una sociedad que ha perdido la brújula.

La voluntad que se tenía en el siglo XIX de cambiar el mundo, de mejorar moralmente a la humanidad, de ofrecer oportunidades para todos, de concebir una visión ascendente de la cultura, se pierde en el camino.

El futuro prometido por la modernidad deja de tener vigencia, hay una disolución del ideal, impera el vacío como sustitución del mañana y la incertidumbre de posibles alternativas, se fractura el tiempo histórico ante la desaparición de una razón que lo justifique. Por tanto, se habla

---

[10]   *Idem*.

[11]   Jürgen Habermas "en *Modernidad: un proyecto incompleto*– menciona que "la idea de ser "moderno" a través de una relación renovada con los clásicos, cambió a partir de la confianza, inspirada en la ciencia, en un progreso infinito del conocimiento y un infinito mejoramiento social y moral. Surgió así una nueva forma de la conciencia moderna". En *Punto de Vista*, núm. 21, Buenos Aires, agosto de 1998. Disponible en http://www.cenart.gob.mx/datalab/download/haberlas/pdf

[12]   Ricardo Forster, "Luces y sombras del siglo XVIII", en Nicolás Casullo *et al.*, *Itinerarios de la Modernidad...*, *op. cit.*, p. 267.

de un desmantelamiento de las premisas fundacionales de la modernidad y de un relativismo cultural.

La literatura muestra el descentramiento del sujeto, el sinsentido, la presencia del inconsciente, del deseo, de la violencia, la alienación, la carencia de paradigmas, aspectos sobresalientes del agotamiento de la modernidad.

Representación literaria de la crisis de la modernidad

Como se vio en los capítulos precedentes, la obra narrativa de Eduardo Antonio Parra se considera una escritura que define el perfil norteño.[13] Parra es un narrador preocupado por puntualizar las características de la literatura del norte y sus autores. En *Notas sobre la nueva narrativa del norte*[14] hace una revisión, desde los ochenta, de los escritores llamados "del desierto", como Gerardo Cornejo (Sonora), Jesús Gardea (Chihuahua), Ricardo Elizondo Elizondo (Nuevo León), Severino Salazar (Zacatecas) y Daniel Sada (Baja California), hasta la escritura reciente de Juan José Rodríguez y Élmer Mendoza (Sinaloa), Luis Humberto Crosthwaite y Gabriel Trujillo Muñoz (Baja California), Francisco José Amparán (Coahuila) y David Toscana y Felipe Montes (Nuevo León).

En la revista *Letras Libres*[15] Parra ha escrito sobre el movimiento literario surgido en el norte en las últimas tres décadas con sus problemáticas puntuales sobre la crisis de la modernidad.

Asimismo, en entrevistas no deja de puntualizar su interés por el norte, y los reseñistas de su obra lo sitúan como escritor de esta región. Así lo consigna Javier Perucho:

> Parra comparte con sus pares generacionales del norte mexicano (Luis Humberto Crosthwaite, Élmer Mendoza, Gabriel Trujillo Muñoz, Francisco José Amparán y David Toscana) la acertada apuesta por la recreación de los personajes, ambientes y tensiones propios de la vida en los confines de la patria. Con ellos y la generación

---

[13]   Véase al final de esta obra la entrevista realizada al autor el 8 de marzo de 2007.

[14]   Eduardo Antonio Parra, "Notas sobre la nueva narrativa del norte", *La Jornada Semanal*, 27 de mayo de 2001. Consultado en: http://www.jornada.unam.mx/2001/05/27/sem-parra.htm

[15]   Véase *Letras Libres*, octubre y noviembre de 2005.

precedente (Gerardo Cornejo, Jesús Gardea, Ricardo Elizondo Elizondo y Daniel Sada), igualmente arraigada en los linderos del terruño, la gran metrópoli y el decadente centralismo de las técnicas expositivas quedaron rezagados por el brío de las vigorosas formas que se desgajaron del norte [sus narraciones] revelan esa aceptación del extranjero, la convivencia pacífica o la violencia soterrada, por unos u otros convecinos de la frontera. De un lado, los mexicanos en su afán de penetrar las murallas de la tradición anglosajona; del otro, la defensa por cualquier medio de esa fortaleza.

Nuevamente, en los relatos de Parra las oposiciones entre la civilización y la barbarie interpretan y amenizan un episodio más de discordia y entendimiento.[16]

Algunos críticos[17] lo ubican como un escritor que mantiene contacto estrecho con el norte y con la frontera. Por ejemplo, la croata-australiana Diana Palaversich comenta:

¿En qué sentido se puede decir que Eduardo Antonio Parra es un escritor fronterizo? La respuesta más obvia es geográfica y tautológica: ha pasado la mayor parte de su vida en Monterrey, Nuevo Laredo y Ciudad Juárez. Segundo, los cuentos de la colección tienen lugar en los espacios rurales y urbanos del lado mexicano de la frontera (Monterrey, Ciudad Juárez y las áreas cercanas); y otros se desplazan cada vez más cerca de la frontera concreta: el puente que divide El Paso de Ciudad Juárez, el río Bravo, las maquiladoras de la franja fronteriza, para incursionar en el territorio estadounidense por El Paso y San Antonio. Tercero, porque la frontera, en todos los cuentos, aparece también en su sentido metafórico, como un límite que marca la línea divisoria entre la vida y la muerte, lo "normal" y lo abyecto, lo masculino y lo femenino, lo joven y lo viejo, lo rico y lo pobre.[18]

A continuación analizaremos las categorías advertidas por Palaversich en algunos relatos que integran *Tierra de nadie*. En su obra, Parra se adentra en las zonas marginales tanto del campo como de la ciudad, pues, por haber vivido en la región, conoce la geografía, la vegetación, la fauna, pero especialmente la idiosincrasia de los estados limítrofes del norte, tanto del noroeste como del noreste; como ya se comentó, su producción literaria se gesta a partir de sus experiencias de vida en esta región.

Entre los temas que destacan en sus narraciones aparecen la migración, la construcción del sueño americano, la desintegración familiar, el contraste socioeconómico entre Estados Unidos y

---

[16]   Javier Perucho, *Un espejo cercano: Eduardo Antonio Parra*, en http://www.uweb.ucsb.edu/~sbenne00/unespejocercano.html
[17]   Entre los críticos literarios que mencionan a Eduardo Antonio Parra como escritor del norte sobresalen Emmanuel Carballo, Miguel Rodríguez, Vicente Francisco Torres, Jaime Muñoz y Juan Carlos Ramírez, entre otros.
[18]   Diana Palaversich, "Espacios y contra-espacios en la narrativa…", *op. cit.*, pp. 56-57.

México, el contraste entre desarrollo y subdesarrollo, la marginalidad social y la recuperación de mitos como parte de un sincretismo cultural y religioso.

Pero aunque el norte integra a los estados más ricos de la República Mexicana, es también una región de contrastes y asimetrías, espacio que la literatura analiza y desmitifica, deteniéndose en los procesos de descomposición de las zonas periféricas, donde la recompensa del progreso está ausente en la vida de desempleados, migrantes y jóvenes marginados.

En efecto, el norte de México se perfila como una región con una de las economías más ricas y fuertes del país y con un crecimiento urbano, industrial y comercial importante; sin embargo, también se coloca como una de las regiones con mayor crisis social. La violencia intrafamiliar, el divorcio, el narcotráfico, el contrabando, el desempleo, las migraciones y la inseguridad son temas abordados con gran cotidianidad en los medios de comunicación y entre la misma población.[19]

Por ubicarse cerca de la frontera, organizaciones delictivas buscan dominar el territorio en una región propicia para el crimen organizado. Se dan disputas territoriales entre los cárteles del narcotráfico creando un clima de violencia[20] y un grave deterioro en el ámbito de la seguridad.

Tierra de nadie, como su nombre lo alude, es esa región en donde el poder arbitrario y la ilegalidad se apropian del terreno dificultando distinguir a la autoridad que dicta las leyes; la población se enfrenta a un Estado débil al que le cuesta imponer el orden.

Aunque no todos los cuentos de *Tierra de nadie* se ubican en escenarios específicos, con realemas reconocibles, son clasificados por reseñistas y críticos como "cuentos del norte",[21] tal vez por identificar problemáticas comunes a esta región.

---

[19] La realidad supera a la ficción, los siguientes datos muestran el aumento de las ejecuciones en el norte de México. Un recuento en línea arroja que en las seis entidades norteñas con más ejecuciones (Baja California, Sonora, Sinaloa, Chihuahua, Nuevo León y Tamaulipas) murieron 957 personas de enero a noviembre del 2006, frente a las 950 víctimas reportadas en todo 2005, pese que se han multiplicado las acciones especiales como el programa México Seguro. Obed Flores, "Advierten fracaso contra el crimen", *El Norte* Online, diciembre 11 de 2006. Disponible en http://www.elnorte.com

[20] Ciudad Juárez se ha conocido internacionalmente por su violencia, Las muertas de Juárez son un emblema doloroso de la entidad, pero otros estados viven un clima similar: "En el país, la violencia es la tercera causa por la que las mujeres pierden la salud o la vida. En Nuevo León, la cifra es sorprendente: del año 2000 a la fecha se han registrado 107 casos de muertes por violencia de género. Las víctimas, 81 mujeres han muerto violentamente, 60 murieron en el área metropolitana, 55 asesinatos ocurrieron por influencia del alcohol, 34 murieron en manos de sus parejas, 3 588 víctimas de violencia y maltrato (1 263 mujeres) han sido atendidas en lo que va del año por el dif estatal". Silvia Ruano, *El Norte*, 15 de abril de 2003.

[21] La propia contraportada del libro señala que las acciones de los cuentos suceden en el "norte mexicano"; a su vez, Palaversich analiza todos los cuentos como parte de la franja fronteriza y señala: "*Tierra de nadie*. Cartografía de un espacio fronterizo", *Espacios y contra-espacios en la narrativa…, op. cit.*, p. 56. Por su parte, en la entrevista a Eduardo Antonio Parra que se publica en esta obra, el autor señala que sus historias suceden en escenarios que recrean el norte.

En esta obra se pretende dilucidar cómo la narrativa de Eduardo Antonio Parra expone algunas problemáticas del norte, especialmente aquéllas relacionadas con la crisis de la modernidad. Así, su literatura hace un detallado examen de los efectos de la marginación, del desposeído, del subalterno y de la deconstrucción del sujeto. La crisis de identidad es un vértice de su narrativa tanto como la fragmentación de un mundo donde la razón parece no tener cabida.

Se analizan primero algunos relatos de *Tierra de nadie* para definir algunas constantes de esta crisis y posteriormente la novela *Nostalgia de la sombra* en donde Parra hace una cabal representación del desgaste de la modernidad y su desmantelamiento social.

Se busca valorar el trabajo de Parra como el de un creador literario de la geografía norteña que trasciende hacia una cartografía de las profundidades de la condición humana. Eduardo Antonio Parra logra "mapear" el camino de descenso de un hombre colocado en la era del vacío; así, con su narrativa busca llevar luz a la oscuridad, a las sombras.

La crisis de la modernidad en *Tierra de nadie*

En su narrativa, Eduardo Antonio Parra expresa una desilusión, una actitud crítica con respecto a la modernidad. Los temas van desde situaciones sociopolíticas hasta aspectos de la condición humana donde la crisis ideológica y material deja escollos.

Por ello, el análisis de los cuentos busca definir constantes representadas en varios momentos del libro que constituyen problemáticas importantes y actuales en el norte de México, aunque no por ello únicas en esta región; asi, se podría decir que Parra es un autor que trasciende lo local.

El narrador pone en entredicho el poder de las instituciones sociales para cambiar y mejorar el mundo porque esto no se ha demostrado al menos en países como México, donde todavía existe una gran desigualdad social y donde la pobreza ha arrojado a millones de personas hacia Estados Unidos.

La pobreza y la violencia son corolario del libro y se entretejen en cada uno de los relatos como un hilo conductor de la crisis mencionada. Cada relato de *Tierra de nadie* expresa cómo la narrativa del norte es una construcción literaria, una expresión cultural cuyo cometido es desacralizar microespacios, desde Monterrey, Linares y Ciudad Juárez hasta la zona fronteriza; asimismo, las narraciones evidencian problemáticas contemporáneas que no sólo perviven con la modernidad, sino que muchas incluso se han exacerbado.

Temas actuales como la fragmentación, la globalización, la desterritorialización, la carencia de un centro fijo, la consideración de lo marginal, el subalterno, el "otro", la proyección de la heterogeneidad, la pluralidad, lo local, la representación de una hiperrealidad, la presencia de situaciones del acontecer cotidiano, la desesperanza y el sin sentido de la vida son expuestos por el autor como indicadores de la crisis de la modernidad, los cuales aparecen encarnados en personajes y situaciones.

Son historias presentes de un mundo globalizado que se vinculan con el campo y la ciudad, textos subversivos, marginales, que radicalizan una forma propia de mirar el mundo. *Tierra de nadie* se convierte, así, en una metáfora del norte.

Tránsito a la "desmodernidad"

Numerosos autores han dado cuenta de las consecuencias de la globalización en ámbitos tan diversos como sociales, políticos, económicos, culturales y tecnológicos. Trata de una globalización compleja de procesos que si bien ha tenido efectos positivos en algunas áreas de la macroeconomía se han acrecentado las desigualdades y la marginación de los pobres.

En cuanto a las polarizaciones sociales, se habla de que el capital de las 225 personas más ricas del mundo equivale al ingreso anual del 47 por ciento más pobre de la población mundial (Programa de las Naciones Unidas para el Desarrollo, PNUD). O de que las doscientas empresas más importantes del mundo controlan 25 por ciento de la actividad económica del planeta.[22]

Paralelamente al incremento del poder de las empresas trasnacionales se da un debilitamiento de los Estados-nación. En este sentido, Giddens menciona la presencia de sociedades cosmopolitas mundiales, valores culturales uniformados por la fuerza de los medios de comunicación, por la moda, por los viajes, por la velocidad y, principalmente, por la influencia de la tecnología; frente a este nuevo perfil de sociedad, las sociedades tribales, precarias, marginales del mundo

---

[22]   Joaquín Estefanía, citado en Kande Mutsaku, *La globalización vista desde la periferia*, México, ITESM, 2002, p. 21.

subdesarrollado, permanecen ajenas al efecto positivo de la globalización. Esto genera profundos desequilibrios y una "desmodernidad"; es decir, el progreso, el salto cualitativo, no se da en las sociedades del tercer mundo, donde, al contrario, pareciera que hay una involución, como es el caso de América Latina con el fortalecimiento, primero, de un Estado que degenera los valores modernos propuestos en la Constitución, y, después, con el desarrollo de una polarizada economía de mercado que sólo conlleva el beneficio de unos cuantos.

La "desmodernidad" es la aparición de nuevos actores y la degeneración de los anteriores que en lugar de conquistar un ascenso social con una mejor calidad de vida acaban viviendo en condiciones premodernas, asfixiados por la incapacidad de la estructura sociopolítica de alcanzar el progreso. Sergio Zermeño, en su estudio sobre la "desmodernidad mexicana", comenta:

> Los campesinos migraban en cadenas de sobrevivencia; los férreos obreros solidarios de la industria se trans-
> figuraron en frágiles jovencitas laborando en la maquila o soportando triples faenas en la soledad de sus ho-
> gares; el mundo formal de la manufactura, el comercio y los servicios se estancó, para volverse luego regresivo
> y lanzar a enormes contingentes de obreros, empleados, tenderos, empresarios y a casi todos los jóvenes, al
> mundo de la informalidad, al comercio de lo que sea, al contrabando, a la piratería, a la limosna solidaria,
> al robo, a la droga, a la delincuencia.[23]

Zermeño hace referencia a una serie de teóricos que meditan sobre el espacio social, sus alteracio-
nes, así como los estragos que ha causado el desequilibrio mundial producto de la globalización,
y define a este proceso como "desmodernidad", como involución, es decir, como retroceso en
alcanzar los paradigmas modernizadores. Estos aspectos son representados estéticamente por la
narrativa parriana.

Tierra de nadie es la metáfora de la periferia en donde el ser humano, en este caso, el mexicano del norte, tiene que sobrevivir con pocos asideros que le ayuden a construir un porvenir.

Los paradigmas de la modernidad aparecen fracturados por completo; hay un agotamiento
del orden social moderno; los policías manifiestan la corrupción, la delincuencia y la ilegalidad;
los medios de comunicación están condicionados por el *rating* en un afán mercantilista; las

---

[23]   Sergio Zermeño, *La desmodernidad mexicana*, México, Océano, 2005, p. 21.

migraciones son símbolo de desempleo, pobreza y desterritorialización; los pueblos perdidos aparecen sumidos en el fanatismo y la ignorancia por lo que remiten a una sociedad tribal, primitiva, donde la sinrazón y la miseria son su certidumbre, el faro que conduce su existencia.

El principio de igualdad ante la ley no se respeta; la estructura económico-productiva basada en la industrialización y el desarrollo de la tecnología no ha tenido el éxito esperado; la propiedad privada no ha sido privilegio de la mayoría; la delincuencia organizada tiene un mayor poder; el marco de legalidad es un discurso que no se practica y sus principios han sido olvidados o corrompidos.

Eduardo Antonio Parra resemantiza a través de su literatura una sociedad perdida en el caos, una sociedad en la que se ha experimentado "la pérdida de sentido de la continuidad histórica";[24] los textos analizados construyen una alegoría de un norte que, para algunos, es "tierra de nadie".

Un tema común en varios de los relatos es la violencia. Para Alberto Riella la violencia en la actualidad es "una expresión más del debilitamiento del modelo de control social construido con la modernidad",[25] y se ha erigido como una de las grandes preocupaciones de la agenda contemporánea pues sus efectos no son privativos ni de un país ni de una clase social. Hoy día es una asignatura pendiente a escala mundial y en el caso mexicano es una realidad preocupante.

La narrativa de Parra demuestra puntualmente este debilitamiento: la disfunción del sistema jurídico, la presencia de la violencia criminal y la delincuencia como parte de la cotidianidad.

Las instituciones sociales le ofrecen al individuo pocos soportes, pocos vínculos de contención social, por lo que hay un lazo frágil que fácilmente se rompe o está en permanente tensión, terminando por mostrar el desequilibrio a través de la violencia.

La confianza en el orden social y en la legitimidad de la ley no existe, se ha perdido y la delincuencia es uno de los efectos resultantes. Los medios para alcanzar metas, fines e ideales se han trastocado y se recurre a medidas no convencionales. Situaciones de exclusión social, graves desigualdades, agotamiento del orden social moderno y carencia de igualdad de oportunidades provocan los grandes desajustes sociales; "podríamos decir que el orden social está dejando de ser en términos de representación social de la realidad, artefacto histórico bien fundado".[26]

---

[24] Gilles Lipovetsky, *La era del vacío. Ensayos sobre el individualismo contemporáneo*, Barcelona, Anagrama, 2002, p. 51.
[25] Alberto Riella, *Violencia y control social: el debilitamiento del orden social de la modernidad*. Consultado en: http://members.fortunecity.es/gemma6/Articles%20relacionats/Titulo%20Violencia%20y%20Control%20Social%20El%20debilitamiento%20del%20Orden%20Social%20moderno.htm, p. 1.
[26] *Ibid.*, p. 3.

Estas problemáticas son expuestas por Eduardo Antonio Parra en cuentos como "La vida real", "Nomás no me quiten lo poquito que traigo", "Navajas" y, de manera ampliada, en la novela *Nostalgia de la sombra*.

La violencia urbana

En *Tierra de nadie*, los relatos "La vida real", "Nomás no me quiten lo poquito que traigo", "Navajas" y "Viento invernal" están ubicados en la ciudad.[27] La vida urbana se describe a partir de temas como la prostitución, la violencia moral, física y psicológica, la mendicidad, el alcohol y la droga, asuntos que resaltan como contexto de la ciudad subrayando la marginalidad al lado del progreso.

"La vida real" tiene como escenario principal los tiraderos de basura; los pordioseros son una extensión de este espacio decadente, repulsivo para la sociedad y que puede ser una referencia obligada del proceso de basurización que viven los países del tercer mundo.

En "Nomás no me quiten lo poquito que traigo", la patrulla de la policía es el escenario que simboliza la violencia y, paradójicamente, la ilegalidad de la ley.

"Navajas" muestra la calle en donde combaten a muerte las pandillas, espacio calificado con el adjetivo *ajeno* pues así se sienten los personajes: distantes, enemigos, extranjeros en su propia tierra.

"Viento invernal" está ubicado en un cuarto paupérrimo; existe una sola habitación en penumbras como hogar, y el vacío y la pobreza se apoderan de todo; sobresalen sólo las carencias de Celia y su lucha por sobrevivir. Se trata de un "no lugar"; la mujer ha llegado del centro del país para trabajar en las maquiladoras, pero sólo de paso, mientras logra cruzar a Estados Unidos. Este escenario, desprovisto de sentido e identidad para Celia, reúne las características anteriormente anotadas respecto a las teorías enunciadas por Marc Augé y Michael Foucault, así como por Zygmunt Bauman: "Un no lugar es un espacio despojado de las expresiones simbólicas de la identidad, las relaciones y la historia".[28]

---

[27]   "Traveler Hotel" y "El escaparate de los sueños" también se ubican en escenarios citadinos, como ya se comentó.
[28]   Zygmunt Bauman, *La modernidad líquida*, Buenos Aires, Fondo de Cultura Económica, 2003, p. 111.

La institución encargada de impartir justicia, de poner orden, de ejercer políticas públicas, parece no estar presente en la vida de los personajes de estas narraciones.

Ese modelo de Estado imaginado en la modernidad es, a finales del siglo XX, sólo un simulacro incapaz de cumplir metas y proyectos que salvaguarden la dignidad humana.

"La vida real"

Es un relato que muestra el mundo de la indigencia. El protagonista es Soto, un periodista que se da a la tarea de realizar un reportaje sobre un par de vagabundos apodados los Amorosos, pero que se rehúsa a retratar sólo el lado sensacionalista de la historia.

El relato presenta una fuerte carga de realismo y está construido con base en la descripción y las imágenes sensoriales. El lector es trasladado a una atmósfera de podredumbre, donde el vómito, el sudor, el sebo, la fetidez, la mierda y las pústulas y granos de la piel pasan de ser lugar común a una poética de la miseria.

Un hombre y una mujer, pareja de *clochards* alcoholizados por el destierro, se encuentra y vive un amor paradisiaco en medio de los andrajos:

> [...] a pesar de toda esa inmundicia que llevaban encima, parecían sublimarse hasta la felicidad. La carne, el deseo de sus cuerpos, era su sostén en ese estado de gracia en el cual reían, festejaban, compartían las botellas con los amigos, se abrazaban y besaban en medio de la mugre.[29]

Parra presenta un nuevo léxico, un nuevo vocabulario sobre los afectos. El protagonista del cuento es un periodista de vocación, editor de un periódico,[30] que construye una historia de amor basándose en la relación afectiva de los pordioseros. Es un personaje capaz de distinguir, entre la suciedad, la luz de la verdad; ese "nicho de belleza que tornaba soportable la vida".[31] Es un periodista que con base en la fotografía y en la palabra diseña su historia, mas para los otros ésta no vale,

---

[29]   Eduardo Antonio Parra, *Tierra de nadie*, México, Era, 1999, p. 33.

[30]   Soto realiza un trabajo en un periódico, esta misma ocupación la tendrá Bernardo, el protagonista de *Nostalgia de la sombra*. Hay otros paralelismos: los dos fuman desesperadamente y están agobiados por la carga de mantener a la familia. En la novela se hace una breve alusión a "los Amorosos" y a una muda, personajes también de este cuento. Además, un capítulo de *Nostalgia de la sombra* se ubica en el mundo de los tiraderos de basura, los personajes que ahí aparecen tienen una forma de sobrevivir similar a los de "La vida real".

[31]   Eduardo Antonio Parra, *Tierra de...*, *op. cit.*, p. 35.

y termina amontonada entre los desperdicios de papel: ¿a quién le puede interesar el amor de dos lacras sociales?

Para los jefes del periódico los limosneros son sólo un puñado de mugre y manchas de grasa, ¿por qué habría de interesarles difundir su historia? Sin embargo, después viene la muerte estrepitosa de la pareja, y con ella los *flashes*, la nota roja. La saña con la que se efectúan los crímenes son el alimento, el punto de partida para elaborar la noticia. El cuento denuncia el nuevo modelo hegemónico, el poder de los medios, cuyos principios se sustentan en el *rating*. Como si la única finalidad de hacer un reportaje fuese la venta de la noticia.

El morbo, matizado de sangre y dolor, ése sí atrae a las masas. Los medios canibalizando a través del sensacionalismo de sus noticias, eso sí vende, eso sí encanta. La nota roja resalta la fantasía de la violencia:

> Las cámaras intentaban registrar cada uno de los golpes, los huesos rotos, la carne tumefacta. ¿Por qué tanto encono, tanta brutalidad? ¿Quién pudo odiarlos así? En un extremo, fuera del circo de luces y curiosos, el homicida reposaba en el lodo… lo encontraron violando al muerto… y ya se había cogido el cadáver de la mujer. Pinche loco. Por eso los granaderos le pusieron sus madrazos.[32]

El narrador presenta una construcción moral diferente de los seres humanos, tal como lo concibe Richard Rorty;[33] es decir, una literatura como significación cognoscitiva que ilustre nuevos tipos de situaciones y que lleven implícito un razonamiento moral.

El cuento habla de pordioseros y de criminales; las relaciones sociales son de antagonismo, en este caso de pobres contra pobres.

El amarillismo, la noticia como producto cultural y capital económico es el tema del cuento. "La vida real" pone en evidencia el exhibicionismo de la violencia urbana al contrastar la sublimidad del amor con la decadencia de la barbarie, un primitivismo festejado por los medios.

El autor recurre a un lenguaje coloquial, aderezado con un léxico primitivo, que contrasta con el lirismo de la prosa, y coloca el mundo de los opuestos como vértice de una pirámide social que se ensancha cada día más.

---

[32] Eduardo Antonio Parra, *Tierra de…*, *op. cit.*, p. 40.
[33] En su libro *Contingencia, ironía y solidaridad*, Barcelona, Paidós, 1991.

Podemos relacionar la teoría de Daniel Castillo sobre la crisis de la modernidad con esta narración donde la miseria es usada como vehículo mediático:

> […] una modernidad que en muchos países latinoamericanos no ha encontrado aún las bases necesarias para su propia culminación (ciclo de surgimiento-evolución-agotamiento) entra de pronto en contacto con una condición postmoderna. La interpelación de lo tecnológico y de lo informático que opera en ese marco condiciona el proceso de adaptación del sujeto a una nueva conciencia de su relación con la historia.[34]

Los personajes del cuento son desechos, basura de la modernidad. A ellos no se les ha dado la oportunidad de realizar un proyecto de vida. La paradoja está representada por su muerte, ya que su deceso se convierte en capital económico para los dueños del periódico. Éstos representan "la interpelación de lo tecnológico y lo informático", donde los pordioseros adquieren valor, es decir, una representatividad histórica; la tragedia de su muerte les otorga identidad.

El cuento resalta también la problemática que sufre Soto, quien lleva una vida mediocre y está fastidiado por la carga que representa la manutención de su esposa; sin embargo, su existencia se ve alterada cuando entrevista a los pordioseros. Al constatar la relación amorosa de la pareja, se sorprende por las muestras de amor que se expresan, aunque la armonía de esta relación se violenta cuando son asesinados y violados con una saña desmedida.

El jefe le ordena a Soto publicar la noticia del asesinato junto con las fotos amarillistas, pues un crimen es mucho más vendible que la historia de amor que antes había escrito. El público necesita de historias crueles, de violencia y perversión para aligerar su propia existencia.

La narración culmina cuando Soto se compromete consigo mismo y escribe la noticia, pero, en lugar de publicar las fotos llenas de sangre y morbo, las quema y, en cambio, anexa los retratos del reportaje anterior. Este acto lo exculpa de la complicidad con la prensa y el *rating*; además, lo libera al obtener una catarsis por su acto de rebeldía.

El cuento resalta el contraste entre la vida de Soto y la de los Amorosos; es interesante el papel del *nomos*: aunque son dos personas viviendo entre la inmundicia, la han trascendido logrando el amor, por lo que son nombrados con un sustantivo quizá absurdo por su condición de miseria: los Amorosos.

---

[34] Daniel Castillo Durante, *Los vertederos de la postmodernidad: literatura, cultura y sociedad en América Latina*, Canadá, *Ottawa Hispanic Studies 23*, UNAM, 2000, p. 30.

En cambio, la vida de Soto está trastocada, pues vive inconforme con su trabajo y con su cotidianidad. Constantemente escucha un teléfono que suena sin cesar, símbolo de la carencia de paz interior que el personaje es incapaz de alcanzar. Al entrevistar a los pordioseros, siente admiración por ellos, ya que viven liberados de convencionalismos sociales, y las heridas, las cicatrices, el sudor, la pestilencia, la basura y los harapos no constituyen barreras para amarse e incluso reír: el humor es un elemento catalizador que los ayuda a sobrevivir.

Si bien este cuento no se ubica en un espacio específico, pues sólo se señala que es una historia urbana, su problemática es parte de la vida real, de lo que sucede en lugares como Nuevo Laredo, Reynosa, Monterrey o Ciudad Juárez.

Parra no es ajeno al desgaste de la sociedad contemporánea y describe el resultado de una sociedad en descomposición simbolizada en este caso por el asesinato y posterior violación de la pareja de vagabundos. Además, resalta la manipulación de las noticias por los medios. Este suceso es un recurso alegórico para proyectar una imagen en extenso de los resultados de la mundialización de la economía, donde los *mass media* se convierten en uno de los vehículos.

"La vida real" es entonces un microespacio que muestra esas carencias, la ausencia de posibilidades de superación personal, donde hay una falta de diálogo entre el espacio público y el privado. El Gobierno, los intereses individuales y las fuerzas incontrolables de la economía se muestran incapaces de satisfacer las demandas de la sociedad. Nuevos actores hegemónicos, como los medios de comunicación, asumen su papel y se erigen como nuevos paradigmas sociales.

Los personajes de este cuento están colocados en la base de una pirámide social agresivamente vertical, desempeñando papeles subalternos porque están excluidos de cualquier beneficio del Estado o de la sociedad.

Ciudades con una economía desarrollada tienen, sin embargo, zonas de gran marginación, cinturones de miseria donde la polaridad social violenta los comportamientos. Ciudades con importantes aspectos de desarrollo, como empresas trasnacionales y actividades financieras que son, al mismo tiempo, un centro regional emergente, como los refiere García Canclini, donde "la formación de nodos de gestión de servicios globalizados coexiste con sectores tradicionales, actividades económicas informales o marginadas, deficientes servicios urbanos, pobreza, desempleo e inseguridad".[35]

---

[35] Néstor García Canclini, *La globalización imaginada*, México, Paidós, 2002, p. 168.

Eduardo Antonio Parra enfatiza este tipo de situaciones fácilmente localizables en el norte de México,[36] confirmando la correlación que existe entre la literatura y la voz de los sociólogos, filósofos y antropólogos; quienes además coinciden en sus reflexiones sobre estos temas.

"Nomás no me quiten lo poquito que traigo"

Este cuento tampoco está ubicado en un escenario específico; no hay realemas que impliquen la pertenencia a una ciudad del norte, pero, como "La vida real", muestra una constante común a cualquier urbe, incluyendo las del norte: las historias que aparecen diariamente en la nota roja de los periódicos locales.

La fábula consiste en la experiencia de un muchacho que trabaja como prostituto para pagar su operación de cambio de sexo. Un par de policías lo roban y violan en un acto cotidiano.

La narración es en tercera persona, pero sin articulaciones ni avisos se oscila hacia la primera: el o la protagonista retoma la narración. Esta característica del relato permite al lector imaginar al personaje Estrella como una mujer, ya que se concibe como tal, mas poco a poco su identidad se irá definiendo hasta saber que se trata de un joven.

En un lenguaje muy coloquial, el autor recurre a palabras como "pendeja", "cachondez", "coger", "pinche", "puta", "cabrones", "hija de la chingada", etcétera. Esta violencia del lenguaje es acorde al tema que se expone y desde el inicio imprime un tono especial al relato.

En la historia, Estrella, un joven travesti de dieciocho años que gracias a su trabajo como prostituto ha logrado juntar una suma de dinero, quiere hacerse una operación de cambio de sexo.

El narrador transcribe la voz desesperada del personaje; su clamor, "nomás no me quiten lo poquito que traigo", es un *leitmotiv* cuando los policías lo agreden.

El relato, además de incluir temáticas como pobreza, violencia y marginalidad, reflexiona también en torno a los aspectos de género. Así, Estrella hace una serie de generalizaciones sobre la conducta masculina, sobre la actitud egoísta de los hombres en las relaciones sexuales, pues nunca se preocupan por satisfacer a sus parejas.

---

[36] El Consejo de Desarrollo Social de Nuevo León habla de 53 zonas de alta marginalidad en el estado. Es en el sur de la entidad en donde está mayormente concentrada la pobreza; sin embargo, en la zona urbana hay también situaciones alarmantes con un alto grado de marginalidad y precarismo.

Paradójicamente, se describen también sus deseos homosexuales de ser violada(o) por los policías, de ser maltratada(o) por ellos; hay una excitación a través de la violencia donde se conjugan el dolor y el placer.

Estrella se autodefine como una puta que disfruta de su oficio, llegando incluso a preferir el placer que el dinero. Las descripciones son vulgares, burdas, y hay un detallismo en la pintura de la sexualidad, siempre violenta, agresiva y desigual entre los sexos:

> Dolor que azuza el deseo, la urgencia de ser poseída, vejada, emputecida. Su único anhelo es que la terminen de desnudar y la abran por la mitad hasta partirla en dos con esa violencia de machos furiosos que sólo tienen los policías; que la humillen y la azoten hasta el cansancio mientras la gozan con sus falos a punto de reventar, porque para eso es puta: para otorgar placer y obtenerlo, para ser penetrada y cumplirles todos sus caprichos y fantasías a los hombres que la levantan.[37]

En el relato hay una crítica a la violencia policiaca, pues se describe a la autoridad abusando de su papel, además de manifestar conductas homosexuales y la necesidad de escudarse en el grupo para cometer actos agresivos como supuesto castigo a las actividades "ilícitas" que realiza Estrella.

Tanto al travesti como a la policía se puede aplicar lo que Alberto Riella enuncia como

> [...] la teoría del desvío social, que situará el origen de la violencia y la delincuencia en el desvío de ciertos individuos del sistema de valores culturales imperante en una determinada sociedad. La causa de la delincuencia residiría así en la socialización desviada de estos individuos en "subculturas" con valores diferentes a los del resto de la sociedad.[38]

La actuación de la policía es un reflejo del desgaste y de la pérdida de sentido de la sociedad. Supuestamente habría de ser para la sociedad una entidad protectora, agente del orden, servidora pública que busca superar la ley de la selva, pero acaba convirtiéndose en protagonista de la violencia y, al mismo tiempo, en delincuente.

Tanto en el cuento "La vida real" como en "Nomás no me quiten lo poquito que traigo" aparecen escenarios que fungen como *contra-espacios*; es decir, lugares que se oponen a los espacios

---

[37] Eduardo Antonio Parra, *Tierra de...*, *op. cit.*, pp. 48-49.
[38] Alberto Riella, *Violencia y control...*, *op. cit.*, p. 3.

por donde transita la sociedad comúnmente; tanto el tiradero de basura como el parque a donde llevan a Estrella son espacios prohibidos para la gente común, espacios violentos y peligrosos. Estos microespacios son el símbolo de la ruptura con el *establishment*, son los lugares de trasgresión, donde el orden se ve amenazado.

"La vida real" y "Nomás no me quiten lo poquito que traigo" reflejan la posible relación que existe entre la pobreza y la violencia.[39] Pero no sólo esto, pues la problemática de género es un asunto radical en "La vida real", así como la falta de educación, las creencias y el machismo, los cuales conllevan a la intolerancia.

Cuando las normas apuntan al reforzamiento de la desigualdad de géneros la tolerancia a las minorías es inaceptable, lo que trae como consecuencia la exclusión del diferente. Así, Estrella es castigado por los policías; aunque irónicamente, a través de una agresión homosexual violenta, la tensión se agudiza en el desenlace de la historia, cuando los policías no satisfacen al personaje y lo roban y abandonan en medio del camino. En este caso la autoridad fomenta posturas inflexibles y desalienta la tolerancia.

"Navajas"

"Navajas", al igual que "Nomás no me quiten lo poquito que traigo", muestra a jóvenes desempleados, vagos, pandilleros, travestis. Aquí se da el duelo entre dos muchachos, descritos como pandilleros de los barrios fronterizos. Se menciona lo "gabacho" como un paradigma. La cultura estadounidense se muestra en el uso de camisas nuevas de tela suave, botas, cadenas y esclavas, objetos que revisten al personaje de poder, al mismo tiempo que lo marcan como diferente. Consumos que ponen a un personaje por encima de otro. Los artículos extranjeros simbolizan la pertenencia a otro mundo, un espacio afuera, "estar allá". Erick utiliza un código de vestimenta diferente y esto, implícitamente, lo aleja de los otros porque no pertenece a la pandilla. Como elabora teóricamente Alberto Riella sobre el contexto social de la violencia y la fragmentación

---

[39]   El asesinato y violación de los pordioseros y la agresión contra Estrella coinciden con lo que señala el Primer Informe sobre la Violencia como Problema de Salud Pública de la OMS, en el cual se concluye que: "la deficiente nutrición, el acceso limitado a las escuelas, la depresión psicológica gestada por violencia intrafamiliar, el hacinamiento, la falta de servicios, la ignorancia y la carencia de redes de apoyo sociales e institucionales conllevan a la violencia. El hecho de tener que luchar contra muchos de estos factores, afecta al individuo y en muchas circunstancias acrecienta los rasgos violentos". Consultado en: http://www.who.int/mediacentre/news/releases/pr73/es/

cultural: "la violencia es vista entonces como un acto con voluntad defensiva, e incluso contraofensiva, de grupos deseosos de afirmar sus identidades culturales".[40]

El escenario es una esquina, territorio sagrado donde sólo Benito y sus amigos pueden estar, y el cual es amenazado por Erick, quien cruza el lugar desafiando a los otros. Mientras se da el enfrentamiento a navajazos entre los dos jóvenes, un narrador extradiegético, a través de una focalización cero, omnisciente, relata los pensamientos de Benito paralelos a la acción violenta.

Benito no quiere matar a su contrincante, pero la presión social de la pandilla lo obliga a agredir a quien desafió al grupo: "Dos piquetes eran más que suficientes para guardar el honor de la raza, del barrio".[41]

Esta rivalidad propia de las pandillas se expresa en la violencia física y psicológica y en una reacción de venganza causada porque "me miró feo". El breve relato expone la agresividad de los jóvenes y cómo su defensa y desahogo se codifican al sacar las navajas, reacción inmediata para protegerse ante cualquier mirada extraña o ajena a ellos.

El cuento subraya la problemática cotidiana de las pandillas que se enfrentan por no soportarse, por envidiar al otro, al diferente, o al que amenaza su espacio. El barrio es para ellos su única posesión y cualquiera que lo ponga en peligro es expulsado o agredido. El escritor tijuanense Luis Humberto Crosthwaite así lo describe: "El Barrio es el Barrio, socio, y el Barrio se respeta. El que no lo respeta hasta ahí llegó: si es cholo se quemó con la raza, si no es cholo lo madreamos macizo".[42] Estas manifestaciones agresivas, propias de los barrios urbanos marginales, son puestas en evidencia en el relato de Parra.

La narración ilustra también cómo el propio espacio es una frontera cerrada, que se violenta cuando el extranjero quiere invadirlo. Erick no pertenece al grupo y caminar por las calles, por el barrio de la pandilla, vulnera la identidad de éste.

Siendo el tema de las migraciones una de las problemáticas analizadas en *Tierra de nadie*, "Navajas" se articula con él, debido a la presencia de ese joven ajeno a la pandilla como símbolo del migrante que llega al norte mexicano como si fuese un extranjero más. Así, de pronto, en un

---

[40]   Alberto Riella, *Violencia y control...*, *op. cit.*, p. 6.
[41]   Eduardo Antonio Parra, *Tierra de...*, *op. cit.*, p. 57.
[42]   Luis Humberto Crosthwaite, *Estrella de la calle sexta*, México, Tusquets, 2000, p. 150.

abrir y cerrar de ojos, un día la muerte llega y se clava como "el aguijón de un insecto, inmenso, duro y helado, cimbrándolo, haciéndolo perder el equilibrio".[43]

Estas muertes violentas sugieren un hábitat deteriorado por las polaridades sociales. El aguijón es el resentimiento provocado por una economía que representa un norte de avanzada, próspero, simbolizado en un ingreso per cápita de miles de dólares anuales, pero al mismo tiempo con una población paupérrima, que tiene que emigrar, desempleada. Parecería que la ciudad no soporta a los pobres y los quiere expulsar de su seno.

"Navajas" muestra a jóvenes que ruedan por las calles sin educación ni empleo, chicos banda que mueren trágicamente porque la vida no vale nada, defendiendo lo único que tienen, el barrio.

"Viento invernal"

El relato se centra en las reflexiones de una madre durante el parto de su segundo hijo, el cual es concebido en ausencia de su esposo, quien se ha ido a trabajar a Estados Unidos.

El cuento muestra cómo la pobreza afecta a la condición femenina. Describe la situación de Celia, una mujer que llega de Guanajuato a la frontera para trabajar en las maquiladoras. Junto con su esposo, arriba al lugar buscando una mejor calidad de vida. Sin embargo, el marido emigra solo a Estados Unidos porque no tienen dinero para pagar el viaje de los dos: "el dinero sólo ajustaba para una pasada".[44]

El escenario es muy significativo y refleja la realidad de Celia embarazada, sus vicisitudes para poder sobrevivir, trabajar y cuidar a su hijo.

Las acciones suceden en una sola habitación, al parecer la única que tiene la casa. Este espacio interior, doméstico, está aislado del mundo, no tiene engarzamientos con el espacio exterior. Sólo se menciona que ella ha trabajado en una maquiladora y que vive en una ciudad fronteriza.

La unidad de este escenario sugiere la idea de una cárcel doméstica en la que Celia se encuentra encerrada sin poder salir. La mujer, a punto de dar a luz, quiere abandonar al nuevo hijo por lo que prefiere que nadie sepa de su condición. Está desesperada porque no desea tener al hijo

---

[43] Eduardo Antonio Parra, *Tierra de…*, *op. cit.*, p. 57.
[44] *Ibid.*, p. 90.

de un hombre que no es su esposo; además, dada la miseria en la que vive, le resulta imposible mantener una boca más.

Celia se apropia del lugar como su único refugio, pero, como espacio agreste, éste es miserable, con un frío que hiela los huesos, un viento que se cuela por debajo de la puerta y una lluvia que se convierte en agua hielo; además, sólo posee una sola cobija que comparte con Marcelino, el hijo enfermo, y que después tiene que usar para el nuevo bebé que nace en el suelo: "una tortura inmensa le hace saber que su cuerpo se parte en dos, y un alarido le revienta la garganta y se confunde con el de la masa morada y sanguinolenta que resbala lentamente hacia la cobija".[45]

Esta mujer y su hijo son una imagen fiel del significado del subalterno según las teorías postcoloniales. Ileana Rodríguez, parafraseando a Gramsci, comenta: "El hombre piensa como vive [...] el sujeto también se piensa como vive. Y dado que el sujeto subalterno es un sujeto dominado, el pensamiento sobre y desde él aparece primariamente como una negación, como un límite".[46]

Celia es prisionera de su propio entorno, su realidad se traduce en un marido ausente, en una relación pasajera con la que engendra un hijo, en una fuente de trabajo que por su condición de mujer embarazada la rechaza y en un hijo enfermo.

La falta de apoyos afectivos y la agresividad de la miseria remite a lo que Marc Augé llama los "no lugares" y Michel Foucault las "heterotopías";[47] es decir, los contra-espacios. Lugares de paso, donde no hay una relación con las raíces, espacios pasajeros en los que no se establecen vínculos profundos. Y es que el escenario de Celia está saturado de una atmósfera de dolor e insatisfacción; el catalejo del narrador permite al lector adentrarse en los detalles que muestran marcas de la desintegración de los espacios y las personas.

A diferencia del sueño paradigmático que constituye vivir en Estados Unidos, llegar al "otro lado", habitar el norte, el cuarto de Celia significa lo opuesto, un contra-espacio, un lugar marcado por una situación límite, un escenario de amargura que se complementa también con el es-

---

[45] *Ibid.*, p. 91.
[46] Ileana Rodríguez, "Hegemonía y dominio. Subalternidad, un significado flotante", en Santiago Castro-Gómez y Eduardo Mendieta (coords.), *Teorías sin disciplina. Latinoamericanismo, poscolonialidad y globalización en debate*, México, Miguel Ángel Porrúa, 1998, p. 103.
[47] Cfr. Diana Palaversich, *Espacios y contra-espacios en la narrativa...*, *op. cit.*

pacio amorfo e incierto de la frontera. Ámbitos éstos donde el ser humano está desterritorializado, perdido con una identidad desdibujada.

Por medio de las múltiples imágenes sensoriales, la narración acerca al sufrimiento de la madre parturienta y del hijo enfermo. El paisaje desolado del lugar refleja el estado emocional de la protagonista. La frialdad del invierno se correlaciona con una actitud insensible, con la indiferencia de la madre próxima a dar a luz, con su resistencia a seguir sufriendo.

El cuento está elaborado a través de un juego de contrastes: por un lado, la estación invernal, "una nube de plumas de hielo"[48] penetra por la puerta; por otro, el calor y el sudor que padecen, Marcelino por la fiebre y Celia por su lucha para dar a luz.

Sensaciones de frío y calor sufre al mismo tiempo la mujer, marcándose un paralelismo con su estado de ánimo. El rechazo y la actitud fría de Celia por su nuevo hijo contrastan con los sentimientos cálidos por el amor que siente por Marcelino y por los deseos hacia su marido ausente.

La atmósfera está cargada de penumbras, de sombras y de voces; el sonido del viento y los ruidos gestados por la tos y los alaridos del llanto de los dos hijos pueblan el lugar. Son símiles punzantes que golpean al lector ante la violencia de la miseria: "el silencio de la habitación le pesa como una plancha de hierro pegada a los oídos".[49]

Este discurso evidencia la problemática de las mujeres marginadas, su soledad, la lucha diaria con la vida, aspectos que repercuten en las dinámicas familiares y que provocan otro tipo de problemas como las relaciones sexuales fuera del matrimonio, los hijos sin padres, la violencia intrafamiliar, las enfermedades, la desnutrición, los abortos, etcétera.

De allí que la soledad y el abandono llevan a Celia a aceptar a un compañero de la maquiladora, y, en una relación física, despersonalizada e instintiva, termina embarazada:

> Tras envolverla en su labia y meterse con ella al cuarto, quitó a Marcelino del catre y lo sacó al patio, para después treparsele encima sin preámbulos ni ternuras ociosas, en una penetración torpe y carente de entusiasmo, antes de desaparecer por siempre de su vida. No tuvo remordimientos: Silvestre andaba lejos y nunca lo sabría.[50]

---

[48]   Eduardo Antonio Parra, *Tierra de...*, *op. cit.*, p. 93.
[49]   *Ibid.*, p. 91.
[50]   *Ibid.*, pp. 88-89.

La vida de Celia no es más que una reiteración de la de su madre; ella misma es consciente del círculo vicioso que no termina; la mamá ha tenido muchos niños y nadie sabe quiénes son sus padres, ahora ella repite la misma historia. En pocas páginas se describe la violencia doméstica, la realidad de familias desintegradas, de niños viviendo entre madres golpeadas o abandonadas, y de esposos que emigran a Estados Unidos; en fin, familias fragmentadas, con la pobreza rondando siempre en sus vidas.

El bebé es concebido en un escenario de desmoronamiento social; la madre lo rechaza incluso antes de nacer, pues desea abortarlo, pero, al no conseguirlo, pretende abandonarlo en el frío para que muera. El cordón umbilical es sólo un símbolo de los débiles vínculos entre madre e hijo: "el ombligo como una culebra muerta que lo ata al interior de su vientre [...] Corta el ombligo como quien parte una tripa de chorizo"[51]

Lejos de considerar a su hijo como una bendición, Celia termina por maldecir a "ese cuerpo extraño que la habita".[52] La agresión de la madre se intensifica cuando el niño nace y lo golpea.

El desenlace concluye con una paradoja: Marcelino muere, pero impera la ley del más fuerte y el nuevo niño ocupará su lugar y su nombre.

Violencia rural

Eduardo Antonio Parra continúa su metáfora de *Tierra de nadie* en el campo, escenario donde se viven situaciones premodernas. A partir del análisis de "Los últimos" y "El cristo de San Buenaventura" se puede incursionar en zonas paupérrimas y olvidadas que contrastan con el desarrollo de las capitales norteñas.

"Los últimos"

En la contraportada del libro se lee: "La materia de *Tierra de nadie* es casi siempre dramática, pero también mágica, y tiene lugar en el vasto y alucinante Norte mexicano, donde si lo real es perfectamente verdadero y concreto, asimismo es apocalípticamente irreal".[53]

---

[51] *Ibid.*, pp. 91-92.
[52] *Ibid.*, p. 88.
[53] Eduardo Antonio Parra, *Tierra de...*, *op. cit.*

En "Los últimos" no se especifica en qué pueblo sucede la historia, y si bien no se menciona si se localiza en el norte, la problemática referida puede ser aplicable a esta región. Numerosas comunidades rurales han desaparecido en la última década debido a las migraciones de sus habitantes tanto a Estados Unidos como a las capitales de los estados.

Cuentos como "La piedra y el río", "Los últimos" y "El cristo de San Buenaventura" conjugan esa dualidad del hiperrealismo y las interferencias fantásticas, los ecos de lo sobrenatural, de las realidades míticas, de las creencias mágicas, los cuales todavía conservan vestigios de la premodernidad y donde la identidad se resiste a cambiar; sin embargo, hay siempre la irrupción de una fuerza exterior que tensa y trastorna su estado, que quisiera permanecer fuera del tiempo.

En "Los últimos", la historia se centra en una familia cuyos integrantes pertenecen a tres generaciones: los padres quienes no quieren dejar su lugar de origen, unos niños que sólo se mencionan como parte de la familia y los hijos mayores: Epitafio y Socorro, jóvenes que al final deciden abandonar el lugar y romper con sus raíces.

El título remite a una situación límite: los personajes son los últimos en un pequeño pueblo, pues el padre no quiere irse a pesar del inminente huracán y de las lluvias que pueden inundar el lugar.

Las descripciones trasladan al campo, a sus olores, ruidos y aullidos nocturnos, a los sollozos del río, del aire, a los ladridos de los perros; estas manifestaciones de la naturaleza crean una atmósfera especial, de misterio e incertidumbre. Se vive con miedo permanente, como si algo fuese a suceder y a romper el orden. Hay dos símbolos fundamentales de la vida campesina: el machete del padre y el rosario de la madre; pareciera que conjuntamente son las armas de defensa familiares.

Los intertextos de los rezos maternales son la fortaleza que permite a la familia sobrevivir, aguantar la existencia a pesar de los miedos, de los presagios y de las amenazas latentes de las fuerzas malignas que los acechan: "El rumor de pasos, que se había detenido unos instantes, volvió a escucharse con más fuerza. Ahora era posible distinguir también galopes de caballos, rechinar de ruedas, aleteos de pájaros gigantescos y voces alteradas y gritos que nada tenían que ver con los humanos".[54]

---

[54] *Ibid.*, p. 99.

Nunca se especifica a qué corresponden los rasguños de la puerta o los toquidos. En ese contexto, el hijo decide romper con la decisión del padre de quedarse y, junto con la hermana, emprende la retirada. El padre, que en cierto momento tiene que salir del hogar para enfrentarse a lo desconocido, regresa transformado, con el pelo completamente cano. Este hecho fantástico hace suponer la existencia de fuerzas malignas que agreden a los habitantes y que podrían simbolizar la pérdida del origen, de la tierra, del pasado, de la identidad.

"Los últimos" remite a la literatura rulfiana, pues los ladridos de los perros hacen recordar "No oyes ladrar los perros"; la pérdida de esperanza que Juan Rulfo describiera es recreada ahora por Parra. Asimismo, el pueblo hace pensar en "Luvina", pueblo lleno de fantasmas y de voces. La inminencia de la lluvia y el río crecido se emparentan con "Es que somos muy pobres". Es la misma naturaleza recreada por el autor jalisciense en los años cincuenta y ahora recontextualizada por Parra a finales del siglo. El norte y el centro de la República mexicana se articulan por una naturaleza similar que responde a las agresiones hechas por el hombre.

Por ello, los jóvenes abandonan sus raíces y buscan en el viaje un alivio a sus carencias y una liberación a sus miedos; se arriesgan a buscar nuevos horizontes y, en el encuentro con el otro, aspiran a descubrir las caras de la modernidad.

"El cristo de San Buenaventura"

Tierra de nadie concluye con el relato más largo del libro: "El cristo de San Buenaventura". Este cuento, como "La piedra y el río", recrea los ecos mitológicos y el sincretismo religioso de las poblaciones rurales.

La fábula se desprende del siguiente suceso: la enfermedad de un niño del pueblo de San Buenaventura es atribuida a los deseos malignos de un brujo. El profesor de la escuela investiga y descubre el pasado del anciano y los orígenes de su leyenda.

La prosa de Eduardo Antonio Parra se manifiesta a través de descripciones líricas que contrastan con situaciones crudas y naturalistas. El narrador se adueña del paisaje norestense resaltando su belleza en medio de un desierto avasallador. Ubicada la historia en una aldea cercana a Linares, Nuevo León, la naturaleza se convierte en el principal escenario, siendo cómplice de la fatalidad.

La elección de este relato como corolario del libro es muy acertada, pues el tema sobresaliente es la derrota de la razón y la desesperanza. Los habitantes del pueblo culpan al antiguo maestro de la tragedia que ha ensombrecido sus vidas: la muerte de niños ahogados en la laguna.

El maestro pudo haber significado para el pueblo de San Buenaventura "la luz" que la educación aportaría a sus vidas; sin embargo, la fatalidad, la superstición, la venganza y la fuerza del instinto le ganan la batalla al raciocinio. Así, se expone un intento de modernidad derrotado por el pensamiento supersticioso e irracional.

El cuento señala los contrastes entre los privilegios de una ciudad como la capital del estado, frente a las deficiencias de los municipios marginales: el centro contrastando con la periferia. El autor pone en evidencia la incomunicación, la falta de hospitales, de médicos y medicinas, la carencia de escuelas, la pobreza educativa, la falta de permanencia de los maestros en las zonas rurales y, como corolario, la violencia generada como respuesta a la superstición y al fanatismo.

El narrador, con espanto, presencia las agresiones de un grupo de niños contra el que había sido su maestro. Es testigo de la violencia desatada contra Juan Manuel, convertido en el "loco del pueblo", un anciano cuyo cuerpo ahora es un gran muñón.

Es un cuento construido estilísticamente a través de contrastes. Así, las heridas, la sangre, el dolor, el llanto, los garrotazos, los peñascos, los golpes, los aullidos, los insultos y los lamentos son puestos frente a un cielo estrellado, enmarcados por una naturaleza majestuosa:

> [...] la laguna se advierte tersa, inmóvil, semejante a un cristal recién pulido que refleja en su superficie el parpadeo de las estrellas y el enorme ruedo amarillo de la luna. Aunque los riscos rebasan la altura de donde nos encontrábamos, y aunque los pinos parecen hundir sus copas en el cielo, me sentía en la cima del mundo.[55]

El maestro será el cristo sangrante, "el chivo expiatorio", el "otro", la víctima propiciatoria para que el pueblo de San Buenaventura desquite su amargura y tome revancha, dándole el triunfo a la locura, al odio y a la barbarie. Esa alteridad es un límite, es la voz de la razón que el pueblo prefiere destruir, es el símbolo del cambio, la modificación y la ausencia total de convivencia.

---

[55] *Ibid.*, pp. 122-123.

Es, además, la justicia aplicada por un pueblo enfermo que desata su cólera en un inocente, convertido por los lugareños en demonio, en brujo, en depositario de ideas malignas.

Un narrador, testigo de los acontecimientos, relata la historia desde una posición que le permite seleccionar, para el lector, los datos que considera necesarios; la focalización del narrador tiene una perspectiva interna porque él también es parte de la trama. Además de contar la historia desde la conciencia de la voz narratorial, el narrador se transforma cada vez más en actante al participar directamente de la acción, tanto así que al final se responsabiliza por completo de ella y toma partido, dirimiendo a la voz de la razón de la condena eterna. Sin embargo, la muerte del maestro cuestiona al lector y le deja sus interrogantes: ¿es su deceso el final de la razón?, ¿son las conductas premodernas alimentadas por la superstición y el fanatismo las que impiden la vida en San Buenaventura?

En síntesis, el signo de la muerte ronda anunciando la dificultad de desterrar los fanatismos, la resistencia al cambio, a la tolerancia; la negación del encuentro con el otro.

La crisis de la modernidad en *Nostalgia de la sombra*

La estructura como fragmentación

Eduardo Antonio Parra incursiona en la literatura primero como escritor de cuentos. Se menciona este hecho porque esta orientación del escritor está presente en la estructura de *Nostalgia de la sombra*, novela narrada en once capítulos, algunos de ellos son tan redondos que reúnen las cualidades de un cuento.[56]

Además, en *Nostalgia de la sombra* hay un claro eco temático de "La vida real",[57] historia narrada en *Tierra de nadie*. En la novela, se relata la historia de un grupo de pepenadores,[58] y

---

[56]   En la entrevista que se presenta al final de esta obra, el autor confirma que su intención era darle a cada capítulo la intensidad de un cuento.

[57]   En la novela se comenta: "¿Por qué presentían que su paso por ahí sería tan fugaz como el de aquella pareja a la que llamaban los Amorosos?" (p. 135), y el cuento "La vida real" del libro *Tierra de nadie* señala: "¿Sabes cómo se llaman esos dos? No, se rió, pero les dicen los Amorosos" (p. 33).

[58]   Palabra que el autor utiliza para referirse a los hombres que buscan desperdicios, "pepenan" entre la basura. El *Lexicón del noreste de México* registra la palabra pepena "(Del azteca pepena, recoger) f. Migajas de algún comestible" (p. 233). El *Diccionario del Español Usual en México* define pepenador como: "Persona que se dedica a recoger, uno por uno, objetos de la basura" (p. 689).

se menciona que vivieron entre ellos "los Amorosos". Este capítulo es como un relato dentro de otro, a la manera de las cajas chinas; así, *Nostalgia de la sombra* se duplica en historias dentro de la historia.

El crítico Miguel Rodríguez Lozano hace la misma observación sobre la introducción de la estructura del cuento en la novela: "pareciera que leemos por momentos un cuento, con inicio y clímax. Esa impresión se agudiza cuando, sin perder de vista que es una novela, hay capítulos que podrían funcionar como cuentos, es el caso por ejemplo de los capítulos dos y seis. Excelentes inicios, clímax y finales que asombran".[59]

En la novela, los once capítulos están construidos en dos líneas temporales que corresponden a los capítulos pares y nones respectivamente. En los nones se narra el presente del protagonista; en los pares, su pasado. Cada capítulo es un fragmento de la vida del personaje principal.

La mirada de los narradores es el lente que cuestiona el sentido del ser de la ciudad. Un narrador omnisciente ubica la narración, introduce al lector en la problemática del personaje principal y en los distintos espacios en los que se mueve. El narrador, extradiegético en múltiples ocasiones, cede su voz al personaje protagonista, y éste, desde la primera persona, en un constante monologar, abre su conciencia. La focalización se centra reiteradamente en el protagonista, quien dialoga consigo mismo, para después asumir una segunda persona y hablar en un "diálogo" unilateral con sus víctimas. Así, las voces del narrador también contribuyen a fragmentar la perspectiva del personaje.

La novela inicia con la frase "Nada como matar un hombre", línea que deja huella en todo el libro, pues el asesinato, la muerte, la violencia y el mal son temas constantes en la diégesis del relato. Todos los capítulos están orientados al sentido de la frase y construyen la información que permite al lector ampliar las distintas interpretaciones que el significado de la muerte tiene para el protagonista. La frase, además, imprime un tono y un ritmo que serán constantes a lo largo de la novela.

La estructura presenta cierto grado de complejidad por el empleo de múltiples analepsis, las cuales llevan a configurar algunas zonas del perfil de la problemática del personaje, así como del mundo degradado que lo circunda.

---

[59]   Miguel G. Rodríguez, "Sin límites ficcionales: Nostalgia de la sombra de Eduardo Antonio Parra", en *Revista de Literatura Mexicana Contemporánea, México*, The University of Texas at El Paso y Eon Editores, vol. IX, núm. 21, octubre-diciembre de 2003, p. 69.

Aparecen presente y pasado como dos líneas temporales que estructuran la novela y le dan movilidad a la historia, así, el lector oscila continuamente entre los dos tiempos; incluso se narran otros pasados dentro del pasado. Las distintas perspectivas del narrador semejan una cámara de cine que no se mantiene fija; gracias a estas oscilaciones se ahonda en los recovecos del conflicto existencial del protagonista. Además, las focalizaciones del narrador permiten en todo momento un acercamiento a la conciencia del personaje, quien tiene un papel importante en la estructuración de los sucesos. Estas dos líneas temporales de la estructura también enfatizan la fragmentación del protagonista, tema que a continuación se analiza.

La deconstrucción del sujeto

Ramiro Mendoza Elizondo es el personaje del presente narrativo de la novela, pero su nombre no es permanente ya que durante el relato cambiará de apelativo según tiempos y situaciones. Al inicio, Ramiro es como un recipiente vacío, pero conforme avanza la novela se va llenando de contenidos significativos que el relato progresivamente se encargará de modificar. Así, el blanco semántico con que el lector inicia la travesía de la lectura poco a poco adquiere significado, tanto que al final se tienen muchas inferencias sobre Ramiro. También se entiende el cambio frecuente de sus nombres, enlazados a los distintos atributos que se le asignan. Al final, el nombre de Ramiro resulta colmado de historia.

Para analizar al protagonista e intentar dibujar su identidad es necesario hacer un recuento de su vida: detectar el conjunto de rasgos que distinguen su ser y su hacer para tener un acercamiento a su esencia. En este sentido, Philippe Hamon señala: "el grado de complejidad del personaje estará, por tanto, determinado por el número de ejes semánticos, o roles temáticos, y por los diversos roles actanciales que lo conforman".[60]

Ramiro es un personaje esférico, de múltiples nombres, caras, quehaceres, consumos, identidades, sueños e ideales; por tanto, en la novela tiene varios roles temáticos con los que actúa directamente; no es un personaje estático, por lo que a lo largo de la novela va sufriendo una transformación. Al final, Ramiro está perfectamente identificado, aunque la complejidad de su existencia lo coloca al lado de la sombra.

---

[60] Philippe Hamon, citado por Aurora Pimentel, *Relato en perspectiva. Estudio de teoría narrativa*, México, Siglo XXI, 2002, p. 67.

Desde el primer capítulo se conoce su identidad: es un matón a sueldo al que su jefe (Damián) le ha encomendado un encargo especial y difícil: asesinar a una mujer. En su código de honor esta opción está fuera de toda consideración: "Pero es como matar a la propia madre, carajo. Ni los animales atacan a las hembras de su especie";[61] sin embargo, busca un pretexto y pronto lo encuentra: considera que la mujer debe morir ya que es la responsable de que regrese a Monterrey, ciudad que abandonó y con la cual tiene múltiples vínculos: sus raíces, su origen, las motivaciones de algunas de sus sombras: "Es una pinche ciudad infernal que hace años te escupió porque no te soportaba".[62]

En el pasado, el personaje, entonces llamado Bernardo de la Garza, estaba atrapado por los condicionamientos sociales, por las ilusiones de una carrera de comunicación que lo llevaría a ser guionista cinematográfico, las cuales se ven truncadas por el peso de una familia a la que tiene que mantener. El sueño se transforma, así, en la realidad de un trabajo insulso, aburrido y rutinario como corrector de un periódico, laborando horas extras para poder sacar adelante a la familia.

La realidad del país se expone en este personaje, pues en él repercuten las consecuencias de un desarrollo económico asimétrico y desesperanzador como el vivido en el norte.

Bernardo es un hombre controlado por las estructuras económicas, sociales y psicológicas. Por las estructuras económicas, que repercuten más en una clase social agobiada por las carencias materiales, el personaje debe trabajar en algo que no le satisface, y lo hace sólo por la necesidad de contar con un salario que lo ayude a cubrir lo mínimo para vivir. El trabajo aparece aquí como una prisión que le impide entusiasmarse por la vida; además se siente abrumado porque cree que su esposa está de nuevo embarazada y un hijo más implica incrementar el gasto.

Respecto a las estructuras sociales, Bernardo se siente atrapado porque le parece imposible salir de la clase social de la que forma parte; ésta deja marcas que remiten a una clara diferenciación y marginalidad. El personaje es un representante de la clase media baja y su entorno aparece claramente descrito; cuando niño, vivía en una casa con "tres cuartos pintados de rosa, sin jardín, una sola ventana al frente, y la puerta metálica color negro. Hogar de obrero, rentado, sostenido a base de un jornal lastimoso".[63] De adulto, las limitaciones económicas continúan:

[61] Eduardo Antonio Parra, *Nostalgia de la sombra*, México, Joaquín Mortiz, 2002, p. 18.
[62] *Ibid*., pp. 23-24.
[63] Eduardo Antonio Parra, *Nostalgia de…, op. cit*., p. 167.

Le quedaba media cerveza en la botella. No pediría la siguiente. Sus pequeños placeres estaban limitados; si se excedía en gastos las consecuencias serían inmediatas: caminar varios kilómetros a fin de ahorrarse lo de la pesera, dejar de fumar por dos o tres días, o pedir prestado en la caja del periódico con el fin de completar la quincena.[64]

Esta situación representa, en el ámbito histórico, la crisis económica que se inicia en México a partir del fracaso del modelo de sustitución de importaciones y que se recrudece con el modelo neoliberal.

Nicolás Casullo, al examinar las repercusiones de este proceso en el sujeto social, agrega:

[...] en el trasfondo de su realidad social, la propia sociedad también le trasmite lo ilusorio, lo frágil, lo aparente de ese ser consumidor, para mostrarle por infinidad de otras vías crueles, bestiales, concretas, materiales, que el espejismo de la identidad del consumo se resquebraja día tras día a partir de la otra cara del mercado. La cara de la otra falta de trabajo, de oportunidades, de perspectivas, de que llegan siempre los realmente pudientes, bien situados, altamente instruidos.[65]

Por otro lado, se observan prácticas culturales propias de su clase social; así, se describe el barrio, la escuela, la ausencia de vacaciones, los juegos en la calle, la tortillería, el estanquillo, la costurera y una forma de vida traducida en un *habitus* manifestado en un conjunto de prácticas comunes a una clase media baja, privada de perspectivas y de horizontes esperanzadores de realización: "La tibieza, la indiferencia, el conformismo definían su existencia desde muchos años atrás".[66]

En relación con las estructuras psíquicas, Bernardo desde niño ha estado atado a un miedo que le impide defenderse y le inhibe la capacidad de ser libre y de asumir desafíos; la conciencia de ese terror aparece personificado en un viejo que lo reta, antes de ser agredido por un grupo de delincuentes.

Un día la cotidianidad de Bernardo se ve alterada: unos jóvenes lo asaltan y él reacciona matándolos, destruyéndolos a garrotazos; sufre entonces una metamorfosis, pues este asesinato le genera una energía desconocida. A partir de este episodio, asesinar se convierte en la justificación

---

[64] *Ibid.*, p. 33.
[65] *Idem*.
[66] Eduardo Antonio Parra, *Nostalgia de...*, *op. cit.*, p. 48.

de su existencia; su objetivo es anular la vida de otros para poder vivir la suya. Bernardo sufre una mutación, este acto de iniciación cambia su identidad y lo convierte en "otros": Bernardo, hasta antes de cometer los asesinatos; el Chato, cuando vive en los tiraderos de basura; Genaro, en su estancia en la cárcel; Ramiro, como gatillero. Todos estos nombres son los "yoes" en que se multiplica la identidad del personaje, quien se diluye en una serie de personalidades que le sirven como simulacro de vida; sin embargo, al final se refuerza de nuevo ese *habitus* aprendido desde niño: "De nada me sirvió el entrenamiento, ni tus recomendaciones, ni el dinero, ni la ropa cara. Siempre seré el mismo. No se me puede pulir ni amaestrar. Nunca seré invisible entre la gente".[67] ¿Qué es lo visible? Sus miedos, sus temores, su mediocridad, su mezquindad, su búsqueda de valores utilitarios. Se estaría hablando de una tensión social que en algunos casos genera violencia. En este sentido, citando a Merton y a Trinadle, Alberto Riella comenta:

> [...] la conducta delincuente intenta burlar las barreras sociales que se interponen a su movilidad social ascendente, utilizando para esto medios ilegítimos. La conducta delincuente se torna posible cuando el individuo no se siente comprometido con los demás, cuando no desea conseguir éxito educacional o laboral, o cuando no cree en la legitimidad de la ley.[68]

Las múltiples personalidades y los diferentes roles del personaje hablan de su carácter fragmentario ante la realidad que lo circunda. De esta manera, el relato muestra una sociedad que intenta vivir la modernidad pero sus comportamientos son en muchos casos premodernos; es una ciudad que ha perdido la razón y cuya lógica está ausente de muchas de las escenas que dibuja la novela. Los desdoblamientos que Bernardo sufre hablan de una mentalidad rota, en donde no existen paradigmas ni modelos que puedan erigirse como un faro que guíe su proyecto de vida. No hay confianza en el sistema social y se acaba por evadir la ley.

El acto de matar significa asumir un revestimiento de poder, un instrumento de dominación; asociaciones entre la muerte y el mal están esparcidas en múltiples imágenes y acciones a lo largo del texto. La dimensión humana del personaje se va transformando hasta sufrir una metamorfosis; así, en varios episodios manifiesta comportamientos animales y demoniacos, como si una vo-

---

[67] *Ibid.*, p. 291.
[68] Alberto Riella, *Violencia y control...*, *op. cit.*, pp. 3-4.

racidad se apoderara de él; incluso los otros lo ven como perro rabioso y lo llaman "Bestia". Tanto el narrador como él mismo identifican al mal como el demonio: "Cada uno lo carga escondido en las entrañas [...] Un demonio viejo que me señaló con el dedo y me hizo lo que soy".[69]

La identidad: desintegración del yo

Con base en las ideas del apartado anterior, se puede inferir que el protagonista es un ser humano carente de un centro ordenador, un sujeto fragmentado cuya identidad poco a poco se diluye, se desintegra.

Bernardo es un personaje que vive sin referencias ni coordenadas originarias, su única brújula es la imagen constante de un viejo con sombrero tejano que se le aparece cada vez que enfrenta un peligro pronunciando la frase "Ya te vi, ya te vi"; es una representación que lo acompaña, que está ligada a sus miedos y que aparece como una conciencia que lo tiene encadenado a su memoria. El viejo enfrenta a Bernardo con sus temores, con su vulnerabilidad, con sus sombras, le sirve de catalizador para sacar esa energía que lo induce a matar, a reaccionar frente a su fragilidad.

Por su condición social, el personaje se encuentra encerrado en una abulia, donde se le adormece la vocación; se deja llevar por el conformismo; él mismo se define como tibio, indiferente, conformista, apocado, un ser que por el miedo ha sido sumiso, incapacitado para la acción: "Tienes miedo [...] te faltan huevos, pinche agachón, vives cagado".[70]

Después de sus primeros asesinatos, Bernardo inicia un peregrinaje sin rumbo, la carencia de un propósito final es el hilo conductor de su vida; hay una permanente negación de ideales. Las imágenes de *Nostalgia de la sombra* son una alegoría de la situación dislocada del mundo. Los sucesos narrativos de la novela apuntan siempre hacia una tensión entre la unidad y la disgregación, por eso el protagonista comenta: "ése no era yo sino el otro".[71]

De esa manera, la multiplicidad de nombres del protagonista reflejan una personalidad mutilada, inestable, cuyo ser es reducido a simples facetas de su peregrinar por la vida; no se aferra a nada, no hay un yo coherente, equilibrado, sino sólo intentos por tratar de existir en medio de una sociedad vacía, con un alto grado de individualismo, donde se da una desvalorización del otro.

---

[69]   Eduardo Antonio Parra, *Nostalgia de...*, *op. cit.*, p. 27.
[70]   *Idem*.
[71]   *Idem*.

La novela muestra a un Bernardo condicionado por las carencias de su clase social, por la falta de oportunidades, de un futuro prometedor, lo cual repercute en su personalidad y lo hace sufrir un desmoronamiento del yo, un desencanto ante la falta de continuidad histórica, ante la imposibilidad de alcanzar los sueños prometidos por la modernidad.

Al transformar su identidad, su vida queda suspendida; de ahí que finalmente Ramiro (nombre que usa como gatillero) viva para matar. Logra existir a través de la muerte pero, debido a que la muerte es la nada, su existencia se alimenta de vacío, de ausencia de fundamentos.

Constantes alusiones al desamparo, a la orfandad, aparecen a lo largo de la novela: en sus pesadillas, donde se encuentra perdido en una ciudad abandonada en ruinas; en su deambular por las calles; como fugitivo, viviendo entre los escombros, en la basura, en terrenos baldíos, en el cementerio.

El vacío en que se encuentra, su carencia de mismidad, es simbolizada en una escena donde un perro pasa junto a él y no lo ve: "Ni siquiera el perro [...] Igual que si me hubiera desaparecido".[72] El personaje es una sombra más en las tinieblas.

La identidad de Bernardo es completada por la gravedad y violencia de sus actos: "Cada uno de los testigos daría fe de su furor salvaje, de su sadismo, de su frialdad para matar [...] El miedo se había esfumado para siempre",[73] así, es "capaz de matar con una facilidad que lo horrorizaba: sin saña, sin pasión, con la sangre fría de quien ha adquirido la costumbre de causar a otros la muerte".[74]

Su comportamiento es sólo el reflejo de una sociedad que ha perdido la dirección del faro; una sociedad carente de principios, donde Dios ha muerto y la nada es el único consuelo. Como señala Giles Lipovetsky:

> [...] ésta es una sociedad que, lejos de exaltar los órdenes superiores, los eufemiza y los descredibiliza, una sociedad que desvaloriza el ideal de abnegación estimulando sistemáticamente los deseos inmediatos [...] Nuestras sociedades han liquidado todos los valores sacrificiales [...] la cultura cotidiana ya no está irrigada por los imperativos hiperbólicos del deber sino por el bienestar y la dinámica de los derechos subjetivos; hemos dejado de reconocer la obligación de unirnos a algo que no seamos nosotros mismos.[75]

---

[72]   *Ibid.*, p. 82.
[73]   *Ibid.*, p. 55.
[74]   *Ibid.*, p. 142.
[75]   Gilles Lipovestsky, *El crepúsculo del deber: la ética indolora de los nuevos tiempos democráticos*, Barcelona, Anagrama, 2005, p. 12.

Como ya se señaló, *Nostalgia de la sombra* pone en evidencia fenómenos actuales de las grandes urbes: la indiferencia, el materialismo, el culto al dinero; el capital económico como único valor. El compromiso comunitario está ausente en los personajes y la indiferencia se torna en una norma de vida.

Ramiro menciona que por encargo ha matado a dieciocho personas —siete de estos asesinatos son descritos en la novela—, y durante el presente narrativo se prepara para matar a la víctima número diecinueve.

El retrato de Bernardo de la Garza es el de un hombre común, que podría caber en la definición de un hombre sin atributos, sin personalidad, sin grandeza. Concuerda con la argumentación que da Magris sobre este estado de conciencia:

> [...] es la búsqueda de un fundamento de lo real que resulta imposible de hallar. La realidad no tiene una base de valores sobre la cual pueda apoyarse, ni un sistema de valores que le sirva de acomodo y vivienda: la totalidad ausente es una morada de la cual la vida ha sido expulsada. La realidad que ya no habita en el todo pierde los confines que le daban forma y orden y desborda todos los diques, expandiéndose en una dilatación amorfa.[76]

Bernardo abandona a la familia y el trabajo, y habita por un tiempo en un tiradero de basura al lado de unos pordioseros; en este lugar se libera de muchas cargas impuestas —familia, trabajo, compromisos— y logra vivir en un espacio de mayor libertad. Sin embargo, el Paraíso no existe, y la precariedad, la insalubridad, el hambre y la venganza lo obligan a ser violento y lo llevan al precipicio. Comienza de nuevo como un Sísifo cargando la roca que lo castiga, buscando encontrar de nuevo una salida que lo libere.

Es un examen de la periferia donde claramente el texto parriano pone en evidencia las polarizaciones sociales, describiendo con detalle el espacio marginal de la ciudad de Monterrey; solo, el protagonista vaga sin rumbo fijo a donde lo lleve el cansancio y la desolación. Se refleja el nihilismo de su existencia; al sistema social no le importa el individuo, al individuo no le importa el sistema, y Bernardo está envuelto en la nada.

---

[76]   Claudio Magris, *El anillo de Clarisse: tradición y nihilismo en la literatura moderna*, Barcelona, Península, 1993, p. 8.

A Ramiro se le aparece un viejo que lo enfrenta a su capacidad de matar: ¿es el mal? ¿Es Satán? ¿Es la opción que escogerá como forma de vida?

Por un lado, el personaje se libera del miedo al matar, se encuentra finalmente sin las estructuras que lo tenían amordazado, prisionero de su propio terror, pero después no encuentra opciones, vive el drama de la libertad sin alternativas; una voluntad ciega sin finalidad que surge en la muerte y en ella acaba. El mal, a través del asesinato, de la privación de la vida, se perpetúa. Desaparece todo y el hombre se queda en la nada. Para Javier Urra Portillo:

> La violencia es una fuerza (raíz *vis*) injusta. Atropella la libertad, la vida y el ser. La víctima es compelida mediante la intimidación o la agresión casi siempre física, experimentando un profundo e indeleble miedo e indefensión. Es la manifestación desnuda, burda y primitiva de la agresión, se conforma con la emoción, el sentimiento y la voluntad. Es exclusivamente humana, se caracteriza por ser monótona y recidiva. Aspira a ser la solución que excluya todas las demás, es una censura totalitaria.[77]

Debido a la falta de una ruta, la pérdida de la ilusión, de una meta que lo impulse, Bernardo se doblega ante la violencia; el mal es ahora su justificación, su máscara protectora, y así los asesinatos se convierten en su única garantía para sobrevivir, como si la criminalidad fuese la única salida en un mundo en donde la violencia moral, material y espiritual rige los distintos ámbitos de la sociedad. El protagonista se rige por la ley de la selva, donde sobrevive quien tiene más fuerza; el poder para derrocar anárquicamente a su enemigo.

Ramiro es un viajero en un mundo desintegrado, vaga por el caos, su desorden es definitivo así como la pérdida de sentido: donde hay un resquebrajamiento de la ley y la unidad, se acaban los límites, se aniquila el centro organizador. La trasgresión es el *modus vivendi* del personaje, así la vida fluye sin las ataduras de una moral que coarte.

Los asesinatos son el instrumento a través del cual el personaje se redescubre, se crea una nueva imagen de sí mismo; sin embargo, esta libertad lo sumerge en el abandono. La violencia emancipa a Bernardo, al sujeto alienado, pero únicamente como un simulacro, como una falsa conciencia. Sólo por instantes logra zafarse de los prejuicios morales, de las jerarquías sociales, de los autoritarismos, de la precariedad económica.

---

[77] Javier Urra Portillo, *Violencia: memoria amarga*, Madrid, Siglo XX, 1997, p. 1.

Cuando pierde casa, esposa y familia, hay un desvanecimiento de su vida privada; a partir de ahí vive en las calles, en el exterior, como un ser devorado por la falta de identidad, por la incapacidad de ser sujeto. Por eso es que el nombre de Bernardo se pierde, pues su identidad se ha gastado, ha dejado de ser él mismo. A través de la violencia quiere recobrar su autonomía, autoafirmarse, ejercer control sobre su entorno y su destino; sin embargo, carece de un proyecto personal debido a la ausencia de un horizonte prometedor.

Eduardo Antonio Parra proyecta en su personaje el lado oscuro del psiquismo, el protagonista carga con la sombra, vive bajo su dominio, existe atrapado por deseos inconscientes, soporta la represión de la personalidad. Los psicólogos Zweig y Abrams comentan sobre la dimensión de la sombra:

> [...] la personalidad de la sombra, opuesta a nuestras actitudes y decisiones conscientes, representa una instancia psicológica negada que mantenemos aislada en el inconsciente donde termina configurando una especie de personalidad disidente. Desde este punto de vista la sombra es pues una especie de compensación a la identificación unilateral de nuestra mente consciente con aquello que le resulta aceptable.[78]

El lado oscuro de Bernardo aflora en los diferentes capítulos, ese lado que arrastra el individuo común, los aspectos difíciles de reconocer en uno mismo, pero que están ahí. Zweig y Abrams utilizan la definición que Jung enuncia sobre la sombra:

> Jung definió a la sombra —junto al Yo (el centro psicológico del ser humano) y al ánima y al animus (las imágenes ideales internalizadas del sexo opuesto, la imagen del alma en cada persona)— como uno de los principales arquetipos del inconsciente colectivo. Los arquetipos son las estructuras innatas y heredadas —las huellas dactilares psicológicas, podríamos decir— del inconsciente que compartimos con todos los seres humanos y terminan prefigurando nuestras características, nuestras cualidades, y nuestros rasgos personales.[79]

El protagonista de *Nostalgia de la sombra* es una proyección de ese lado desconocido que se expresa en situaciones de excitación, furia, crueldad.

Gilles Lipovetsky ahonda en el tema de la criminalidad en las sociedades actuales y señala:

---

[78] C. Zweig y J. Abrams (edits.), *Encuentro con la sombra*, Barcelona, Kairós, 1992, p. 35.
[79] *Ibid.*, p. 36.

Si el proceso de personalización suaviza las costumbres de la mayoría, inversamente endurece las conductas criminales de los marginados, favorece el surgimiento de acciones energúmenas, estimula la radicalización de la violencia. El desenmarcamiento individualista y la desestabilización actual suscitada concretamente por el estímulo de las necesidades y su frustración crónica originan una exacerbación cínica de la violencia ligada al provecho.[80]

En este sentido, Bernardo es un hombre frustrado que no ha podido satisfacer sus sueños de escritor, ideal truncado por las necesidades primarias que tenía que resolver como esposo y padre de familia. Su vida se reduce al presente; para él, el futuro es un lujo al que no puede tener acceso, por tanto debe conformarse con un trabajo insulso que le permita al menos tener para comer. Sufre el desencantamiento del mundo. La falta de oportunidades lo lleva a una insatisfacción permanente hasta llegar a una situación límite, donde es seducido por el territorio de la violencia.

El personaje vaga en una ciudad fragmentada, donde la entropía, el desorden y el calor de la ciudad se asemejan "a un soplo del infierno".[81] El personaje de *Nostalgia de la sombra* vive su muerte como sujeto, en un mundo acabado, donde se padece la muerte de los ideales. Esta proclama implica varias pérdidas, pues es la muerte de una persona que se deshace de sus centros al abandonar a la familia y el trabajo, sin ser redimido; él aparece como alguien sin fe, sin sueños, sin metas; así, el mal se instala como el único sobreviviente y como el único reducto de salvación, paradoja que lo lleva a la destrucción.

Al protagonista le sucede lo que Casullo y colegas infieren:

Nos estamos convirtiendo en sujetos sin biografía [...] Porque la memoria es justamente un sitio donde se cruzan la esperanza y la catástrofe, no simplemente el deslizamiento de las cosas tal cual son, sino la condición trágica de la existencia [...] ciertas inexorabilidades, ciertas fracturas, ciertos misterios, ciertas oscuridades; el juego entre la luz y la oscuridad, el juego entre lo bello y lo siniestro.[82]

La violencia y el mal forman parte indisoluble en esta novela. En la muerte del otro, Ramiro se va reflejando, va rozando sus sombras, al decir junguiano: en la sombra está el otro en nosotros,

---

80   Gilles Lipovetsky, *El crepúsculo del deber* , *op. cit.*, p. 206.
81   Eduardo Antonio Parra, *Nostalgia de...* , *op. cit.*, p. 130.
82   Nicolas Casullo, *et al.*, *Itinerarios de la Modernidad*, *op. cit.*, p. 141.

el lado oscuro, la vergüenza, lo inferior, lo censurable. La violencia de matar por venganza, por sobrevivencia, porque:

> Lo siento carnal tengo que borrarte. No me cuesta ni tantito, ¿vieras?, la verdad es que tu presencia me molesta desde que naciste, desde que llegaste a recortarme los espacios, a quitarme el aire, que me tocaba, desde que te dio por competir conmigo. No, no te odio, al contrario, te quiero mucho, al fin eres de mi misma sangre y crecimos juntos pero, nomás buscándole un poco, salta el montón de deudas acumuladas durante toda la vida, suficientes para despacharte sin remordimientos, sin pestañear, pues. ¿Y a ti, viejo? Si te contara cada una de las cuerizas, de los regaños, las prohibiciones, las órdenes y los malos tratos a mi madre, no acabaríamos. Y nos parecemos tanto que sería un alivio, igual que romper un espejo, ¿no?[83]

Nostalgia de la sombra es además la metáfora de una sociedad resquebrajada donde la razón ha perdido su brújula y no hay una utopía que logre redimir. Cuando Ramiro comete actos de violencia se podría decir que con ello hace el intento de construir un simulacro de unidad, máscaras de armonía; como si el asesinato lo equilibrara y le devolviera identidad; sin embargo, la honestidad, la fortaleza de espíritu, la sinceridad no tienen cabida en su yo y la fragmentación de su ser se refuerza cada vez más.

Si en el primer capítulo de esta investigación se hablaba de la construcción de una identidad con rasgos marcados por los valores socioculturales, en esta novela se muestra la otra cara: una identidad fragmentada, desdibujada, donde el subalterno no tiene cabida en la historia. Así lo comenta Palaversich al referirse a la situación de los grupos subalternos, quienes "carecen de documentación histórica propia y corren el riesgo de que se les aplique el dictamen rankeano según el cual los que no poseen documentos tampoco poseen historia".[84]

La novela presenta un encadenamiento de conflictos que no tienen salida. La tesis implícita de Parra es mostrar que la razón no abarca todo, que deja fuera muchas cosas. En cada rincón del texto aparecen los límites de la racionalidad y su impotencia para resolverlo todo.

Cuando Ramiro conduce el automóvil por las calles de ciudad Guadalupe y recuerda a su esposa y a sus hijos, parece revivir la nostalgia de esas sombras que son parte de su pasado, donde existió siendo Bernardo, el soñador, el esposo amante, aquél que no pudo sobrevivir.

---

[83]   Eduardo Antonio Parra, *Nostalgia de...*, *op. cit.*, p. 19.
[84]   Diana Palaversich, *De Macondo a McOndo. Senderos de la postmodernidad latinoamericana*, México, Plaza y Valdés, 2005, p. 28.

Hay también una vista panorámica de la ciudad, donde se aprecia la transformación de "ciudad local" a "ciudad global": la zona de los tiraderos de basura transformada en centro comercial (escenario ícono de la globalización). Los nuevos centros comerciales, según García Canclini: "además de expandir el capital inmobiliario y comercial, reestructurar en forma concentrada las inversiones, generar empleos y extinguir otros del comercio minorista, ofrecen espacios para escenificar el consumo donde la monumentalidad arquitectónica se asocia con el paseo y la recreación".[85]

El lector continuamente se pregunta cómo Bernardo llegó al límite de convertirse en Ramiro. Cómo el padre y esposo cumplidor se transformó en criminal. Cómo el esposo amoroso vive ahora sin relaciones afectivas.

Ramiro tiene una inclinación especial por las mujeres, intuye en ellas una condición única que le hace respetarlas: "Las mujeres son fieles y sentimentales; guardan luto, con la ropa o con la expresión. Son distintas".[86] Siempre que se refiere a ellas lo hace con respeto, con delicadeza; muestra preocupación por el género femenino, incluso critica la actitud machista de los hombres que acosan a las mujeres.

De su esposa no se ofrece gran información. Victoria fue su compañera, con ella engendró dos hijos y vivía atemorizado de que volviera a embarazarse, esos miedos le embargaban justo antes de abandonar el hogar. Aunque la imagen de su mujer aparece de vez en cuando, es sólo como un recuerdo que acentúa el aura de rutina y mediocridad que rodeó su vida de casado.

No habla de Victoria con reproches; al contrario, ella lo estimuló durante las pausas cuando Bernardo interrumpía su agobio, ilusionado de convertirse en guionista de cine; su mujer celebraba por anticipado el triunfo construyendo éxitos imaginarios.

Después de abandonar a su esposa, quizás embarazada, nunca se sabe la reacción de ésta ni su proceder, el lector tiene que completar el final de esta historia. Poco a poco, Bernardo se va desprendiendo de su presencia. Los distintos estadios por los que atraviesa van desterrando de su mente a quien fuera su amor. Cuando llega a vivir con los pepenadores, comenta: "¿Cómo llegué aquí? El sudor chorreaba de cada uno de sus miembros. Se encharcaba en el cuello, en las axilas,

---

[85] Néstor García Canclini, *La globalización*, *op. cit.*, pp. 172-173.
[86] Eduardo Antonio Parra, *Nostalgia de...*, *op. cit.*, p. 11.

entre las nalgas. Victoria. Hacía semanas que no la recordaba y esta vez pudo arrancarse su imagen de inmediato".[87]

Tras diez largos años, al conducir por las calles de ciudad Guadalupe, se reencuentra con la imagen de Victoria y de sus hijos; pero sólo son una sombra más en su camino, una imagen nebulosa casi borrada de su memoria. Se acuerda de la familia con una nostalgia pasajera.

Con los pepenadores conoce a la Muda, quien representa la pureza en medio de ese muladar y con quien simpatiza y de la que se hace amigo. Es una relación de hermandad que dura los instantes de este pasaje por el basurero; con ella vive el paraíso en medio de un basural.

Una mujer muda que le cuenta su historia como puede, a través de gestos, carcajadas y llanto, los cuales le llenan la impotencia que le cuesta la comunicación. La descripción del personaje y de sus compañeros remite a seres grotescos, a caricaturas, a farsas de seres humanos en descomposición, y que sin embargo en la polaridad muestran rasgos de compasión y belleza:

> Se acostumbró a la compañía de esa mujer y conoció su historia. Ella misma se la contó con las manos, con el cuerpo, los gestos y los miles de modos que tenía de agitar sus párpados sin pestañas. Al expresar algo difícil, se ayudaba con una vara y escribía en tierra palabras mordidas y frases inconclusas. A veces lloraba. Otras, iracunda, se levantaba de donde estuviera y comenzaba a arrojar piedras y botellas vacías […] En dos o tres ocasiones sufrió ataques de carcajadas en los que el silbido que surgía de sus pulmones, la boca abierta y los ojos a punto de escapar de sus órbitas le daban un aspecto agónico.[88]

El asesinato del Moncho, uno de los seres marginados, vuelve a convertir al Chato en un criminal y esta acción hace que la Muda, por miedo, lo abandone y huya posiblemente a Laredo. Sin embargo, esta amistad le permite al Chato reflexionar sobre su vida y sobre el significado de la autenticidad que por momentos experimentó en compañía de ella. Unos instantes antes de morir, la imagen de la Muda, así como los rostros de Victoria y Maricruz pasan por su mente.

La zona marginal, al lado de los hombres que viven entre la basura, es un lugar descrito como zona de tinieblas, inundado por la niebla, lugar de expiación y castigo, un sitio reservado a los demonios y a las almas que han decidido abandonar el mundo de los hombres; lugar de

---

[87] *Ibid.*, p. 128.
[88] *Ibid.*, p. 140.

la desmemoria, lugar fuera del tiempo, donde todo parece transcurrir en el mismo día, o en la eternidad; espacio donde el hambre, la sed, el calor, el cansancio y la abulia están instalados como permanente forma de vida. El personaje, textualmente, está en el infierno.

Entre ratas, pestilencia y desperdicios viven pepenadores, vagabundos, lisiados, mendigos, pordioseros, habitantes de este averno en una ciudad mexicana, Monterrey, la capital industrial de México, "frontera infranqueable: muralla entre el universo de la abundancia y el depósito de desperdicios".[89]

Los pepenadores pasan "removiendo el subsuelo con una varilla [...] buscando el milagro del cartón seco, el aluminio de alto valor, el fierro viejo no muy oxidado [...] las frutas no tan podridas, las latas cerradas y caducas, cualquier cosa fácil de aprovechar o vender".[90]

Este escenario hiperrealista enfrenta al lector a una situación de extrema pobreza en una de las ciudades, paradójicamente, más desarrolladas del país, con rasgos plenamente globales, pero donde la dualización ciudad global-ciudad local marginada cohabitan al mismo tiempo impidiendo el verdadero desarrollo.

Se ilustran con ello algunos malestares de la pobreza y de la injusticia social que prevalece en las grandes urbes, tal como lo señala Mike Davis al describir los efectos de la economía desproporcionada del libre mercado en ciertos segmentos de la población y cita a los autores de *The Challenge of the Slums:*

Los autores de *The Challenge of the Slums* [...] mantienen la definición clásica: hacinamiento, vivienda pobre o informal, acceso inadecuado a medidas sanitarias y agua potable e inseguridad respecto a la propiedad. Esta definición multidimensional es, en realidad, un indicador muy conservador de lo que se califica como áreas urbanas hiperdegradadas: muchos lectores se sorprenderán del descubrimiento contraexperiencial de las Naciones Unidas de que sólo el 19.6 por 100 de los mexicanos de las ciudades viven en áreas urbanas hiperdegradadas. Sin embargo, incluso con esta definición restrictiva, *The Challenge of the Slums* calcula que, en el año 2001, había por lo menos 921 millones de habitantes de áreas urbanas hiperdegradadas: una cifra casi igual a la población del mundo cuando el joven Engels se aventuró por primera vez en las calles pobres de Manchester. [...] Los residentes de áreas urbanas hiperdegradadas constituyen un asombroso 78.2 por 100 de la población urbana de los países menos desarrollados y al menos un tercio de la población urbana global.[91]

---

89   *Ibid.*, p. 134.
90   *Idem*.
91   Mike Davis, "Planeta de ciudades-miseria. Involución urbana y proletariado informal", en *New Left Review* 26, marzo-abril de

Las reflexiones de Davis son aplicables para una zona de Monterrey que vive esas carencias: "áreas urbanas hiperdegradadas": hambre, falta de educación, de vivienda; de lo mínimo para sobrevivir con dignidad. También se les conoce como islas urbanas, territorios que están dentro de la ciudad y al mismo tiempo afuera, son una zona excluida de las bondades del progreso, pero que pertenecen a la ciudad.

El periodo del personaje en la cárcel entre narcotraficantes, criminales, rateros, prostitutos y secuestradores es un estadio en el que se alimenta de violencia e injusticia, donde predomina la ley de la jungla y donde sólo los más fuertes y poderosos sobreviven.

El Chato, Ramiro, es un ser atrapado por los condicionamientos sociales, después, mediante la violencia, parece que logra recuperar la decisión de ser, sin embargo se adapta a la normatividad de la delincuencia y termina convertido en un asesino a sueldo y determinado por las decisiones de un patrón que le da órdenes. Así, Ramiro se libera de sus ataduras, del sometimiento, pero se convierte en un ser atrapado en sí mismo.

El protagonista es un sujeto escindido, lo muestran las distintas identidades que asume. El tiempo que pasa viviendo junto a los vagabundos subraya la precariedad de su existencia; la relación con una pordiosera muda, la fuga corriendo por el desierto, en una carretera infinita buscando alcanzar la frontera, "al otro", la estancia en la cárcel, todas son grietas que lo desintegran, estaciones en su camino.

¿A qué se debe esa fragmentación de su proyecto de vida? ¿Qué muestra en sus andanzas? Una sociedad de escasez y explotación, seres sin posibilidad, como si estuvieran encarcelados, encajonados, viviendo en una sociedad insegura donde la libertad y la igualdad quedaron apenas como remedo de una construcción ideológica fallecida antes de su realización. Según el filósofo Ricardo Forster:

> Pero sí tenemos, en estos tiempos de vaciamiento espiritual, de aculturación, de neobarbarie, de neoalfabetización, de pérdida de sentido, de desutopización, de ignorancia creciente, de mitos que van devorando la autoconciencia de los hombres, la posibilidad de volver a plantear y a discutir el estatuto de subjetividad, el estatuto de la autonomía, el estatuto de la emancipación, el problema de la libertad; el problema de la relación entre la libertad y la barbarie.[92]

2004, p. 9.
[92]   Nicolás Casullo *et al.*, *Itinerarios de la Modernidad...*, *op. cit.*, p. 270.

Todos estos rasgos aparecen tipificados en los personajes que muestra la narrativa de Parra y los distintos capítulos de *Nostalgia de la sombra* ejemplifican esta sintomatología. Son contrastes sociales que proyectan una polaridad devastadora y que se ponen de manifiesto en las descripciones de los distintos espacios que muestra la novela.

Bernardo advierte que su proyecto personal es imposible, su vida privada se desvanece, así como su capacidad de ser "alguien", de ahí sus miedos e inseguridades. Esta actitud de pérdida se manifiesta a lo largo de la novela: al cambiar de identidad, en las estancias en el basurero y en la cárcel, en los múltiples asesinatos, en la pérdida de lazos familiares. Estos sucesos lo llevan a una cosificación; se evade del tiempo real y vive un purgatorio que no termina; es la oscuridad, la carencia de un ideal lo que le impide tener certezas, explicaciones, dar cuenta de lo que le pasa, donde pierde su relación con lo real.

La vida del personaje es la contraparte del proyecto de la modernidad, de acuerdo con las ideas que Forster enuncia sobre este proceso:

> La conciencia ilustrada creía que era posible dar cuenta de la realidad, creía que era posible atravesar con las luces de la razón las oscuridades de la naturaleza, explicarlas, dar cuenta de su orden profundo, construir lenguajes que fueran capaces de explicar el movimiento de la naturaleza, el movimiento de las sociedades, el movimiento de las conciencias. Esta certeza de la explicación absoluta, esta capacidad inherente al sujeto racional de dar cuenta del mundo, esta idea ha estallado.[93]

Diferentes imágenes de escapatoria, de viaje y travesía son reprimidas por dos perímetros de límite y clausura: su encuentro con la frontera y su estancia en la prisión de La Loma en Nuevo Laredo.

Zygmunt Barman, al teorizar sobre las fronteras, cita al pensador Albert Melucci, quien habla del límite, el cual:

> [...] representa confinación, frontera, separación; por tanto también significa reconocimiento del otro, el diferente, el irreductible. El encuentro con la alteridad es una experiencia que nos somete a una prueba: de ella nace la tentación de reducir la diferencia por medio de la fuerza, pero también puede generar el desafío de la comunicación como emprendimiento siempre renovado.[94]

---

[93]   *Ibid.*, p. 266.
[94]   Alberto Melucci, *The Playing Self. Person and Meaning in the Planetary Society*, p. 129, citado en Zygmunt Bauman, *La*

El Chato busca deslindarse de su identidad; al cruzar el río desafía el orden, sin embargo la frontera le pone un límite, una ley a través de la cual "el otro" le marca la diferencia.

La pérdida de fundamentos se muestra en la novela a través de un realismo desquiciado: el protagonista perdido en los tiraderos de basura, comiendo porquería, bebiendo agua sucia o mezcal, caminando muchos kilómetros para llegar al límite, a la frontera; como migrante encarna la alegoría de una falta de fundamento, de estabilidad. Ramiro no tiene control sobre su entorno ni su destino. Como se mencionó, la falta de un proyecto es corolario de la crisis de la modernidad.

Cuando se convierte en asesino hay una liberación de sus fuerzas destructivas, hay un desorden que lo aparta de la ley; extravía el reflejo en que afirmaba su auto-imagen de sujeto-unidad; al matar subvierte el orden y pierde los fundamentos paradigmáticos de unidad, de verdad. El asesinato lo marca como individuo fuera de la norma; la muerte de los tres primeros hombres lo señala para siempre como asesino. Sus actos lo introducen al mundo de la irracionalidad, pierde legitimidad, y adopta el crimen como su medio de identidad. El personaje de Ramiro manifiesta a través de los asesinatos marcas de una sociedad confundida; sus reacciones son primitivas a pesar de vivir rodeado de instituciones que simulan ser modernas.

Ésta es una de las causas de la fragmentación del protagonista, de sus contradicciones, de los desdoblamientos de su yo, de las diferentes identidades que el lector observa conforme se desarrolla la novela.

¿Es Bernardo-el Chato-Genaro-Ramiro ese personaje delincuente que imaginó en los guiones de película?, ¿cuál de sus múltiples yo es el verdadero?, ¿es sólo un fragmento de cada uno de ellos?, ¿es una identidad desfigurada? Para el filósofo Jean Baudrillard:

> De todas las prótesis que jalonan la historia del cuerpo, el doble es sin duda la más antigua. Pero el doble no es exactamente una prótesis: es una figura imaginaria que, como el alma, la sombra o la imagen en el espejo obsesiona al sujeto como su otro, hace que sea a la vez él mismo sin reconocerse jamás, obsesionándole como una muerte sutil y siempre conjurada. No siempre, sin embargo; cuando el doble se materializa, cuando se vuelve visible, significa una muerte inminente.[95]

---

globalización. Consecuencias..., *op. cit.*, p. 18.
[95]   Jean Baudrillard, *La transparencia del mal*, Barcelona, Anagrama, 2001, p. 123.

En cada capítulo el personaje evoluciona y sus múltiples caras reflejan distintas imágenes a través de sus dobles. No se conforma con ninguna identidad; su última cara, antes de morir, la de Ramiro, es reflejada en un espejo y su visión le parece decadente.

¿Por qué estas escisiones, esta desintegración de la unidad? El protagonista es la manifestación de ciertas problemáticas de la modernidad que ubican al ser humano en situaciones límite. Es también la representación de ciertas manifestaciones de la condición humana como la violencia. Para lograr la deconstrucción del sujeto, su conversión en un subalterno, en un ser sin historia, Eduardo Antonio Parra diseña un narrador con varias modalidades.

El relato tiene una constante: la conjugación de varios narradores: el nivel del él, del yo y del tú con diferentes posiciones y miradas en la narración. Hay un narrador extradiegético omnisciente en tercera persona que aparece a lo largo de los capítulos, con una clara función vocal. Por él conocemos algunos antecedentes del personaje, los escenarios en que transita, y nos introduce a la problemática del protagonista.

Pero éste no es el único punto de vista, no es la única perspectiva del relato, ya que sin intermediación alguna de este narratario heterodiegético, aparece la modalidad del discurso directo, donde el personaje protagonista interviene y desde su perspectiva narra también los hechos, a través de un flujo de conciencia cristalizado en forma de monólogo, o dialogando imaginativamente con los personajes; así, el discurso figural queda referido tal y como supuestamente lo pronunció el personaje en cuestión, en este caso el protagonista.

El paso de un narrador a otro es directo, sin mediar ninguna tipografía o intervención del narrador omnisciente. Generalmente, cuando el narrador relata en tercera persona y se comentan hechos relacionados con otros personajes, les cede automáticamente la voz. Esta polifonía narrativa permite tener otra perspectiva de los hechos y muchas veces remite a un presente de la locución:

El hombre de las cuentas enciende de un golpe todas las luces del salón y Ramiro alza la mano frente a los ojos para bloquear el resplandor. Comprende que debe irse. Decide que debe dejar la copa a la mitad y hace un esfuerzo por levantarse. El demonio. Cada uno de nosotros lo carga escondido en las entrañas. Queremos que salga porque cuando se agita retorciéndose nos sentimos hinchados, a punto de reventar. Para eso ayuda el trago, ¿no, morena? Pero aquella noche sólo fueron cuatro cervezas. Ni una más. Por eso no quiero regresar.

No hay nada mío ahí. Ése no era yo, sino el otro. El que ya no reconozco. Logra caminar rumbo a la salida sin tambalearse. La luz lo aturde y cada zancada le palpita en las sienes.[96]

La cita anterior ilustra el paso del narrador en tercera persona al narrador personaje que muestra sus conflictos interiores, sus miedos. Es el instante en que Ramiro está temeroso de volver a Monterrey, de realizar el viaje y encontrarse con su antiguo yo, con Bernardo, aquel otro que ya no le pertenece.

La narración, estrictamente focalizada en la conciencia del protagonista, es muy fuerte en esta novela, porque su objetivo es adentrarse en la mente de un asesino y en la complejidad de sus intenciones. Las sombras que desde el título se evocan hablan ya de un personaje tan complejo que es difícil asir por completo; es un personaje con muchas aristas, la misma multiplicidad del nombre ya señala la fragmentariedad de su existencia, por lo que el lector, a la manera de un *puzzle*, debe juntar y organizar las piezas.

Asimismo, habría que señalar que el narrador intradiegético de *Nostalgia de la sombra* tiene una fuerte presencia; sin embargo, dada su focalización, los sucesos son relatados desde una perspectiva subjetiva, por lo que tendrá siempre limitaciones: espaciales, temporales, cognitivas, perceptuales, afectivas, ideológicas y estilísticas.

Además de estas dos posiciones, el narrador asume también una posición en segunda persona; es decir, desde un tercer nivel.

El tú en ciertos momentos es una proyección del yo, pero va mucho más allá; cuando le habla a esta segunda persona, es el tú refiriéndose a Maricruz, pero, ¿quién es ella? No es solamente la mujer a quien va a matar; cuando el narrador intadiegético le habla al tú, a Maricruz, transita en una dimensión simbólica. Significa el receptáculo de sus crímenes, la causa de su violencia, el eco de sus resentimientos, las motivaciones de su vida errante; una extensión de su yo.

La ciudad como escenario de tensión entre el yo y el otro, entre lo local y lo global
El yo y el otro
Ramiro Mendoza Elizondo le tiene miedo a la nostalgia porque sólo le trae "calamidades"; pero

---

[96]   Eduardo Antonio Parra, *Nostalgia de...*, *op. cit.*, p. 27.

en su regreso al origen, cuando llega de nuevo a Monterrey, a cumplir con el último mandato de su amo, se enfrenta a sus sombras, a su pasado.

Al contemplarse en el espejo de la habitación del hotel, los reflejos de su imagen le entregan una identidad desconocida, lo señalan como un ser amaestrado; la sombra en el espejo le devuelve la cara de un hombre elegante, con corbata, vistiendo un traje de última moda, aburguesado. Los reflejos le señalan que ha perdido su libertad, además se le ve hastiado, aburrido. Ha entrado en una monotonía producto de la violencia:

> Cómo ves, Maricruz, cualquiera pensaría que la vida de un asesino es emocionante. Falso [...] Ramiro se empeña en evocar las últimas mujeres con quienes estuvo, pero una bruma las desdibuja antes de que su memoria les dé alcance. Intenta ubicar las imágenes mentales que le provocan excitación sexual. Ninguna de ellas incluye rasgos de una figura como la de Maricruz Escobedo. En todas aparecen en cambio, rasgos que identifica con quien fue su esposa. No hay remedio. La verdad es que soy un conservador sentimental. Un marido fiel, en el fondo. Un clasemediero de mierda. Conforme pasan los años me parezco más a mi padre y a mi abuelo. No importa lo que haga. Siempre seré lo mismo.[97]

Han pasado los años y está convertido en un asesino aburrido; se da cuenta y dice para sí: "siempre seré lo mismo". Ramiro realiza un viaje en el que se concientiza de que los desdoblamientos, sus otros yo, la alteridad, no han logrado hacerlo trascender.

La última orden de su jefe lo lleva a romper sus códigos morales: matar a una mujer estaba fuera de sus planes. Pero Ramiro se convence de que debe asesinar a Maricruz Escobedo de Treviño, de origen similar al suyo, de clase media, porque según sus conjeturas se había puesto como meta escalar socialmente y cambiar su vida mediocre por la posesión y la riqueza. Después de una maestría en Estados Unidos, ella se dedica a lavar dinero en una casa de bolsa.

El protagonista poco a poco se va obsesionando con su muerte; matarla es poseerla, es proyectarse en ella; la imagen de Maricruz le muestra sus propias sombras: los grilletes de una clase social, el resentimiento, el coqueteo con el mal y con la violencia. Se da en Ramiro una reconversión de su vacío en agresiones contra el equilibrio, contra los otros. Su falta de trascendencia en un trabajo poco creativo, su vida de monotonía, el vacío y la finitud se convierten en hostilidades.

---

[97] Eduardo Antonio Parra, *Nostalgia de...*, *op. cit.*, p. 114.

En este sentido, podría decirse con Freud, "la pulsión de agresión es la heredera y representante principal de la pulsión de muerte".[98]

Con Maricruz, se ve seducido una vez más por el placer de asesinar: "Nada como matar a un hombre". El sentido de la frase inicial del libro clausura la novela, y en el acto de asesinar se entrega a ella, a la mujer que lo fue cautivando durante todo el proceso de premeditación del crimen. Aparece la muerte como un acto sexual, donde Eros y Tánatos son conjurados. Ramiro-Bernardo se libera para después perder la memoria; el acto es un bautizo, una iniciación, la entrada de nuevo a la libertad; rompe con su carcelero y al mismo tiempo recupera la orfandad y la eternidad para siempre.

Sin una guía, sin un faro, Ramiro se acerca a su propia muerte, una agonía que inició a partir de sus propios crímenes, donde los valores morales salieron de su órbita, donde la destrucción fue el eje que coordinó su vida, una vida sellada por la nada, simbolizada en sombras. Así, el mal se instala como único sobreviviente.

Al protagonista de la novela lo conocemos, además de por su propio discurso, sólo por las anotaciones realizadas por el narrador; a los otros personajes los construimos a partir del discurso de Ramiro o por lo que el narrador concluye a partir de lo que Ramiro piensa, comenta o hace.

Por disposición de Damián Reyes Retana (su jefe), Ramiro vuelve a su origen, a Monterrey; de su jefe tenemos un retrato cuya identidad física y moral se señala desde las primeras páginas de la novela: joven y elegante, con el poder de decidir el destino de las personas, ya que señala quién muere y quién no. En el capítulo once se plantea la posibilidad de que en el último momento, Damián decida perdonar a Maricruz.

Sus señas de identidad son conjeturas del protagonista, quien cree que Damián Reyes Retana pertenece a una de las familias más poderosas del país ya que obtuvo un doctorado en Chicago y fue condiscípulo de varios políticos. Por esa referencia se infiere que estos últimos eran priístas influyentes en los sexenios de los presidentes Carlos Salinas de Gortari y Ernesto Zedillo, tecnócratas que implantaron el modelo neoliberal en el país.[99]

---

[98] Sigmund Freud, *El malestar en la cultura*, citado en Javier Urra Portillo, *Violencia...*, *op. cit.*, p. 7.

[99] 'También en Chile fueron famosos los "Chicago Boys", jóvenes políticos economistas que estudiaron en Chicago y quienes durante la dictadura del general Augusto Pinochet implantaron el modelo neoliberal conduciendo a Chile al avance macroeconómico.

En este sentido, hay una carga ideológica en toda la novela que enfatiza la articulación del poder empresarial, el poder político y la delincuencia organizada. El oficio de Damián es dirigir una empresa consultora en seguridad, por eso tiene personal ampliamente capacitado en estrategias de defensa. Al contratar a presos de cárceles de alta seguridad, se concluye que tiene protección del Gobierno y que sus relaciones le permiten corromper a las personas encargadas de la seguridad del país. Su tarea es entrenar a criminales hasta hacerlos profesionales, refinados, educados y eficaces. También contrata a pandilleros de barrios chicanos y a gente marginal de colonias perdidas.

¿Para quién trabaja? ¿Quiénes son sus clientes? Según Ramiro, gente perteneciente a los grupos industriales, a los partidos políticos, al Gobierno, a narcotraficantes, incluso amantes dolidas o herederos deseosos de cobrar la herencia de algún familiar vivo todavía.

Sin embargo, la fortaleza de Damián es vulnerable; el miedo también lo persigue: "Ramiro había adivinado en Damián un destello de aprehensión que en ocasiones agrietaba su careta. Quizá el oficio en el que triunfaba no fuera el soñado [. . .] Como tenía familia, esposa y cuatro hijos a quienes se esforzaba por mantener ocultos, también debía tener debilidades. O miedo".[100]

Las menciones a Damián son escasas, sin embargo son importantes porque este personaje ha determinado la vida de los últimos diez años del protagonista, e incluso ha modificado su personalidad, al envolverlo poco a poco en el mundo del confort y de las necesidades materiales. Ramiro, seducido por el consumo, por lo fácil y efímero, ahora tiene una casa elegante, dinero, seis meses de vacaciones, pero no deja de ser el esclavo de Damián, "su perro fiel"; de esta manera, la libertad que conquistó hace diez años, cuando se liberó del miedo al matar por primera vez y abandonar su pasado, en el presente es sustituida por una dependencia con el crimen organizado. Una organización con un poder mayúsculo, con una fuerza extraterritorial y con un dominio absoluto. Ramiro vive a expensas de este nuevo control y muere en manos de él:

Alzó los ojos y se sorprendió al reconocer su figura en el espejo. ¿Éste soy yo? Un tipo de traje pálido, corbata de seda anudada en un triángulo perfecto y camisa impecable sonrió detrás del vidrio y movió los labios en un susurro conocido. Ya te vi. En ese instante Ramiro experimentó la clara sensación de haber traicionado un anhelo, un ideal. El hombre del espejo era el mismo que, semanas atrás, descansaba en su casa campestre

---

[100]   Eduardo Antonio Parra, *Nostalgia de. . .*, *op. cit.*, p. 17.

entre la paz y el silencio, con la tranquilidad de una buena cuenta bancaria abultada, sus necesidades resueltas y el futuro asegurado [...] ¿En quién me estoy convirtiendo? [...] Me estoy convirtiendo en Damián. Volvió a ver en el espejo su cabello bien peinado, ningún pelo fuera de su lugar, el mentón y las mejillas sin asomo de sombra, los dientes limpios y las uñas cortas. Se concibió unos meses atrás, en México, en el interior de un sótano donde lavaba coches. O antes, en el penal de La Loma en Nuevo Laredo, cuando se llamaba Genaro Márquez y le decían el Barbas, el Marqués, el Generoso, un preso entre cientos. O cargando bultos en el puente internacional, o en el basurero en compañía de la Muda, en la época en que lo conocían con el apodo de el Chato y andaba siempre lleno de mugre, sangre, tierra. Sí, igual que un niño: libre y feliz. ¿Cuándo cambié? ¿A qué horas me amaestraron?[101]

Esta cita, que corresponde a las últimas páginas de la novela, habla del proceso de deterioro que sufre el protagonista a partir del contacto con el poder, la ambición, el dinero. Damián es para Ramiro un demonio que lo esclaviza. La narración va mostrando distintos estadios en el proceso de deterioro del protagonista, desde sus primeras muertes hasta el asesinato de Maricruz; sin embargo, logra vencer a su amo no contestando el teléfono y, según su propia conjetura, matando a la mujer a quien su jefe ya no necesitaba muerta.

Damián es un símbolo de corrupción, su rol en la novela es ser el patrón de Ramiro para que éste exista como gatillero. Además, es el receptáculo donde el narrador ahonda en las sombras del mundo empresarial y político. Damián hace el trabajo invisible, es el autor intelectual de las muertes, no se mancha las manos, pero de él depende quién muere. Utiliza a sus empleados, quienes ante las autoridades y la sociedad son los criminales, aquéllos que fácilmente pueden morir en los enfrentamientos entre delincuentes, tal como le sucede a Ramiro.

Damián pertenece a ese tipo de sujetos reconocidos porque "utilizan la violencia como método/instrumento para fines extrínsecos (como dinero, producir un cambio político, obtener gratificación sexual, fines militares, etcétera)".[102]

De la relación entre ellos, se advierte la complejidad de la problemática del protagonista, los límites entre el bien y el mal no existen; con Damián y Ramiro ahondamos en la era del vacío, donde la moral no cuenta, los crímenes son parte de su *curriculum vitae*. En lo social se perfila

---

[101] *Ibid.*, p. 287.
[102] Javier Urra Portillo, *Violencia...*, *op. cit.*, p. 157.

la existencia de un nuevo Estado, el del crimen organizado que se ha adueñado de la legalidad; un Estado dentro de otro que incluso supera los límites y se transforma en ocasiones en un poder trasnacional. El debilitamiento del máximo orden político de la modernidad es evidente en esta novela; la serie de crímenes impunes, los actos delictivos en las cárceles, el poder de una élite que está por encima de la justicia hablan de un Estado totalmente desvirtuado. Según Alberto Riella:

> Acerca de la situación del Estado, existe un gran consenso en torno a la idea de que es cada vez menos capaz de cumplir sus funciones básicas y que en la práctica la definición weberiana –de monopolio de la violencia física legítima– parece ya no dar cuenta de las características del Estado contemporáneo. Lo que tiende a predominar, en cambio, es la privatización de la violencia, que se suma también a la informalidad, a los mercados negros, a la evasión fiscal, al trabajo clandestino y al déficit en la aplicación de la justicia que son moneda corriente en la mayoría de los países del mundo. A todo esto se agrega el aumento de la violencia ilegítima de parte de los propios aparatos del Estado que se constata por el aumento de la represión y la tortura. Por otra parte existe la sensación en la población de que los crímenes quedan impunes, lo que revela una aguda crisis en las formas de acción de los sistemas judiciales. En razón de esto, el Estado-nación aparece como cada vez más incapaz de velar por la seguridad de los ciudadanos y de proteger sus bienes, tanto materiales como simbólicos en tanto que la fragmentación cultural contribuye a tornar más débiles las formas de acción del Estado-nación ya que éste no puede reclamar para sí el monopolio de la identidad cultural de sus ciudadanos.[103]

Damián es un claro ejemplo de este tipo de organizaciones, las cuales utilizan los mismos procedimientos que los de una empresa establecida: actúan de acuerdo a criterios económicos, hay una división de trabajo y una especialización de la mano de obra (tal es el caso de la búsqueda de gatilleros dentro de las cárceles, con características específicas, adecuadas al trabajo que se realiza).

Damián trabaja como un empresario exitoso y sus actividades ilícitas son agazapadas con las vestiduras que le dan sus títulos universitarios; su estatus económico, por lo tanto, pasa desapercibido en su calidad de ilegal, incluso se habla de un reconocimiento social que su propio apellido Reyes Retana le otorga. Los sucesos relacionados con Damián y Maricruz hacen inferir al lector que existe un cierto control de los grupos criminales del sistema financiero.

---

[103]   Alberto Riella, *Violencia y control…*, *op. cit.*, p. 7.

Con la modernidad, quien tiene una mayor relevancia es el individuo, él se convierte en el centro de la acción y de las relaciones; la época de la barbarie idealmente cede la partida a una nueva institución: el Estado. La tarea de éste es regular las funciones sociales y desarrollar un aparato policial para la vigilancia; es el responsable de ejercer la justicia para controlar la violencia:

> [...] fue la acción conjugada del Estado moderno y del mercado lo que permitió la gran fractura que desde entonces nos separa para siempre de las sociedades tradicionales, la aparición de un tipo de sociedad en la que el hombre individual se toma por fin último y sólo existe para sí mismo.[104]

El crimen organizado que aparece comandado por la figura de Damián Reyes Retana, así como el poder del narcotráfico en la cárcel de Nuevo Laredo y el lavado de dinero en la casa de bolsa donde trabaja Maricruz, son indicios que sugieren la presencia de una fuerza superior por encima de la institución del Estado. La problemática del narcotráfico resuena varias veces en la novela. Es, desde el inicio, el tema de uno de los guiones que pensaba escribir Bernardo para su película, la acción se desarrollaría en medio del poder del narco.

Por otra parte, una de las conjeturas que se establece sobre la identidad de Maricruz es su relación con el lavado de dinero. Además, muchos de los presos encarcelados en el penal de Nuevo Laredo están ahí por delitos contra la salud. Este tema no es gratuito en la obra de Parra; si se revisa el historial del noreste en relación con esta problemática, es una noticia permanente en los periódicos que delatan cómo la seguridad y la salud de la ciudadanía están siendo amenazadas continuamente por el poder de la delincuencia organizada.

Para mostrar este drenaje profundo, el narrador recurre a un discurso coloquial, especialmente al incluir la caracterización de ciertos ambientes, como el carcelario:

> [...] esos batos sí son cabrones, ese, los más gaviotas de por aquí, afirmó Reyes Menchaca, sincho, el que se mete con ellos no la cuenta, compa, el Jorongo mostraba entusiasmo al hablar, no se andan con mamadas, o te matan o te matan, ah, chingá, ¿pos qué son Rambo o qué?, casi, carnal, el que menos lleva sus tres muertitos, ¿y eso se te hace mucho? No te pongas pendejo, ese, haz caso, dos o tres de ellos fueron sicarios del cártel, han bajado cabrones aquí, en el De Efe, en Tijuana, en Juaritos.[105]

---

[104]   Gilles Lipovetsky, *El crepúsculo del deber*, *op. cit.*, p. 192.
[105]   Eduardo Antonio Parra, *Nostalgia de...*, *op. cit.*, p. 240.

Este fragmento ilustra el interés del autor por mostrar una realidad marginal con la marca social que conlleva. El vocabulario, aunado a una gran cantidad de sensaciones, hacen del texto una narración que produce atracción o rechazo en el lector, empatía o distancia, compasión o antipatía, porque por momentos el hiperrealismo es desafiante.

La importancia del jefe de Ramiro, Damián, radica en que representa diferentes tipos de violencia así como de poder; la estructura social, económica y política está determinada por la circulación de estos factores y la afectan en múltiples direcciones.

Los estudiosos del crimen organizado encuentran su fuerte repercusión en la economía:

> Los efectos conjuntos del crimen organizado en el ámbito de la economía son inflación, una distribución ineficiente de rentas, la disolución del libre mercado y la regulación económica estatal, pérdidas substanciales de productividad, una visión cortoplacista de la inversión contraproducente con el crecimiento económico prolongado y, en ocasiones, sobrevaluación monetaria. Sobre el sistema financiero en particular, la volatilidad de los capitales en manos de los grupos criminales dificulta las acciones correctas en materia de política económica y provoca inestabilidad en las instituciones bancarias y en el mercado del dinero en general, lo cual puede llegar a generar una crisis económica profunda. En definitiva, el crimen organizado provoca desequilibrios económicos y largos periodos de recesión económica, perjudicando gravemente la competitividad internacional en un entorno económico cada vez más globalizado. En última instancia, en países con economías fuertemente dependientes del sistema productivo criminal, adictas incluso, por utilizar términos de drogodependencia, cualquier esfuerzo por erradicarla volviendo a un funcionamiento eficiente de los mercados, de la política y de la sociedad en general provocará efectos recesivos en la economía y la consecuente contestación social.[106]

La novela apuntala este tema que, ligado al desarrollo de un modelo económico que ha acentuado las polarizaciones sociales, acrecienta algunos problemas de la globalización ya que no logra equilibrar las medidas económicas con la aplicación de políticas públicas equitativas que ayuden a combatir la pobreza, el desempleo y la marginación.

Maricruz representa para Ramiro un desafío, pues respetando a las mujeres se encuentra ante la tarea de tener que matar a una. Su código de honor choca con la nueva orden designada por su jefe. Los capítulos que remiten al presente narrativo muestran a un personaje confundido ante

---

[106]   Carlos Resa Nestares, *Crimen organizado trasnacional: definición, causas y consecuencias*, Universidad Autónoma de Madrid. Consultado en http://www.uam.es/personal_pdi/economicas/cresa/text11.htm

las implicaciones que representa este asesinato, por momentos convencido e incluso disfrutando por anticipado el placer de matarla. Ramiro construye la imagen de la ejecutiva de bolsa y busca justificar el asesinato que le han ordenado.

Maricruz es un personaje descrito detalladamente, el narrador intradiegético ahonda en su intimidad, en sus sentimientos y ambiciones. La información sobre ella se adquiere gracias a los monólogos de Ramiro o a sus intentos de diálogos imaginarios con ella. Es una mirada muy subjetiva, y el lector sólo la conoce a través de la intervención del protagonista; hay una clara focalización interna.

La mayoría de los datos se conocen por el narrador protagonista o por la breve información que Damián proporciona a su empleado; así, el lector se entera de que Maricruz se apellida Escobedo de Treviño, vive en la colonia Vista Hermosa, en Monterrey; tiene cuarenta y dos años, se mueve en círculos sociales altos, posee un automóvil Honda de color verde que hace juego con sus ojos color esmeralda, estudió en el Tecnológico de Monterrey la carrera de Administración, y ahí tenía relaciones sexuales con los compañeros ricos para ir escalando en el estatus social. Después consigue una beca para hacer un posgrado en Finanzas en la ciudad de Chicago, donde vive tres años, y ahora tiene un chofer que es a la vez su guardaespaldas, trabaja en una casa de bolsa y tiene esposo y dos hijos. Todas estas marcas —colonia, universidad, automóvil, estudios en el extranjero— construyen el *habitus* de Maricruz y establecen su posición dentro de una clase social alta, opuesta a la del protagonista.

Maricruz representa el mundo de la globalización por el tipo de trabajo que desempeña. Si a inicios de la modernidad el ferrocarril fue el ícono que inauguró una nueva forma de concebir el tiempo y el espacio, a finales del siglo XX es la computadora la que marca un nuevo tiempo, un nuevo espacio cibernético. Las transacciones y los negocios que Maricruz realiza pertenecen a los espacios que según Paul Virilo:

> [...] no están provistos de dimensiones espaciales sino inscritos en la temporalidad singular de una difusión instantánea. En lo sucesivo, no se puede separar a las personas por medio de obstáculos físicos o distancias temporales. Con la interfaz de las terminales de los ordenadores y los monitores de video, las distinciones entre aquí y allá pierden todo significado.[107]

---

[107] Paul Virilo, *The Lost Dimension*, p. 13, citado en Zygmunt Bauman, *La globalización*, *op. cit.*, p. 27, nota 7.

Así, la destinataria de las acciones criminales de Ramiro representa a una élite a la cual él no puede tener acceso por la vía legal, sino sólo a través de un acto de delincuencia.

El gatillero construye una historia sobre su víctima, un constructo verosímil o no, edificado con base en supuestos o inferencias que el lector nunca puede comprobar. Ramiro intuye que posiblemente el esposo de Maricruz la engaña y vive un matrimonio de conveniencia, que en su vida anterior perteneció a la clase media y trató siempre de escalar socialmente, que sus papás conformaron un matrimonio tradicional (la mamá haciendo las veces de una empleada doméstica de su hogar) y que los esfuerzos de éstos se vieron recompensados porque lograron darle a su hija una buena educación para que ella sí triunfara en sociedad.

Ramiro la considera muy poderosa, incluso la bautiza con un epíteto que sintetiza su personalidad: "la dama de hierro". También la denomina "zorra" y "tigresa", adjetivos que hablan de una mujer fría, sagaz y fuerte. Es una ejecutiva de altos vuelos; durante su vida, rodeada de empresarios e inversionistas, ha recibido mucho y esto le permite gozar de grandes influencias. Sin embargo, después de un intento por lograr un trabajo decente acaba corrompiéndose como único camino para lograr la riqueza: lava dinero.

El personaje establece muchas conjeturas; por ejemplo, cree que Maricruz y Damián se conocen, y aunque él no está seguro de por qué la tiene que matar, piensa:

> En fin, sabe manejar dinero. Sabe cómo esconderlo por un tiempo con el fin de escamoteárselo al gobierno y también cómo hacerlo reaparecer. Sin embargo ya comenzó a estorbar. Seguro le ganó la codicia y se aventó una maroma para embolsarse más de lo que le tocaba. O no cuajaron las acciones y sus patrones salieron perdiendo.[108]

En esta cita, la focalización nos remite únicamente a lo que Ramiro intuye, por lo que el lector construye una imagen limitada del personaje, pues sólo conocemos a Maricruz por los comentarios que hace el protagonista. ¿Será realmente Maricruz una mujer corrupta? ¿Serán ésas sus intenciones? ¿Su carrera está basada en el fraude? ¿Será Maricruz calculadora, fría y ambiciosa? Éstas son preguntas que nunca obtienen una respuesta dada la propia focalización del relato.

---

[108]   Eduardo Antonio Parra, *Nostalgia de...*, *op. cit.* p. 69.

Con este personaje, el narrador añade nuevos elementos a la denuncia implícita que se percibe en los sucesos de la novela. Personajes fríos, calculadores, amantes del poder económico, que se venden sin importar valores morales, carentes de ética, en una sociedad sin escrúpulos.

Al describirla, Ramiro se autodefine; muchas de las cualidades, rasgos y características de la mujer son una extensión de los de él; muchos de los deseos que él atribuye a la "dama de hierro" son o fueron en algún momento también los suyos. Ramiro puede hacer una descripción detallada de las aspiraciones de la clase media porque él perteneció a ella, él sufrió los estragos de un trabajo mediocre y esclavizante.

Las envidias que Ramiro ve en Maricruz son las mismas que él tuvo. El retrato de Maricruz, que le proporciona Damián, se adhiere a su ser, acaba besándolo, acariciándolo e intentando hacer el amor con él. Simbólicamente es como una simbiosis donde la intenta poseer, fundirse en una sola identidad. Sabe que tanto Maricruz como él son ahora personas enriquecidas como producto de la deshonestidad. Poseen grandes cantidades de dinero y de poder, pero siguen siendo esclavos, sólo han cambiado de amos.

A través del capítulo nueve, donde Ramiro dialoga ficticiamente con Maricruz, el personaje narrador hace una fuerte crítica a la clase alta regiomontana que vive una doble moral, una vida de apariencias, un materialismo como norma de vida:

> Ese precioso título, la maestría con honores, que tanto esfuerzo te había costado, no te ayudaría a salir de las filas de la servidumbre de quienes en verdad poseen el dinero y el poder [...] los estudios no abren ninguna puerta ni sirven para trazar caminos. ¿No te parece acaso una broma de pésimo gusto? Mejor la vagancia, la delincuencia desde el principio: el dinero fácil, que a fin de cuentas es el único al que tenemos acceso los simples mortales [...] Te llevó una larga temporada convencerte de que ni tu inteligencia, ni tu belleza, ni tu preparación, y, tratándose de Monterrey, ni tu sexo, impedirían que fueras una simple empleada, a sueldo fijo, con bonos, premios y comisiones tal vez, laborando duro sólo para que otros fueran quienes se volvían más ricos y poderosos.[109]

Esta cita es muy reveladora, en cuanto muestra el resentimiento social de Ramiro, pues advierte la artificiosidad de la clase alta, la deshonestidad, y donde el capital económico es mucho más

---

[109]   *Ibid.*, p. 218.

valioso que los capitales sociales y culturales. El título de Maricruz como economista, su especialización, salen sobrando, ya que la astucia para robar es la mejor carta para ascender en la escala económica donde ella compite. Se transparenta también la impotencia del ser humano al estar encerrado en un laberinto donde las alternativas de crecimiento están vedadas para una clase que no goza de apellidos ni un pasado que los certifique ante la alta sociedad.

Al matar a Maricruz, Ramiro consuma su tarea, impuesta primero por su jefe y después por él mismo. Su muerte se convierte en sacrificio, en la expiación que lo conduce una vez más al terreno de las sombras, al mundo donde siempre ha pertenecido.

Lo local y lo global

La ciudad que enmarca la mayoría de los sucesos que integran la fábula de *Nostalgia de la sombra* es Monterrey.

Parra presenta un relato de contrastes que van desde la colonia del Valle, la zona más rica de la ciudad de Monterrey, con sus centros comerciales, grandes edificios, restaurantes y casas de bolsa, hasta el espacio de la marginación: los basureros, la chatarra, las casas de cartones viejos y mojados, la fruta echada a perder, el desperdicio, los insectos volando entre las ratas, donde no existen providencias ni redentorismos y donde no hay una epopeya del héroe; así, el lector se encuentra ante un protagonista desmitificado.

Se describe Monterrey como una ciudad perteneciente a la definición de ciudad emergente, a diferencia de las ciudades propiamente globales del mundo desarrollado. García Canclini menciona que en las urbes emergentes se "vive en la tensión entre formas extremas de tradición y modernización global. Esa fractura genera oportunidades de integración internacional y a la vez desigualdad, exclusión económica y cultural".[110]

Desde el primer capítulo se empieza a evocar como una ciudad de oposiciones; se subraya antes que nada el concepto de clase social y los niveles que distinguen a sus colonias: en la Vista Hermosa vive Maricruz, colonia de clase media alta, sin embargo trabaja en la colonia del Valle, espacio donde vive la clase alta de la ciudad y donde están establecidos lujosas oficinas y comercios.

---

[110] Néstor García Canclini, *La globalización imaginada* , *op. cit.*, p. 168.

Entre los recursos lingüísticos, utilizados para producir la ilusión referencial, destaca el uso sistemático de nombres propios con referencias extratextuales, y que se pueden identificar fácilmente en un mapa o una guía geográfica y cultural de la ciudad de Monterrey; por ejemplo, el Mall del Valle, el río Santa Catarina y su ciclopista, la colonia Vista Hermosa, la colonia del Valle, el peniriel, el Tecnológico de Monterrey, el hotel Ancira, el botel Ambassador, la avenida Constitución, la Calzada Madero; restaurantes como El Mirador, El Rey del Cabrito, El Tío y Mc Donald's; los equipos de futbol: Tigres y Rayados; la Central de Autobuses, la Arena Coliseo y municipios cercanos como Guadalupe, Apodaca y San Nicolás; tiendas departamentales como Salinas y Rocha; industrias como IMSA, Vidriera, Cigarrera la Moderna y Cervecería Cuahutémoc; lugares como el cerro de La Silla y la Sierra Madre; extratextos que cobran significación y construyen sinecdóticamente la ciudad de Monterrey.

La palabra Monterrey se repite constantemente; esta multiplicación le da un lugar privilegiado en la narración para enfatizar las referencias con la realidad.

Hay también la alusión a un mito cultural, el significado de dicha ciudad: ciudad industrial, símbolo del progreso, de la modernidad y del trabajo; sin embargo, el protagonista, a través de varios capítulos, tiene la intención de desmitificar, de mostrar una ciudad con una carga ideológica que subraya la decadencia de los valores regiomontanos. Es, por lo tanto, un espacio ideológicamente orientado,[111] dada la cantidad de referentes que un lector mexicano puede tener sobre esta ciudad. Así, el sistema significante se torna complejo, pues no es sólo una descripción de lugares sino además se superponen los códigos que la propia ciudad de Monterrey tiene en su referente cultural. Se da una reelaboración de la ciudad a partir del narrador y la fábula que se está tramando, así se logra una arquitectura de significaciones que el lector a su vez completará de acuerdo a su contexto; por ejemplo, hay alusiones al espíritu emprendedor y trabajador del regiomontano, a su industria, a su clase social obrera, a la cultura del esfuerzo y de la lucha.

Parra transcribe, a la vez, su propia visión de la ciudad; gracias a los detalles, muestra un desmoronamiento de los paradigmas con los que Monterrey es tradicionalmente imaginado. Ofrece las referencias intratextuales que ayudan a un lector que desconoce la ciudad a imaginarla de

---

111   Para el análisis de la dimensión espacial del relato se sigue la teoría narratológica de Luz Aurora Pimentel, *Relato en perspectiva*, México, Siglo XXI, 2002, quien a su vez conjunta el estudio de Greimas, Ricoeur y Genette.

199

acuerdo a la postura del narrador. En conclusión, hay alusiones a un código referencial y a un código específico para que cualquier lector entienda o imagine la ciudad, aunque no comparta su conocimiento porque nunca ha estado ahí:

> Te conozco, pinche ciudad, aparentas calma y sosiego cuando te agitas por debajo del pavimento, detrás de las paredes chillas y das brincos y te hundes, oscureces a tus habitantes y los encoges en tanto tú te dilatas con el fin de llegar a todas partes a devorar inocentes y desprevenidos. Estás llena de maldad, de artificios que te sirven para torcer incautos, hablas en lenguas, modulas cualquier tono, sabes manejar el silencio, desparramas por tus calles lloros, risas, carcajadas y gritos histéricos para infundir miedo o alegría entre quienes pululan en ti. Te disfrazas de paraíso, de ámbito de libertad, y a fin de cuentas pasas tu vida rumiando el desquite contra quienes día a día te machacamos con las suelas de nuestros zapatos... Sí, la ciudad nos odia por haberla convertido en el monstruo que es, por eso la falsa calma siempre se llena de murmullos, de rumores de chillidos sordos: llanto, rencor, crujir de dientes. Son los demonios que hemos engendrado en Monterrey.[112]

El uso de la ironía constante a la hora de describir a Monterrey y a su gente redefine el código cultural que la propia ciudad ha generado. El tono crítico de la narración conlleva al lector a hacer un cuestionamiento sobre los valores de los habitantes de la ciudad; por ejemplo, en la siguiente reflexión: "Nada hay más poderoso para aplacar la conciencia que el trabajo bien remunerado. Filosofía cien por ciento regiomontana. El dinero todo lo cura, hasta los remordimientos. ¿No?".[113]

Nostalgia de la sombra dibuja con claridad una reinterpretación de la ciudad. Se trata de una metrópoli globalizada parcialmente, con varios millones de habitantes, con una población heterogénea y clases sociales dispares; con autopistas, megacentros comerciales, contaminación, inseguridad y con "pancheros, carteristas o piñeros"[114] dedicados a vivir del robo y la violencia. Además, se hace notar la presencia de una multiculturalidad, producto de las migraciones de otras regiones del país:

> Las puertas del edificio no cesaban de vomitar, ni siquiera a esa hora, la sangre nueva que pulularía más tarde por las calles de Monterrey. Viajeros y migrantes, campesinos y turistas de otras ciudades, espaldas mojadas en retorno triunfal o fracasado a su lugar de origen, rostros de hombres tatemados por el sol que abrían los

---

[112]   Eduardo Antonio Parra, *Nostalgia de...*, *op. cit.*, p. 206.
[113]   *Ibid.*, p. 213.
[114]   *Ibid.*, p. 43.

ojos con asombro ante una urbe llena de misterio [...] gordas inmensas cargando cajas de cartón atadas con mecate, y jóvenes, sobre todo jóvenes en busca de trabajo en las miles de fábricas de la ciudad.[115]

El narrador omnisciente comenta que Ramiro, al llegar a la central de autobuses, se encuentra con una gran cantidad de viajeros que buscan una residencia en Monterrey.

Parra contextualiza su novela en el mundo de la globalización, fenómeno que también determina Monterrey, por ser parte de la región del noreste de México que más se ha desarrollado. La ciudad, además, vive los procesos migratorios, ya que llegan trabajadores de otras regiones del país y una importante población indígena con su legado cultural a cuestas, de tal manera que la multiculturalidad ha cambiado el rostro de la urbe.

Nicolás Casullo quien también examina el tema de la migración vinculado a la crisis de la modernidad:

Éste es otro tipo de corrientes migradoras millonarias en número, contemporáneas entre sí y en parte muy arbitrarias en sus variantes, hijas de una globalización económica que arroja como manadas en el planeta muchedumbres de uno a otro lado en todos los continentes, regiones, territorios, ciudades, para conformar una nueva constelación de problemáticas, de inéditos cruces y confrontaciones culturales, una nueva forma de padecer el mundo, de plantear identidad.[116]

El planteamiento es pertinente al confrontar la ciudad de Monterrey con la realidad de nuevas identidades, de fragmentación e incluso de pérdida.

Nostalgia de la sombra presenta también aspectos de la historia contemporánea de la ciudad y cómo se va dando la transformación de las distintas problemáticas; Eduardo Antonio Parra plasma en su novela las barreras que han interferido en distintos momentos de la historia contemporánea, impidiendo una consecución de los ideales de la modernidad.

Ramiro hace referencia a la guerrilla urbana de los años setenta, cuando la Liga Comunista 23 de Septiembre asesinó al empresario Eugenio Garza Sada, promotor industrial de la ciudad y de la modernidad. Menciona además los años ochenta, cuando se inicia la actividad ilícita de

---

[115]   *Ibid.*, p. 42.
[116]   Nicolás Casullo *et al.*, *Itinerarios de la modernidad...*, *op. cit.*, p. 203.

lavado de dinero, que coincide con el cambio que sufre Monterrey; época en que se incrementa la corrupción bancaria y se habla de malos manejos en las casas de bolsa.

El protagonista justifica que la ciudad es mucho más segura que otras, ya que en Monterrey no hay tantos crímenes[117] porque los narcotraficantes están asociados con algunos empresarios, a cambio de la tranquilidad y seguridad para las familias. Los motivos de la delincuencia se generan más bien por otras causas; por temas vinculados al sexo, a la pobreza y al hambre.

Ramiro señala que la violencia más condenable ha sido la provocada por los secuestros; también refiere que en el sexenio del gobernador Martínez Domínguez (1976-1982)[118] hubo un motín de presos en la cárcel. Comenta, en forma sarcástica, que Monterrey es, en términos generales, una ciudad aburrida porque no se dan las grandes ejecuciones como las del Distrito Federal, Tijuana y Sinaloa. Hay como un disfraz de los vínculos entre la ciudad y los delincuentes.

Respecto al calor, utiliza una profusión de adjetivos para exaltar las altas temperaturas de Monterrey, pero no deja de ser un calor simbólico de los distintos círculos de descenso por los que atraviesa el personaje. De esta manera, se utilizan sustantivos que por su propia connotación trascienden los espacios, como cuando llama "infierno" al basurero donde pasó el Chato varios días antes de huir a Laredo, o símiles con connotaciones parecidas al anterior: "el calor de la ciudad se asemeja a un soplo del infierno".[119]

---

[117]   Es interesante advertir que la novela fue publicada en el año 2002; cinco años después Nuevo León era ya de los estados más violentados por el narcotráfico, y el número de asesinatos de policías y narcotraficantes superaba al de la mayoría de los estados de la República Mexicana.

[118]   Rodrigo Mendirichaga afirma: "La quinta centuria de Nuevo León se inició con el Gobierno de Alfonso Martínez Domínguez siendo considerado este personaje como un político hábil y capaz tanto en el ámbito nacional como por la opinión pública. La carrera política de Martínez Domínguez se había distinguido por tres momentos: en 1964 fue líder de la mayoría priísta en la XLVI Legislatura federal (la primera pluripartidista en la historia de México); en 1968 fue electo presidente del Comité Ejecutivo del Partido Revolucionario Institucional; y en diciembre de 1970 fue designado Jefe del Departamento del Distrito Federal. En 1978 fue candidato a la gobernatura de Nuevo León, obteniendo el triunfo. El crecimiento demográfico que vivía el área metropolitana de Monterrey provocó el fenómeno del precarismo. El gobierno calculaba aproximadamente medio millón de personas viviendo en terrenos invadidos y cuya propiedad no estaba regularizada. Este problema fue atacado con el programa Tierra Propia, cuyo propósito era regularizar la propiedad otorgando los títulos de dieran seguridad y patrimonio a las familias humildes. Durante el primer año se entregaron cerca de 9 mil títulos de propiedad y para marzo de 1984 este programa ya había otorgado 66 mil títulos. Al expropiarse los terrenos del predio conocido como Tierra y Libertad, con 228 mil metros cuadrados, en donde a juicio del gobernador prevalecía la anarquía de los servicios públicos; los colonos estaban sujetos a desalojos, castigos, amenazas de pseudo-autoridades y disputas violentas entre ellos, el programa para regularizar la tenencia de la tierra urbana tuvo un momento de gran satisfacción. Muchos calificaron a su Gobierno como autocrático, justificándolo Martínez Domínguez como creador de un estado en orden y progreso a pesar de la crisis económica nacional. Aunque no fue aceptado por todos su estilo personal de gobernar, existió consenso general sobre los aciertos de su administración" (*Los cuatro tiempos de un pueblo: Nuevo León en la historia*, Monterrey, ITESM, 1985, pp. 471-476).

[119]   Eduardo Antonio Parra, *Nostalgia de...*, *op. cit.*, p. 153.

El relato de Parra se distingue también porque presenta intertextos con los cuales se vincula a otros relatos, en una perfecta simbiosis, donde la vecindad textual proporciona una nueva significación: "Hace un buche, a manera de enjuague bucal, y enseguida lo deja resbalar por la garganta. Traigo tanto sol adentro, que ya tanto sol me cansa".[120] Los versos del poema "Sol de Monterrey" de Alfonso Reyes son actualizados en el contexto de *Nostalgia de la sombra;* así, el discurso del personaje se une a la poesía de Reyes.

Hay un cruce de relatos de diversa índole, y también fragmentos de canciones, como un corrido de narcotraficantes muy de acuerdo con la atmósfera descrita. Asimismo, aparecen fragmentos de los anuncios panorámicos que Ramiro ve en las calles, intertextos que enmarcan algunas de las líneas ideológicas de la novela, como el cuestionamiento al consumismo, al materialismo, a la cultura mediática y a la violencia de las leyes del mercado.[121]

Así, Monterrey es un espacio de contrastes, como reflexiona García Canclini al hablar sobre los espacios urbanos globalizados:

> Hay un contraste entre el imaginario provinciano, para el cual todavía las megalópolis son horizontes de modernidad y progreso, y, por otra parte, el imaginario internacional, el que circula en la prensa, la televisión y algunos estudios especializados, para el cual las ciudades [...] se asocian a sobrepoblación, congestionamientos, contaminación y violencia.[122]

Por eso en las últimas décadas se sufre una tensión entre desplazamientos, territorio e identidad, fenómeno conocido como *Anyplace* o *Placelessness*, como menciona Alicia Llerena al hablar de la literatura del norte y su preocupación por el espacio: "el peso específico del espacio se ha vuelto mayor a medida que crecen los procesos globalizadores, reavivando las interferencias entre lo local y lo global".[123]

---

[120] *Ibid.*, p. 98.

[121] En *Una historia contemporánea de México* (México, Océano, 2003) se retoman las ideas de Vicente Verdú en *El estilo del mundo. La vida en el capitalismo de ficción* (Barcelona, Anagrama, 2003, p. 91), quien expresa una serie de aseveraciones que concuerdan con algunos aspectos de la problemática descrita por Eduardo Antonio Parra: "Acostumbrados a la escasez y la supervivencia, ajenos a los satisfactores culturales, los jóvenes del comienzo del siglo XXI en México crecerían bajo las fantasías mediáticas de un éxito profesional y social instantáneos, promulgados por las imágenes publicitarias. La cultura disponible que se aglutinaba sería el espectáculo, el oropel de la pantalla chica o grande [ ] fe en la única cultura posible: el ocio divertido, la "piratería", el disfrute de los bienes de contrabando, los valores y prestigios inversos de la economía informal y subterránea".

[122] Néstor García Canclini, *La globalización...*, *op. cit.*, p. 176.

[123] Alicia Llerena, "El centro está en el norte", ponencia dictada en el XX Coloquio Internacional de Literatura Mexicana e Hispano-

Eduardo Antonio Parra trata un tema relevante en el norte mexicano, principalmente en los escenarios de las grandes ciudades donde las estructuras sociales son determinadas por esta tensión y las problemáticas que se evidencian resaltan esta nueva perspectiva del fenómeno *glocal*. Se conjuga una identidad local en un mundo de cruzamientos globalizados que obliga a miradas múltiples.

Monterrey es una ciudad de contrastes donde conviven: barrios tradicionales que todavía resguardan costumbres muy locales, migrantes que llegan de diferentes estados del país, influencia de la cultura estadounidense que es impulsada por la cercanía a la frontera, pobreza al lado de desarrollo tecnológico: Monterrey es una de las ciudades con mayor número de computadoras por persona en el país, entre otros. Así, todos estos aspectos, alguno de ellos contrapuestos, pueden causar la creación de un imaginario fragmentado que complica las relaciones.

Individualización y sociedad de consumo

Los nuevos procesos conllevan diferentes problemáticas, conflictos en las calles, en los barrios, nuevos montajes de seguridad; por ejemplo, los empresarios y políticos se ven en la necesidad de utilizar personal de seguridad, los guardaespaldas.

Un nuevo tipo de violencia se genera ante la indiferencia por los problemas del otro; se manifiesta un individualismo exacerbado. Por ejemplo, cuando Bernardo sufre el asalto de unos delincuentes, a pesar de que había muy cerca del lugar un vehículo lleno de pasajeros, nadie impidió la violenta agresión.

Cuando habla de la violencia del norte, Eduardo Antonio Parra afirma: "Yo creo que hay una violencia muy definida en el norte: es una violencia más pragmática y el estallido es más puro, es una violencia por sí misma, a diferencia de la del centro de México, que tiene que ver con identidades añejas, con la Conquista. En el norte es la violencia por la violencia misma".[124]

En esta novela, los ideales a los que aspiró la modernidad se ven perdidos: aparecen muros simbólicos donde el individuo se aísla y cosifica, los sueños de un trabajo con un mejor ingreso

---

americana realizado los días 9, 10 y 11 de noviembre de 2005 en la ciudad de Hermosillo, Sonora, México.

[124] Adriana Cortés Colofón, "El asesinato como una de las bellas artes en *Nostalgia de la sombra* de Eduardo Antonio Parra", en *Tierra Adentro*, p. 77.

desaparecen, la igualdad y la libertad se pierden en el anonimato. La urbe aparece como una fuente de energía destructora: "esa ciudad sin alma que no tenía miramientos a la hora de despellejar a cada uno de sus habitantes".[125]

Hay una nueva identidad de la ciudad que se percibe en formas distintas de comunicación. Las estaciones de radio hablan de la influencia extranjera, hay una cultura de lo visual en donde grandes anuncios panorámicos incitan a nuevos consumos: mujeres en ropa interior, anuncios de tiendas departamentales, llantas Michelin, compañías telefónicas extranjeras, grupos industriales que alimentan los sueños, las ilusiones de obtener, comprar, alcanzar objetos materiales.

La novela refleja, a través de diferentes representaciones, la simbiosis entre la cultural local y la global: música norteamericana con música grupera de Los Tigres del Norte,[126] hamburguesas del Mc Donald's con guisos tradicionales.

Uno de los resultados de la globalización es la discontinuidad, la asimetría de los grupos sociales. Pero las diferencias no se dan sólo en lo económico, pues también abarcan los procesos culturales, sociales, comunicativos, medioambientales, etcétera. Los rasgos de estos procesos han sido estudiados por autores como Anthony Giddens, quien habla de una modernidad tardía. Ulrich Beck define el momento como una etapa moderna segunda. Georges Balandier prefiere el término de sobremodernidad o postmodernidad, cuya caracterítica principal es la sociedad del consumo.[127]

Ya se ha comentado la problemática económica que vivió Bernardo; sin embargo, hay otras imágenes de esta discontinuidad; por ejemplo, Victoria, su esposa, tiene una estructura de vida muy tradicional, pues está dedicada a las labores del hogar y no puede aportar ningún recurso que ayude a aligerar los problemas económicos de su marido. En contraste, Maricruz, gracias a las oportunidades que le brinda haber estudiado una carrera profesional en una universidad privada, e incluso una maestría en Estados Unidos, ocupa en el presente un puesto importante en una compañía financiera situada en el barrio más caro de la ciudad. Este espacio donde trabaja

---

[125]   Eduardo Antonio Parra, *Nostalgia de...*, *op. cit.*, p. 32.
[126]   El conjunto musical Los Tigres del Norte se conoce por su música grupera, combina el corrido clásico, las cumbias norteñas, los ritmos latinos y las baladas románticas. El grupo es muy conocido en Estados Unidos por la gran cantidad de mexicanos y latinos que forman la minoría más importante de ese país. Otra de las características de este grupo musical es la composición de narcocorridos, canciones que narran las andanzas de personajes del narcotráfico.
[127]   Cfr. Zygmunt Barman, *La globalización*, *op. cit.*, p. 106.

la mujer que Ramiro debe matar es un símbolo del capitalismo global, donde el capital intangible se convierte en el instrumento de la nueva competencia. Por la globalización, la geografía deja de tener la vigencia de tiempos pasados. Se está ante una nueva economía porosa, aparentemente nacional, pero con alcances extraterritoriales. No hay que olvidar que la consolidación de las empresas trasnacionales como las industrias financieras, casas de bolsa y bancos, ponen reglas globales para la economía mundial.

Se advierte también una sociedad preocupada más por la supervivencia y por resolver sus propias necesidades que por los requerimientos de la comunidad.

La sociedad se enfrenta, así, a una paradoja: por un lado, una aceleración de la disolución de las fronteras virtuales del capital y, por el otro, la construcción de un muro cada vez más fuerte entre los países, como es el caso de México y Estados Unidos. La distancia se torna un concepto subjetivo; para Maricruz, quien trabaja con capitales virtuales, es un concepto líquido; para Ramiro, encerrado en una cárcel o tratando de cruzar la frontera mexicano-americana, es una cuestión sólida, difícil de cruzar.

Eduardo Antonio Parra presenta, por una parte, una sociedad con una aparente libertad de elección, movilización y consumo (Damián) y, por otro lado, una condenada a vivir en condiciones infrahumanas (los migrantes que esperan cruzar la frontera o los pordioseros).

La frontera tiene una carga ideológica cultural. Las élites superan fácilmente esas fronteras, y conceptos como aquí y allá, interior y exterior, cerca y lejos, son abolidos en el tiempo de la globalización por aquellos que detentan el capital económico. La clase baja sólo se acerca a ellos a través de los símbolos del consumismo que la televisión le puede ofrecer: el subalterno es tocado por las redes de la globalización periféricamente.

Además de los medios masivos de comunicación, la tecnología viene a abrir más la distancia virtual y social entre pobres y ricos: "la aparición de la Word Wide Web puso fin —en lo que concierne a la información— al concepto mismo de 'desplazamiento' (y de la distancia que se ha de recorrer); tanto en la teoría como en la práctica, la información está disponible instantáneamente en todo el globo".[128] Sin embargo, este invento es periférico, y las clases marginadas tienen limitado el acceso, pues las computadoras son todavía un artículo de lujo difícil de comprar.

---

[128]   Zygmunt Bauman, *La globalización , op. cit.*, p. 24.

Hay un universo de nuevos signos impuestos por la sociedad de masas, por el orden económico transnacional y por los medios de comunicación que definen conductas y manipulan la actuación de millones de personas, estandarizando gustos y necesidades; así se está ante una desterritorialización cultural y una transformación de la identidad.

Los roles de la mujer también empiezan a ser desiguales de acuerdo a las nuevas normas y valores de la globalización: Maricruz, quien ha cursado un posgrado en Estados Unidos, tiene un trabajo en una casa de bolsa; en cambio, la esposa de Bernardo no tiene muchas posibilidades de realización pues su mundo se reduce a su casa.

Esta forma de ver el mundo como un espacio global tiene, entre sus teóricos primeros, a Marshall Mc Luhan, quien habla de integrar un solo espacio, una sola aldea mundial generada a partir de la unificación cultural y que los medios se encargarían de conjuntar. Sin embargo, los críticos de la globalización la juzgan como una utopía perversa que, en lugar de traer progreso, hasta ahora ha representado un proceso contrario, de involución; el historiador Julio Pérez Serrano comenta al respecto:

> [...] era una utopía perversa: porque era una utopía desmovilizadora, mecanicista, que hacía recaer sobre la evidencia del progreso tecnológico, de las telecomunicaciones, de la robotización de la economía y de tantos otros signos de la modernidad tecnológica, un componente ético, político y una prospectiva de futuro ajena a la intervención humana [...] ese mundo sin guerras, sin desigualdades, sin miseria, sin injusticias, ese mundo de progreso para todos, de derechos humanos para todos, ese triunfo del mundo occidental y de sus valores a escala planetaria se traduce en nuevas guerras, más desigualdades, más pobreza, más conflicto.[129]

La novela de Parra expone las perversiones señaladas en la cita anterior, además de los contrastes entre el desarrollo y el subdesarrollo. Muestra también un individualismo exacerbado del hombre del siglo XXI, un nuevo estilo de vida basado en la complacencia y el consumo, el desinterés por el prójimo, el narcisismo y el culto al dinero.

Pepenadores, migrantes, carteristas, presos, narcotraficantes y obreros son la colectividad que *Nostalgia de la sombra* muestra como parte de la periferia donde hay graves carencias, donde

---

[129] Julio Pérez Serrano, "Literatura y globalización" en Fundación Caballero Bonald (eds.), *Literatura y Sociedad. Un debate en los inicios del siglo XXI*, Jerez de la Frontera, 2004.

permanece la ausencia de un Estado promotor, donde el desarrollo sustentable se muestra como una promesa de un paraíso que un día las políticas modernizadoras ofrecieron y que ahora muestran su incapacidad para alcanzar ese fin.

Personajes marginados, determinados por la ausencia de opciones, por la carencia de voz, así, la subalternidad se constituye entonces como una amplia negación. *Nostalgia de la sombra* habla, además, de una transformación de los valores donde el consumo se erige como un dios.

El relato proyecta una sociedad de extrañamiento, enfocada al sí mismo y olvidada de la visión del otro y sus necesidades.

Eduardo Antonio Parra muestra al sujeto subalterno y a la sociedad que lo aliena. Describe la descomposición social que conduce al caos y la violencia, así como la manera en que se pierde la identidad. En la novela, al dejar sus vínculos sociales, el protagonista se vuelve hacia sí mismo hasta que, paradójicamente, destruye su yo. De esta manera, la literatura del autor norteño expresa la fragmentación del individuo y del todo social.

Conclusiones

Ricardo Elizondo y Eduardo Antonio Parra representan dos momentos históricos diferentes entre sí. Mientras Elizondo narra los inicios de la modernidad en la región, Parra describe la crisis económica, política, social y cultural de finales del siglo XX, así como la manera en que esta crisis ha afectado el norte de México.

Reflexionando en torno al tema de la identidad relacionada con los valores culturales de la región, se puede observar en la literatura de estos dos autores la existencia de una dualidad expresada, por un lado, en la resistencia a influencias externas, orientada a conservar la singularidad o la distinguibilidad; y, por el otro, en una transculturación determinada por la cercanía de la frontera, así como por la influencia de los efectos de la globalización. Así, se advierte una nueva imagen del norteño alimentada por esta dualidad.

Como vimos a lo largo de estas páginas, *Setenta veces siete* y *Narcedalia Piedrotas,* de Ricardo Elizondo, describen a detalle la vida privada de los norestenses, lo que nos permite conocer su oralidad, sus usos y sus costumbres, sus gustos tanto gastronómicos como musicales, entre otras de sus características.

Es importante mencionar, sin embargo, que si bien algunos de estos rasgos no son exclusivos de la gente que vive en la región norte, sí son manifestaciones específicas con las que el norestense se identifica, tal como se describe en ambas novelas.

Dicho en otros términos, la narrativa de Elizondo es un contenedor de palabras que guarda una memoria colectiva, una mirada al pasado que recupera lenguaje, música, cantos, juegos, gustos culinarios, arquitectura y el modo de ser de los habitantes de esta región del país. Por ejemplo, *Setenta veces siete*, además de describir paisajes de la región, incursiona en el mundo interior de los personajes, mostrando sus debilidades, sus fortalezas y sus sentimientos. Ello debido a que Elizondo es un narrador preocupado por los afectos, de tal manera que reseña con sumo cuidado la predisposición y casi obsesión del norestense hacia el trabajo. Muestra, además, la manera en que la mujer labora junto a su marido y tiene la capacidad, energía e ingenio para atender múltiples tareas.

Un tema central del libro y que ha sido abordado a detalle es el de la frontera; sobre ella se han analizado aspectos históricos, económicos, sociales, culturales, políticos y psicológicos. Así, se ha reflexionado, por una parte, en torno al significado simbólico de la construcción de utopías que se han transformado, en muchas ocasiones, en distopías; y por otra parte, en el significado de habitar un "no espacio" o una heterotopía, así como sus implicaciones en el modo de vida, en la psique y en la cosmovisión de la realidad.

En cuanto a la obra de Eduardo Antonio Parra, quedan expuestos y estudiados los temas centrales de sus relatos, tales como la migración, la desterritorialización y la violencia articulada a la cercanía de la línea fronteriza, mostrando las implicaciones de estas especificidades en aspectos como el lenguaje, los mitos y las creencias.

De esta forma, los relatos del autor revelan una pluralidad temática donde la descripción, los diálogos y las voces narrativas hacen referencia al exilio, la diáspora, el sueño americano, el vagabundeo, la alteridad y la fragmentación. En su obra, el tema fronterizo se hace casi omnipresente y deja huella en la gestación de límites espaciales, psicológicos, culturales o económicos.

Tanto en la escritura de Ricardo Elizondo como en la de Eduardo Antonio Parra, el narcotráfico se representa como una problemática ligada a la frontera y a la violencia. El crimen organizado se muestra como una nueva instancia que ha debilitado el Estado de derecho. El tema es muy significativo en la región y la literatura muestra sus efectos en la sociedad. Así, hemos analizado cómo tanto *Narcedalia Piedrotas* como *Nostalgia de la sombra* relacionan, desde distintas perspectivas y temporalidades, el asunto de la delincuencia organizada con la injusticia, la criminalidad, la ambición, el poder y la inseguridad.

Con respecto a la modernidad y su impacto en la región, hemos reflexionado en torno a temas como los ideales modernos y la forma de expresarlos, la primacía de la razón, la idea del progreso, el valor de la ciencia y la tecnología, la racionalidad instrumental, entre otros.

Tenemos así que Ricardo Elizondo muestra, en *Setenta veces siete*, una asimetría en el cumplimiento de los ideales modernos. En efecto, como hemos comentado a lo largo del libro, este relato está ubicado en la época porfiriana, ciclo histórico ligado al inicio de la modernidad en México y a las ideas positivistas de ordenar el país y de conducirlo al progreso. Sin embargo, desde la perspectiva de la novela, el desarrollo económico en ese periodo se restringe a unas cuantas áreas como el comercio, gracias al despunte de las comunicaciones; en especial, del ferrocarril, el cual se convierte en el símbolo de los nuevos tiempos. Mas, por otro lado, hay un claro retraso en las zonas rurales, donde el progreso está muy lejos de tener presencia.

También se describe en esta novela, así como en *Narcedalia Piedrotas,* la creación de empresas con visión empresarial, pero de igual forma el impacto es asimétrico y no favorece a un amplio segmento de la población. Por ello, se podría decir que en la región se gesta una seudomodernidad, dada la limitación de sus alcances.

Asimismo, en *Narcedalia Piedrotas* se hace referencia a la no consumación de los ideales de libertad e igualdad, sobre todo a través del personaje que da nombre a esta novela, quien termina por monopolizar el poder y por someter a la población a través de su capital económico. Así, la concentración material coarta el ideal moderno de una sociedad más igualitaria y justa, reduciéndose a un mero cambio cuantitativo, dispar, irregular y limitado.

Al mismo tiempo, en las dos novelas de Ricardo Elizondo, las concepciones de los personajes están aún permeadas por prejuicios conservadores que contribuyen a generar actitudes de intolerancia y dogmatismo, lo que nos lleva a concluir que, desde el punto de vista de los relatos, al lado de las asimetrías económicas convive un tradicionalismo ideológico que niega el ejercicio de la crítica y de la autocrítica promovido por el pensamiento ilustrado. Es decir, el concepto de "ilustración libertaria" no se logra asimilar.

Por otra parte, la literatura de Eduardo Antonio Parra refleja las consecuencias de las problemáticas expuestas por Ricardo Elizondo Elizondo en torno a los procesos modernizadores en la región, las asimetrías patentes, las desigualdades económicas acrecentadas y la convivencia de la racionalidad instrumental con una cultura conservadora y, en cierto sentido, premoderna.

Tanto *Tierra de nadie* como *Nostalgia de la sombra* presentan la no consecución de algunos ideales modernos o la excerbación de aquéllos centrados en el plano puramente económico:

las ideologías utilitarias sustituyen el universalismo de la Ilustración, olvidando los principios superiores y deteriorando el espíritu.

La literatura de Parra es un constructo que muestra la posición del subalterno, del excluido, con una minuciosa representación de la periferia. Sus personajes viven alienados, fragmentados, carentes de un centro ordenador. El estudio de su narrativa permite acercarse a los efectos de la globalización en ciertos segmentos de la sociedad. El autor se detiene a examinar las poblaciones cercanas a la línea fronteriza, así como la vida de migrantes, trabajadoras de maquiladoras, polleros, travestis, pandilleros, vagabundos, pordioseros, presidiarios, resaltando en esa exploración las polarizaciones sociales. Parra ahonda en temáticas como el desempleo, la pérdida del poder adquisitivo, el aumento de la pobreza, las inequidades sociales que provocan un gran desajuste en la calidad de vida de muchos habitantes de la región.

El autor simboliza la crisis de la modernidad a través del protagonista de *Nostalgia de la sombra*, quien se dedica a matar como forma de vida, resultado de una serie de desajustes de las distintas estructuras —sociales, económicas y psicológicas— que lo rodean. Para este personaje, perteneciente a la clase media y con una carrera universitaria, el acto de matar significa un revestimiento de poder: la dimensión humana se ve transformada hasta tener comportamientos bestiales. Parra muestra la ruptura del binomio civilización y barbarie por medio de este personaje. El predominio de la razón, que se veía como parte del gran relato de la modernidad, desaparece en los comportamientos criminales del protagonista. Hay una simbolización de la crisis social, a través del cúmulo de brutales actos realizados por el protagonista y por otros personajes con los que interactúa. Así, el autor describe una sociedad enferma, el resquebrajamiento de una institución como la familia y el debilitamiento del Estado de derecho, al tiempo que pone énfasis en el incremento del poder de la delincuencia organizada y en la aparición de los efectos negativos de la globalización. *Nostalgia de la sombra* es una radiografía de la zona oscura de Monterrey. Junto a la imagen de una ciudad próspera, pujante, emprendedora, industrial, tecnológica, internacional y dinámica, aparecen las penumbras que opacan su resplandor.

En efecto, el análisis de los escenarios permite esclarecer la manera en que Parra plasma una ciudad dividida, zonificada, en la que por momentos aparece el paraíso y por momentos se vislumbra el infierno; una sociedad de clases, de excluidos viviendo en islas urbanas, desprotegidos, entre fronteras interiores que les impiden progresar, lo que pone de relieve la carencia de una ciudadanía responsable, de un estado armónico y de una sociedad justa y comprometida con su entorno.

La globalización es vista por Eduardo Antonio Parra como un proceso que acendra la oposición pobreza-riqueza. Monterrey aparece, entonces, como una ciudad dual, de riqueza y pobreza extremas, con una clase media atrapada por condicionamientos sociales. Como producto de ello, hay un incremento de la violencia que a la vez genera más divisiones, que avanza y corrompe el sistema social. Ello explica el poder exacerbado de la delincuencia organizada que controla redes y flujos ante un Estado debilitado y permeado por la corrupción.

Finalmente, *Nostalgia de la sombra* es un claro ejemplo de la simbiosis entre realidad y ficción, donde las noticias de los medios se desdoblan en la literatura y son vistas a través de la óptica estética, de un hiperrealismo literario que permite examinar segmentos de la sociedad impactados por la racionalidad instrumental y por las transformaciones de la globalización. De esta forma, la novela logra acercar al lector a una ciudad de sombras que se reformula compleja, violenta, descontrolada, agresiva; una ciudad cercada por un miedo impuesto por la inseguridad y la violencia.

Para terminar, los temas tratados por Elizondo y Parra, además de ser locales y de iluminar ciertos rasgos de la región, son también universales, pues algunas de las problemáticas expuestas por ellos —como el mal, la intolerancia, la negación del otro y el vacío existencial— son comunes a las experimentadas en otras entidades.

Así, Ricardo Elizondo da forma a los giros lingüísticos norestenses recurriendo a la ironía y al humor. Su tono es capaz de profundizar en los distintos intersticios y las fragilidades del ser humano. Por su parte, Eduardo Antonio Parra imprime en sus cuentos la intensidad necesaria para impactar al lector con descripciones de contextos y de situaciones tan devastadores que no parecen tener explicación dentro de los parámetros humanos. Su lenguaje, construido con base en oposiciones y por momentos crudo, cruel y violento, contrasta con el lirismo de ciertos momentos en que sublima aspectos de la condición humana. Las atmósferas logradas por medio de imágenes sensoriales acentúan el carácter de sus problemáticas, y el manejo de técnicas narrativas, sobre todo en *Nostalgia de la sombra,* permite hacer un paralelismo entre la fragmentación de la estructura y la condición del protagonista.

Sin embargo, Elizondo y Parra tienen vasos comunicantes: en el plano de lo real, porque las raíces que nutren su narrativa están fincadas en la región norte, delineando una topografía literaria de la región; y en el plano humano, porque ambas narrativas indagan sobre la condición humana afectada por la historia y los efectos de la modernidad.

A continuación, a modo de cierre, escucharemos las voces de estos dos autores, cuya obra no sólo ha contribuido significativamente a elaborar determinadas visiones sobre el norte del país, sino también ha enriquecido la literatura nacional con sus propuestas.

Entrevistas

"Mi gente es seria, aunque tenga sentido del humor":
Entrevista a Ricardo Elizondo Elizondo

Nora Guzmán (NG). La primera pregunta que te quiero hacer, Ricardo, es en relación a la identidad. He leído varias teorías que ubican la literatura como un medio, un vehículo para construir identidades. Por ejemplo, en América Latina, a partir de la literatura latinoamericana del siglo XX, tenemos una imagen mucho más definida del continente...

Ricardo Elizondo Elizondo (REE). Yo creo que el imaginario que tiene el arte, y en general, el imaginario... voy a usar una frase que parece paradójica pero es muy cierta: "a veces la literatura quizá no sea la verdad pero está muy cerca de la verdad y el arte también, quizá no sea la realidad tal cual, pero está muy cerca de la verdad". Es esa verdad la que identificamos como humanos; la identidad no funciona sólo para los demás, sino para los propios creadores. Es el creador el que se identifica, tiene una cierta identidad con su sol, su cielo, su momento, su sociedad, y es eso lo que lo hace transmisor para la sociedad, él es una parte de la sociedad.

NG. ¿Y en qué ha contribuido tu literatura para construir ese pedacito, o pedazote, de identidad?

REE. Lo único que puedo decir es que ha contribuido para mí mismo, a mi clarificación. Ha contribuido a hacerme sentir muy orgulloso de pertenecer al lugar al que pertenezco, de tener una concepción estética conforme al lugar al que pertenezco, de poder comunicar desde donde estoy parado hacia delante y hacia mi presente; entonces, si eso me pasa a mí, confío en que eso le pase también a los lectores porque el escritor es como un desdoblamiento. Hay una persona llamada "escritor", es decir, una persona sobre la cual recae el ser escritor, entonces, como persona, si yo siento esas cosas que produce el escritor, también la sociedad las va a sentir.

NG. Y el norte cómo te ha alimentado para…

REE. Quiero suponer que las dudas que yo tenía, y tengo, son las dudas de todos. Al estudiar para resolvérmelas, y si las puedo comunicar con corrección, podré resolver esas mismas dudas en otras personas. Tampoco es un carácter mesiánico, no, no es un carácter mesiánico, me cuido mucho de un narcisismo regional porque eso tampoco me gusta. No se trata de enamorarse de uno mismo y decir que nada más aquí hay aire, no, simplemente significa, como te dije, identidad, identificar, no es mejor lo tuyo que lo mío, no es mejor lo mío que lo tuyo, no es más ni menos, es solamente, y en esa participación de personas estamos nosotros también.

NG. Sin embargo, a la hora de escribir no se te ocurriría plasmar la geografía jalisciense o la de Chiapas, o al menos en lo que has escrito está claramente definida la geografía del noreste mexicano.

REE. Sí, ahí tendríamos que hablar de dos geografías: la física, digamos, la de la tierra, la biológica; y la geografía del carácter de las personas, de los individuos. Entonces, la geografía de las personas es la que vive en los individuos. Lo ideal, vamos, lo que uno espera, es volver universal esa geografía de los sentimientos, de las decepciones, de la fraternidad, que es igual en todas partes donde existan hombres.

NG. Claro. Es por eso que tu literatura se vuelve universal, aunque está ubicada en una geografía específica muy puntual, la del noreste, no del norte, sino del noreste.

REE. Del noreste, sí… Es verdad.

NG. Pero, por otro lado, son los seres humanos de la India, de China, de Estados Unidos y de Monterrey.

REE. Sí. En cualquier lugar que haya un ser humano o que haya dos hermanos que fueron huérfanos y que se quieren mucho, uno le ayudaría a cultivar la tierra al otro.

NG. Así es. Igualmente todo el sentido, las implicaciones de los vínculos en la familia, en el amor.

REE. En cualquier lugar del mundo un hombre puede quedarse sin palabras cuando encuentra a la mujer de su vida.

NG. Exacto, y algo que me encanta de tu literatura es que tú te metes a la historia privada. ¿Qué es lo que te llama la atención que de alguna manera haces a un lado el gran relato de la historia?

REE. A mí me parece que la única historia que existe es ésta, la de la cotidianidad, la de lo privado. La gran historia es siempre un acomodo de posibilidades en función de una idea predeterminada, entonces por eso nos apasiona tanto a los humanos la biografía, porque en las biografías de los grandes personajes lo que encontramos es al personaje cotidiano…

NG. Claro.

REE. Y porque la vida está ahí, la vida no está en esos grandes acontecimientos que entre más te aproximas a ellos, menos los encuentras…

NG. Estoy de acuerdo.

REE. Se va deshaciendo todo, pero la situación personal no: que se casó un 29 de diciembre, que tuvo un primer hijo tres años después pero hubo dos antes perdidos, en fin, esto es su cotidianidad…

NG. Y también creo que, curiosamente, esa cotidianidad es la que lleva a lo universal, porque cualquier ser humano pasa por estos momentos…

REE. Pasa por la decadencia de la vejez, pasa el dolor de la enfermedad…

NG. Y pasa por la rutina, por el hastío…

REE. Por la orfandad de la soledad, por el miedo a la pesadilla. En todas partes todos pasamos por eso, eso es lo cotidiano. Toda la magia de los seres humanos, si le podemos llamar así, todo el encanto y el hechizo, están en lo cotidiano.

NG. Ahora me voy a meter ya muy directamente a tu escritura. Me llama mucho la atención la construcción de la estructura de tus novelas, que aparentemente es sencilla pero se ve en ella un gran trabajo, mucho detenimiento para poder de alguna manera traducir cómo conversan los seres humanos, así, como en pedacitos. ¿Cómo a través de sucesiones de ideas, sin una línea continua, sino con interrupciones, la estructura de tus novelas lleva la cadencia de la conversación…?

REE. Y ese dato supuesto, ése por el que el otro sabe de qué estás hablando.

NG. Así es…

REE. Entonces doy por supuesto que los otros saben de qué estoy hablando porque el encanto de los relatos radica en que el narrador te hace partícipe o cómplice de algo que aparentemente es ajeno a ti, te pide la opinión de lo que está pasando y entonces te sientes muy involucrado, y a mí me pide la opinión la vida. Cuando oigo a alguien que me cuenta algo u oigo a alguien contar estoy participando, aunque sea solamente como escucha, y esto me seduce mucho. No sé. He estado puliendo este mecanismo, las primeras ocasiones, en la primera novela o en los primeros cuentos, era solamente un personaje que se volvía narrador o un narrador que se volvía personaje para poder volver a esa personalización de algún sentimiento en particular; en la segunda fue mucho más particular porque ya se hicieron cortes sobre personas determinadas, se profundizó en personas determinadas, y en la que estoy escribiendo ahora es el dominio del personaje.

NG. Curiosamente se engarza muy bien todo esto que me estás comentando con la siguiente pregunta, porque me llama mucho la atención cómo cuentas, cómo narras. Por ejemplo, pareciera que me estás hablando a mí, lectora, y que me estás diciendo "¡Mira esta tonta!" Como que es una forma muy espontánea. ¿Piensas en tus lectores cuando escribes?

REE. Mucho. Es más, creo que yo, yo mismo, soy lector cuando estoy escribiendo. A mí mismo me tiene que impresionar.

NG. Como que hay un diálogo, ¿verdad?

REE. Sí. Anoche que me dormí, sentí que el día a día había sido bueno porque estaba pensando en lo que había escrito, en los personajes, y me dije: "Sí, me gusta mucho cómo me lo contaste". Eso me dije a mí mismo. Entonces, dices, es esta manera de…, es la gracia del ser humano de desobligarnos, de ser el hacedor y convertirse en receptor y además saber si está comunicándome.

NG. Sí, por eso cuando uno está leyendo el libro sientes que te haces amigo de los personajes, que tienes una relación muy estrecha con ellos…

REE. Una intimidad…

NG. Sí, una intimidad…

REE. Como si estuvieras acompañándolos a todas partes. Desaparece el autor y eso es algo que a mí me gusta. Las cosas, lo que sucede en la novela te pertenece a ti como lector, entonces yo desaparezco, el escritor desaparece.

NG. Y quizá de ahí venga un poco esto de que tú estás narrando en tercera persona pero de repente, sin mediación alguna, hay una muda, un cambio, y la voz la adquiere el *personaje*...

REE. Sí, es ese juego narrativo. Finalmente todo es narración, darle la voz de pronto a quien la está viviendo, encaminar en ese momento todo lo que se estaba describiendo. A mí me da la impresión de que estoy describiendo una fotografía y de pronto la fotografía, como en el cine, empieza a moverse, a hablar. Ésa es la impresión que me da en ese tipo de argumentación, en ese tipo de estructura y de estilo que estaba usando en esas novelas...

NG. ¿Vas a cambiar?

REE. No se qué tanto se pueda cambiar, a lo mejor lo voy a engordar...

NG. O sea, más carnita.

REE. Sí, un poco más...

NG. Y es que algo muy valioso en tu literatura es la oralidad, ese rescate de la oralidad que no cualquier escritor puede lograr. Es parte de tus talentos como escritor...

REE. ¿Y sabes una cosa? Lograrlo sin folclor... sin sketches, sin caer en posiciones cómicas. Porque mi gente es seria aunque tenga sentido del humor. La gente del noreste es seria, entonces no es estar siempre haciendo broma respecto a todo lo que se esté diciendo.

NG. Otro aspecto que llama mucho la atención de tu narrativa son tus imágenes, que son muy poéticas. Te he visto en el campus sentado en una banca leyendo poesía, a lo mejor esa predisposición viene de ahí. Y, por ejemplo, hay temas que manejas, como en *Narcedalia*... el tema de la sexualidad y el de la muerte, que nunca los dices directamente sino a través de una serie de imágenes que por un lado tienen poesía, y por el otro tienen humor, mucho ingenio...

REE. La poesía para mí ha significado algo, ha significado ser libre. Me cuido mucho, aun en la prosa y en la poesía, de citar textualmente, de imitar. Creo que las citas y las imitaciones casi siempre son inconscientes cuando el escritor es genuino, ¿verdad?, y por ser inconsciente no existe un control de la voluntad, pero voluntariamente no imito ni trato de hacer las cosas igual, pero lo que sí ha significado la poesía es la extrema libertad para manejarse. Cuando leo poesía son varios ejercicios al mismo tiempo: es el goce estético de lo que estoy leyendo, la comprensión conceptual de lo que me transmite, pero sobre todo los zapatos del poeta, me los pongo en ese momento para saber cómo le hizo para llegar a las metáforas que está usando, a las imágenes que está usando, y es ahí en donde yo escritor me vuelvo libre. Por eso siempre he dicho que el 90 por ciento de mi escritura es meditación, porque trato de sentir o responderme tres o cuatro veces una misma pregunta, una misma escena antes de colocarla, antes de escribir.

NG. O sea que la piensas muchísimo…

REE. Sí, yo te estoy viendo con un traje verde limón, te estoy viendo con la mascada y entonces, bueno, podría describirlo, tengo instrumentos para describirlo, pero me interesaría más poder decir "era como una pera fresca en la mañana". Me pongo a pensar cómo, qué sensaciones me provoca a mí ese verde, la mascada florida, a dónde me remiten, a lo mejor me remiten a una sensación de un campo francés, a lo mejor me remiten a un mediodía en España, o quizá al final de una calle en Cuernavaca un día a las diez de la mañana, y soy valiente para ponerlo. Eso es lo que me enseñó la poesía: a ser valiente para citar la cita.

NG. Y eso también habla de una gran observación de tu parte…

REE. De una observación y de una manera de enriquecer la realidad con varias cosas. Puedo decir de unas arracadas, por ejemplo, "en los aros de esas arracadas se columpiaba su entusiasmo", y entonces, si una persona tiene demasiada ingeniería va a decir "¿ahora qué es esto?" Y sí, es verdad, a lo mejor no es nada, pero es eso…

NG. Pero es muy auténtico porque así lo percibes tú finalmente...

REE. Y entonces van a entender que era una mujer la que traía esas arracadas grandes, quizá, aunque bueno, ahora ya hasta puede ser un hombre...

NG. Sí, todo se vale.

REE. ¿Verdad? Y decir que tenía mucho entusiasmo y se movían las arracadas, que no eran fijas, eso implica mover el cuerpo, mover la cara, tener una cierta energía, y entonces ves cómo se construye pero hay que ser valiente para poderlo hacer, y libre, libre sobre todo.

NG. Y lo más valioso es que, a través de la literatura, puedes compartir con los lectores otra opción, una manera distinta de percibir la realidad...

REE. Y otros horizontes, porque uno mismo está percibiendo muchos horizontes. Todo esto que te digo del vestido verde limón y de la mascada y de tu anillo verde, puedo quedármelo así, como una pera, como una fruta, como un limonero, como una calle de Cuernavaca al final a las diez de la mañana, pero también puedo pensar en el exquisito ojo que hizo posible conjugar una mañana esos verdes y esa mascada y ese anillo en un cuerpo y entonces ya estaría en otro horizonte, y al mismo tiempo describiría la pera y la calle de Cuernavaca.

NG. Es decir, son niveles conceptuales...

REE. Y entonces el problema mío siempre son los límites, ¿qué voy a conseguir con todo esto? ¿Nada más un juego así, estético? Bueno, entonces eso no me lleva a ningún lado porque acuérdate que uno tiene que estar siempre con lo pragmático de que me pueden cerrar el libro, y eso da coraje. Me pongo a pensar que tengo que tener un respeto muy grande sobre tu atención y sobre tu manera de percibir para no cansarte, porque si no la lectura es tan densa en imágenes que no la continúas...

NG. Y finalmente lo que quieres es que el lector esté ahí para entablar el diálogo…

REE. Claro, finalmente lo que quiero es entregarles algo.

NG. Y el contraste de todo este nivel poético de tu literatura es, por un lado, entrar a la cotidianidad, aunque esa cotidianidad muchas veces se sublima por lo poético, y por el otro también pues ese ingenio del humor que es muy valioso en tu literatura, de desacralizar muchas situaciones, y también el traer al texto esa manera de ser del norestense, por ejemplo en el uso de los apodos. Me encanta esa parte de Narcedalia Piedrotas y me gustaría que me dijeras algo sobre los apodos, especialmente cómo se inventan o….

REE. Yo lo que siento, y perdón por estar así desde mí mismo, pero es que de eso se trata la entrevista, ¿verdad?, lo que siento es que me tengo que dejar ser, ser como soy, y entonces, si me dejo ser como soy se me ocurren estas cosas porque así somos todos, porque tú eres así, yo también, a lo mejor la educación nos ha limitado, nos ha limado, nos ha vuelto, por ejemplo, "tal cosa no la digas", o "resérvate esta otra", pero yo en literatura trato de ser totalmente como soy, y entonces ahí aparecen, solas van surgiendo en la manera en que esto se suelta, ¿verdad?, y entonces aparece, y claro, a lo mejor hay un cierto don para encontrar el chispazo de ingenio en lo que estás escribiendo.

NG. Y, bueno, también tus personajes, que no son tú, pues finalmente son ellos, son muy buenos para construir apodos.

REE. Sí, y todos ellos están a punto de reírse de sí mismos y de los demás, de burlarse.

NG. A mí me parece, utilizando algo de lo que dicen los teóricos, por ejemplo Bourdieu, sobre esa capacidad del ser humano para nombrar, que muchas veces a través del nombrar se tiene un cierto poder. Me parece que en el caso de Villa Perdomo la que verdaderamente era la dueña y mandamás era Narcedalia, y entonces los otros se desquitaban un poquito utilizando los apodos.

REE. Totalmente, y ya no quise escarbar más en el personaje ni pintarlo más. Si tú revisas, Narcedalia es la más descuidada dentro del argumento. Es ella misma como mujer, ¿verdad?, porque era demasiado mencionada y además ya tenía el nombre de la novela, y porque lo que trato de señalar es algo que siempre me ha intrigado: cómo formamos mitos. Narcedalia no era lo que decían de ella, por eso a veces trato de poner todas las posiciones que había adentro para que se den cuenta de que no era, como decía mi papá, "ni tan tan, ni pum pum". Narcedalia es una persona, pero que ha sido mitificada por las habladurías de los demás, por tener cierto puesto destacado, por distinguirse o porque finalmente cada uno de los personajes que se mencionan además de ser lo que se dicen que son, son otra cosa más que su intimidad.

NG. Claro, por eso toda esta parte cuando hablas de los sentimientos por los hermanos de Narcedalia, su desesperación y amargura por su hermana que se fue y que sienten que los abandonó, pues nos hablan de otra dimensión de Narcedalia mucho más allá de la mujer matrona que es, ¿verdad?

REE. Sí, como cuando se enamora del Venado que se le acaba el apetito por lo cual deja de comer.

NG. No hay en Nuevo León alguien menos grande que ella, menos gorda, y aun así, deja de comer.

REE. ¿Verdad? No podía ser, pero también ahí dentro de esa novela era importante que pusiera el medio de contraste, un medio de contraste donde de verdad no se hablase prácticamente, se hablase muy poco de la personalidad y al mismo tiempo se dijera todo lo que es, en el caso de Guadalupe.

NG. ¿El contraste entre ellas dos?

REE. El contraste entre un personaje muy público y un personaje nada público.

NG. Y ese personaje es además muy original porque no hay muchas monjas en la novela contemporánea, y éste le da como otro giro, otra luz a la novela, ¿verdad? Porque finalmente Sor Guadalupe sigue siendo muy norestense.

REE. Muy norestense en todas sus soluciones, y es la que pone el sentido terrenal de una cronología dentro de la novela, porque su desarrollo siempre es lineal...

NG. Con los pies en la tierra...

REE. Sí, ella siempre va prosperando dentro de la novela o va viviendo y se va contando tal como va, en cambio los otros personajes se adelantan y se atrasan, se adelantan y se atrasan.

NG. Y también pues toda una dimensión espiritual que tiene el personaje.

REE. Y estando tan lejos puede ser tan integrante de lo terreno...

NG. Sí...

REE. Ella sigue siendo Perdomo, nada más que está muy lejos. Ni los perdomenses saben ni ella sabe, nunca recibe correspondencia, pero ella sigue siendo eso, perdomense.

NG. Y este tema otra vez se articula con la identidad: cómo puedes irte a vivir a Canadá pero sigues teniendo tus raíces.

REE. Sigues haciéndolo, aquí se dice que eso es tener ley.

NG. Tener ley.

REE. Tener mucha ley.

NG. Y esa parte donde dices "ser norestense para encontrar soluciones"…

REE. Sí, muy norestense. Ya ves que, ante la carencia, el norestense se hizo muy hábil para encontrar posibilidades, no nada más una sola, sino ver qué es lo que vamos a hacer, ¿no? Entonces, ella era muy hábil en este razonamiento.

NG. Y después está toda la parte del lenguaje, que te lo han preguntado mucho, y más en estos días en que fuiste el invitado de honor en la cátedra Alfonso Reyes, pero sí me gustaría que volviéramos a dirigir la conversación hacia esa recuperación del léxico. Esas palabras que has juntado desde niño, ¿también se traducen en la literatura, no sólo en tu diccionario, el *Lexicón del noreste de México*?

REE. Cuando son necesarias, sí. Cuando son necesarias tienen que ir, pero no nada más para exhibirlas, porque si las contásemos son pocas en realidad en comparación con las que están en el *Lexicón*, porque no fueron necesarias, entonces no. Siempre trato de huir del artificio.

NG. Claro, porque si no se vuelve un estereotipo, algo muy fingido…

REE. Se vuelve un estereotipo, muy artificial, algo que no tiene razón de ser ¿verdad? Entonces aquí se trata, bueno, de cómo es nuestra gente, la tuya, la mía; todos tienen unas palabras que incluso para ellos mismos ya son de risa. Me acaba de pasar con una situación: hice un viaje a uno de esos pueblitos nuestros, empezamos a jugar ahí debajo de los arcos, a decir cosas, y nos tocó hacer algo a cada uno, y cuando yo le decía a una niña que bailara, su mamá dijo "¡No, pues le da la corvencia!", y ella se soltó riendo con la palabra. Porque estábamos en ese lugar en donde se podía reír y se trataba de eso, y "la corvencia" se dice cuando se te aflojan las corvas…

NG. O sea que todas esas palabras se siguen diciendo, ¿verdad?

REE. Se siguen diciendo, están vivas, pero están vivas en este ámbito…

NG. Exacto...

REE. Pero ese ámbito a veces no basta para la literatura. Además no puedo enseñar, no puedo encerrar, perdón, ni podría enseñar tampoco una belleza estética tratando de ser tan hermético.

NG. Claro. Te sentirías enclaustrado...

REE. Las palabras no serían suficientes. También algo importante aquí es que a veces da la impresión, cuando me hacen preguntas, de que uno está muy consciente de la estructura de la lengua y de toda su problemática a la hora de escribir, y yo creo que aquí es como un buen narrador, o un narrador simplemente, no piensa dónde tiene el pie, sólo lo mueve, es una herramienta...

NG. El lenguaje es una herramienta...

REE. Es una herramienta, una herramienta enriquecida por el uso que le estás dando, pero no puedes estar pensando porque entonces no te quedaría tiempo para pensar en otra cosa.

NG. Aunque sí hay una parte de documentación. Por ejemplo, a mí me llama mucho la atención, quizá porque no es algo que yo maneje, todo el negocio sobre los equinos en *Narcedalia*. Había muchos detallitos: que si la carne para procesar el alimento para perro, la manera de transportar la droga en los animales, todo eso pues no es un conocimiento espontáneo, sino que implica una documentación.

REE. Sí, e incluso te puedo decir que eso, en el punto del contenido, es verdad...

NG. Sí, exacto.

REE. Del contenido, no del instrumento del lenguaje. En el contenido del lenguaje yo presumo de que difícilmente me pueden llevar el dedo en la puerta porque sí investigo, por eso me tardo tanto.

Hay un personaje que trabajé hace unas semanas, que toca el bongó, y de bongó yo sabía lo que sabes tú, entonces tuve que ir a ver un bongó, investigar cómo se toca, saber todo lo que existiera sobre él, si no mi personaje iba a decir tonterías.

NG. Claro, claro.

REE. Y luego viene la palabra. ¿Cómo se dice: bongocero con c o bongosero con s?, ¿es correcto decir bongosero, si es bongó? Entonces, bueno, si el bongó es común de dos, o sea es colectivo en sí mismo, si crees que no tiene plural, pues entonces probablemente sería bongosero con c, pero si tiene plural: bongós, ¿entonces cuál es?, ¿bongosero sigue siendo válido con s? Entonces, bueno, a veces tomo mis riesgos, no sé, quizá esto fue lo que valió que me pusieran en el *Diccionario panhispánico de dudas de la Real Academia*.

NG. Porque es un trabajo lingüístico...

REE. Porque es un trabajo lingüístico de cómo se usa la palabra cuando está en conflicto, cuando es difícil, cuando no se tiene una solución plana. Siempre he mencionado esto: en el pasado, en una discusión que tuve con una compañera, le dije que cuando las personas se vuelven sumamente académicas, las domina la razón y terminan por ser de una rigidez pasmosa y estéril, a veces muy árida. Por ejemplo, yo escribí que Narcedalia padecía de "elefantés", entonces ella me dijo que usaba un barbarismo absurdo, que eso no podía existir, y a mí me sigue pareciendo que es muy cierto, y yo tuve la razón...

NG. Claro.

REE. Yo tuve la razón porque yo quería comunicar eso...

NG. Exacto, y además se hizo muy intensivo con los veinte apodos que tiene Narcedalia.

REE. Claro, porque ella era así, una elefanta…

NG. Claro, hipopótama también, una hipopótama… zepelina.

REE. Zepelina, todo lo que significara así…

NG. Grandotota.

REE. Grandotota.

NG. Claro, y es finalmente con lo que nos quedamos los lectores, con esa imagen de una mujer que también eso pues le afectaba a la pobre, mucho, su físico…

REE. Totémica, ella baila siempre frente a un espejo y nunca cabe…

NG. ¡Qué linda! Pobrecita…

REE. Le gustaba mucho bailar pero nunca bailó en público porque sabía que se la iban a comer.

NG. Eso es lo que me gusta mucho de tu literatura, los contrastes, porque frente a Narcedalia pues están los otros personajes, como en Setenta, el de Carolina, o Nicolasa…

REE. Virginia…

NG. Virginia… Todos esos personajes son muy tiernos, con una dimensión humana muy profunda.

REE. Juana Maura…

NG. Juana Maura también. Juana Maura ¿qué es?, ¿la heroína?

REE. Y también en Narcedalia, la Meche.

NG. La Meche… Hay mucho contraste, y también un gran conocimiento de tu parte hacia la mujer.

REE. Creo que todos los escritores varones padecemos eso, fíjate tú, y todos hemos sido siempre muy unidos con los personajes femeninos por el misterio que encierran. En cualquiera de nosotros, en cualquiera de los novelistas entonces también domina el personaje que es bien trabajado hacia el lado de los hombres.

NG. Sí, exacto, y hay un tema que está presente en las dos novelas que es el viaje, por ejemplo el de Carolina y Cosme para visitar a la familia, o que van a realizar los hermanos Govea a los Estados Unidos, o el de Juana Maura con Víctor a Estados Unidos, y también la frontera. Estos temas del viaje, de la frontera, ¿qué son, qué explican, qué significan para ti?

REE. Para nosotros, yo siento que la gente nuestra, del noreste, tiene implícita en su vida la posibilidad de un viaje hacia Estados Unidos, lo trae ya, ir hacia el otro lado, asomarse al otro lado…

NG. Con todo su gran simbolismo…

REE. Con todo un simbolismo hacia el otro lado, ver qué pasa del otro lado…

NG. Y sí, cuando Juana Maura está en el hotel empieza a ver la alfombra, la televisión, hasta el olor del pastel de manzana le atrae.

REE. Y algo que ella, siendo tan cercano ese lugar y tan lejano al mismo tiempo, no lo conocía…

NG. Sí, a menos de dos horas de distancia.

REE. A menos de dos horas, y ese contraste con un mundo que al mismo tiempo se estaba fraguando pero estaba tan lejano. Ese sentimiento se nota mucho más o es mucho más explotado en la novela anterior, porque ahí sí se marcan las tres distancias a la civilización: la que tenía Carrizales que estaba en la civilización, la que tenía Charco Blanco que estaba alejado completamente...

NG. Premoderno.

REE. Sí, totalmente, era el más preindustrial; y el que estaba en el Sabinal, que era el intermedio porque pasaba el tren.

NG. Esa novela me gusta mucho también desde el punto de vista histórico, porque es una novela muy clara que muestra puntualmente cómo se inicia la modernidad, ya con sus contrastes definidos, con todas esas asimetrías que van a ser una carga de todo el siglo XX.

REE. Una carga porque no nos decidimos a abandonar patrones anteriores, porque el hombre no puede abandonarlos, es como abandonar a los padres o la infancia...

NG. Y también las propias ambiciones: la política, los intereses creados.

REE. Y te voy a decir una frase que se va a remontar a nuestra amistad de hace treinta y cinco años: "finalmente, por mucho que viajes un día vas a volver a la bugambilia que viste en la infancia".

NG. Por cierto que Patricio, mi hijo, anda buscando un libro de viajes que quiere leer de un señor que fue el que le puso el nombre a la bugambilia por todo el significado que tienen para él estas flores, desde que era niño y que teníamos una bugambilia en el patio de la casa y él jugaba abajo de esa bugambilia.

REE. Sí, el navegante francés Louis de Bougainville.

NG. Sí, exactamente, un francés.

REE. Un francés que fue embajador. Él le puso el nombre, era botánico aficionado.

NG. Y entonces, ese tema de la frontera, de buscar lo que está del otro lado, ¿también es un tema universal en el que nos unimos todos?

REE. Es un tema universal porque… mira, no sé, fíjate, no, no sé si sea tan universal.

NG. A ver…

REE. Sí sé que… es que me pongo a pensar…

NG. Otro tipo de fronteras, a lo mejor…

REE. Sí, hay otro tipo de fronteras, porque estaba pensando por ejemplo en un habitante de la Ciudad de México. Pues sí, él sale al estado de México, y se asoma a los poblados el fin de semana, los ve como llamativos, los ve como lugares de paseo, entonces…

NG. Nada más que aquí hay una carga también de lo extranjero…

REE. De lo extranjero, sí. Aquí está la doble cuestión: está además la lengua… Y una lengua que produce una mentalidad diferente que tiene productos diferentes. Entonces, esos productos diferentes, como lo decías hace un rato con respecto a Juana Maura, pues nos reconocen los perfumes. Yo lo marco desde que inicia la novela: "un coche lindo de esos que dejan aromado el ambiente, americano, con unas alas pintadas a ambos lados". Porque es ésta, claro, la lengua es el extractor, pero su mentalidad produce una gasolina diferente, produce una alfombra diferente. Y es esta diferencia la que a nosotros nos subyuga, nos llama la atención.

NG. Nos atrae.

REE. Nos atrae, sí, sin olvidar el pasado, nos atrae. Queremos verla nada más.

NG. Sí… y eso que dijiste sobre el lenguaje me recuerda la frase inicial en tu charla "Con la sangre en los confines", en la que hablabas de que finalmente "somos lenguaje".

REE. Al final y al principio no somos más que lenguaje, sin eso no hay nada. Nada puede transmitirse si no hay lengua. Hasta los sentimientos existen porque los podemos poner en palabras; lo más doloroso es cuando traes un sentimiento que no puedes traducir porque no sabes qué es lo que pretendes. Fíjate que pienso que finalmente lo que pretende el psicoanálisis con todas las corrientes de análisis es que puedas estructurar en palabras lo que en ti no tienes. Ya ése es el principio de la salud.

NG. Incluso a veces cómo cuesta, por ejemplo, poner en palabras nuestros sueños.

REE. Claro, porque en el sueño no está sólo la imagen, sino que sabes que el sentimiento es elemental, pero al buscar definirlo te preguntas qué fue ese sentimiento, qué era lo que estaba ahí. Y se te va.

NG. ¿Y la música, Ricardo?

REE. Ése es el gran enigma para mí, pero como la manejo un poco, sé que estas cosas van a provocar esto en ti. No entiendo por qué lo sé, pero lo sé, ése es el asunto, eso es lo que no entiendo.

NG. Pero la necesitamos, ¿verdad?

REE. Sí, sí.

NG. Y cómo te cambia el estado de ánimo. Aquí en Monterrey, en la mañana hay una estación de radio de pura cumbia y salsa. Hay veces en que una está ya tan cansada de los noticieros, que pones esa estación y, ¡ay!, te cambia el ritmo de la mañana.

REE. Sí, te cambia la estructura, te cambian los sentimientos, te cambia todo. Es como en mi caso leer poesía en la mañana, o sea, la música me da… es más, te puedo decir que me da optimismo.

NG. Sí, por eso…

REE. Y en mí está presente el extraordinario esfuerzo y labor y dedicación que tuve con… Porque yo sé que los sonidos están en mi piano, no hay más sonidos que ésos, pero hay que organizarlos para que digan lo que quieres decir. Hasta la más sencilla de las cumbias tiene esa organización de sonidos, y eso es muy apasionante. Traté de poner parte de esto enigmático en un pueblo que tuviera muy buen oído, porque el norestense lo tiene además, es una de sus cualidades. Y por eso Perdomo tenía muy buen oído musical.

NG. Y ésta es una cualidad, una predisposición de la cultura oral.

REE. Sí, no sabía de música pero detectaba muy bien la calidad.

NG. Y yo creo que también a través de la música sacaba sus represiones, todos los controles que tenía, ¿verdad?

REE. Todos sus controles y todas su maravillas, todo estaba puesto en la música.

NG. Sí, todo está puesto, por eso tenían el conjunto musical "Las Termitas" y a "Los Rifleros del Norte"…

REE. Y "Copitas"…

NG. Y "Copitas". Y luego además hacen hasta corridos...

REE. Sí, hacían corridos y se...

NG. Toda esa creatividad la expresan a través de su música

REE. La expresan a través de la música, y además lo valoran, alimentan a la persona que se dedica a la música.

NG. Sí, exacto, la valoran.

REE. Hasta se vuelve también parte de la risa cotidiana, como en el caso de La Chopanona. Pero cuando las niñas necesitan practicar los cantos infantiles, van a casa de La Chopanona.

NG. Y también se enorgullecen, como que es parte de su entidad. Por ejemplo con los triunfos de "Los Rifleros del Norte", porque los representan.

REE. Claro, los representan, y porque... es lo que sentimos nosotros.

NG. Qué fuerte está siendo en la actualidad el norte de verdad. Creo que como nunca antes está teniendo un espacio central en el arte, en la literatura, en la cultura, que tradicionalmente pues estaba relegado. ¿Qué será lo que nos está haciendo tener esta presencia?

REE. A mí se me hace que sí tuvo, pero se le tenía mucho miedo, y a eso agrégale la ansiedad de generar una cultura globalizadora que fue el propósito del magisterio de la Ciudad de México por setenta años; una cultura centralizada, una cuestión de dominio, entonces había que eliminar o hacerse sordo a las fuerzas más avasalladoras, pero la fuerza de la música o del quehacer del norte era importante desde el siglo XIX. Aunque el centro nos lo censurara, los conjuntos del farafara estaban por todo México.

NG. Y además ahorita, queriéndolo o no, con la globalización ya no pueden decir nada, ya no tienen las estrategias o las armas para hacernos a un lado.

REE. No, y aun trataron de organizar desde el D.F. un imaginario que según ellos iba a representar a México, pero con su propia visión del imaginario, que es el charro y la China poblana, que nada tienen que ver con la realidad, pero no sólo con la nuestra, sino tampoco con la de ellos, porque conjugaron a un hombre de Jalisco con un traje supuestamente de Puebla...

NG. Claro.

REE. Y no suelen ser, pero los ponen a los dos a hacer pareja, y entonces ésa es la muestra del imaginario que están generando. Y bueno, funcionó, quizás sí, nos dio una cierta estampa nacional, pero eso no quiere decir que no esté debajo mi verdadero traje y que lo pueda traer. Sin que tenga el otro también, ¿verdad?, sin que me emocione el otro, pero tengo el mío, el de mi casa.

NG. Y, además, por otro lado, el hecho de que haya todos estos Méxicos lo único que hace es enriquecernos, ¿no?

REE. Claro, la variedad es lo importante. Por eso yo no me peleo nunca, no me interesa a mí andar discutiendo con otros. Como te dije en un principio, no se trata de que sea una cosa mejor que la otra, simplemente es. Y como yo estoy respetando tu manera de ser, pues cuando menos pido que respetes la mía y que nos unamos en lo que se puede.

NG. Y estamos muy lejos. Estamos tan lejos, por eso somos diferentes, es decir, por la distancia física que hay entre los estados de la República.

REE. Somos diferentes, no hay ninguna duda, y no tengo ningún obstáculo porque ellos sean diferentes y yo trate de entenderme. A veces ellos quieren que yo sea igual, pero ¿por qué?, ¿por qué no tratar de entenderme desde lo que soy?, y creo que se está consiguiendo...

NG. Me llama la atención que ahora también otras regiones del país tienen su mirada hacia acá, nos están recibiendo y hay un nuevo diálogo.

REE. Sí, se están percatando de esto y entonces está resultando. Creo que finalmente vamos a conseguir tener una identidad. Es labor de todos.

NG. Nosotros además estamos quizá más acostumbrados a defender esa identidad por la cercanía con los Estados Unidos. Que ahora con la globalización se dice que hay nuevas resistencias para conservar la identidad, pero nosotros la hemos tratado de defender a través de toda la vida, de toda nuestra historia.

REE. Nada más con nuestra simple manera de ser. Defendiendo la manera de ser, con eso tienes suficiente.

NG. Y tú, ahora, ¿cómo te sientes como escritor, sientes que has escrito suficiente, quisieras escribir más?

REE. La realidad es que, como dije también en una plática hace unos días, el asunto de la sobre-vivencia es demandante. La cuestión de solucionar tus modos vitales es urgente y no deja a veces tiempo para más. Tengo muchos proyectos en literatura, pero todos están esperando siempre tener el tiempo para hacerlos. Espero, sigo trabajando, sigo trabajando, nunca he dejado de hacerlo.

NG. Y últimamente has producido más: dos obras de teatro y ahora, bueno...

REE. Hay más obras. Éstas ya se estrenaron, ahora parece que están pensando en estrenar otra que creo va a ser muy impresionante, ya la veremos. Y estoy en...

NG. ¿Cómo se llama? ¿O todavía está pendiente el título?

REE. Sí, ahí va. Pero ya la leyó el director, y otros dos directores están muy impresionados. Y también tengo la novela en la que estoy trabajando, creo terminarla en un año o dos. Y tengo por ahí otros apuntes.

NG. Nada de dos, un año, Ricardo, por favor.

REE. Sí, ojalá que sí.

NG. ¿Y te gustan por igual la novela y el teatro?

REE. Pues nunca pensé que tuviera talento para el teatro, por eso no lo hacía.

NG. Pues sí, porque yo hubiera pensado por ejemplo que tus diálogos en la novela son muy especiales, y que nada tienen que ver con un diálogo de teatro.

REE. Sí, nunca pensé que tuviera talento, pero lo que primero hice en mi existencia fueron obritas de teatro para la primaria, aunque eran meros ensayos ahí de personajes. Pero me di cuenta, bueno, ya tardíamente quizá, porque tenía cincuenta y tres años cuando escribí la primera obra que luego luego cayó, la gente la entendió. Entonces dije, bueno, a la mejor sí puedo hacer teatro.

NG. Y en tu teatro, bueno, en las dos obras que yo conozco, pues también sigue presente la huella del noreste…

REE. Así es. Creo que va a estar siempre, va a estar siempre aunque el contenido sea universal.

NG. Sí, porque es lo que te ha alimentado desde niño, ¿verdad?

REE. Sí, sí, va a estar el noreste. Incluso en la novela que es totalmente urbana, es urbana desde el noreste.

NG. Claro, porque, bueno, en el noreste también está la fuerza de la ciudad.

REE. Claro, y hay ciudades de distintos perfiles, pero aquí también está.

NG. Y lo que pasa es que dentro de la ciudad están los pueblos también, que finalmente son pueblos urbanos.

REE. Pueblos urbanos que finalmente son villorrios.

NG. Barrios que uno va haciendo, va construyendo y…

REE. Va construyendo y te toca ser parte también de ellos, de las villas, de una manera de estar. Y entonces es algo mental.

NG. Pues creo que hemos llegado al final de la conversación. Muchas gracias, Ricardo.

REE. Gracias a ti.

"El lugar donde creces te alimenta el imaginario":
Entrevista a Eduardo Antonio Parra

Nora Guzmán (NG). En numerosas entrevistas has declarado ser un escritor del norte. ¿Por qué te defines así?

Eduardo Antonio Parra (EAP). Aunque no nací en el norte, llegué allá de muy niño. Llegué a los cuatro años, y mucho tiene que ver con el hecho de que haya vivido en cuatro ciudades norteñas: desde esa edad viví en Linares, en Monterrey, en Nuevo Laredo y en Ciudad Juárez, y eso me dio una perspectiva del norte, sobre todo en esa etapa de la vida en que creo que se le pega a uno todo: la infancia, la adolescencia, la primera juventud, digamos. Después, como escritor me formé en Monterrey, ahí empecé a escribir, ahí terminé mis primeros libros, entonces siempre escribí con esa perspectiva, con la perspectiva de un escritor norteño.

NG. ¿Y sientes que todavía eres del norte y lo plasmas en tus escritos?

EAP. Sí, por supuesto. Llevo seis años y medio en el D.F. pero sigo pensando en términos norteños. Y me da gusto que en los últimos años los editores estén empezando a adoptar esta etiqueta, porque es como una etiqueta, es decir, los escritores del norte les interesan como grupo, y después de los editores vinieron los críticos, y finalmente nos juntamos nosotros, los escritores que no nos conocíamos, y decidimos seguir haciéndole ruido a este asunto.

NG. ¿Cuándo empezaste a escribir? Háblame del grupo El Panteón. Me contó Pedro de Isla que antes del Panteón hubo una especie de "pre Panteón"...

EAP. Sí, mira, fue algo muy curioso. Si mal no recuerdo, todo empezó con la escuela de la SOGEM, que ofreció un taller intensivo para escritores y se ubicó en la Biblioteca Central. Iba a durar once semanas, lo que en el D.F. se veía en dos años. Nos inscribimos ahí varios de los que después formaríamos el grupo El Panteón. Estaban Toscana, Ramón López, Rubén Soto, yo, Felipe Montes creo que también se inscribió, aunque no estoy seguro… y otro grupo de amigos. El grupo de la SOGEM era muy grande, si mal no recuerdo eran como unos 35 ó 40 alumnos.

Este número era grande, por lo que se volvía un poco tedioso, sobre todo las sesiones de los talleres. En la quinta semana el maestro invitado fue Emmanuel Carballo, y él le sugirió a Rogelio Reyes, maestro de la Normal Superior, que en vez de que estuviéramos en la escuela él apartara de ahí un grupo, además hizo una selección de escritores, mencionó un grupito. Rogelio le hizo caso y nos fuimos a la Normal Superior, a un taller que coordinó durante cerca de dos meses Héctor Alvarado…

NG. ¿Por qué Héctor? ¿Era más grande que ustedes o por qué?

EAP. Sí, era más grande que nosotros y además era el escritor más reconocido que había en la ciudad, como cuentista sobre todo. Rogelio lo contrató, le pagó la Normal y ahí hicimos ese taller. Estuvimos unos tres o cuatro meses ahí, y de los que después formamos el Panteón estábamos casi todos.

NG. Rogelio Reyes me dio una fotografía del grupo porque supo que yo estaba haciendo la tesis sobre ti.

EAP. Sí, no lo dudo. Éramos como unos diez o doce.

NG. Cuando me la dio me dijo "Esto es histórico".

EAP. Aparte de nosotros invitó a varios amigos de la Normal, que después nos hicimos cuates… Pero llegó un momento en que cambié de opinión, quizá había un ingrediente de soberbia, había un momento en que varios de nosotros decíamos "Tenemos que aventurarnos aún más, vamos a salirnos de aquí y hacer nuestro propio grupo".

Originalmente éramos ocho: Hugo Valdés, Rubén Soto, López Castro, David Toscana y yo, que fuimos los que permanecimos juntos muchos años, pero también estaba Alejandro González, que ahora trabaja en el periódico *Milenio*, estaba Felipe Montes, y también Antonio Tamez, quien creo que ya no escribe.

Estuvimos de seis a ocho meses y después hubo una siguiente purga... y nos quedamos cinco y los cinco permanecimos trabajando semana a semana, yo creo que durante ocho años, fue bastante largo. Con sus altibajos, pero básicamente trabajamos con bastante disciplina, había pleitos, había de todo, la llevábamos muy bien, éramos muy críticos... Cada vez que le tocaba a uno de nosotros exponer quería matar a los demás, eran unas críticas acidísimas, destructivas, horrorosas, pero sirvieron todas. Incluso el Panteón todavía se reunía en el 99, en mi casa, allá en la casa en donde vivía en Monterrey, pero finalmente terminó desbaratándose cuando yo me vine. Un tiempo se siguieron juntado los tres que quedaban y poco a poco se fueron esparciendo, ahora creo que David Toscana, por ejemplo, trabaja mucho con Felipe Montes. Yo trabajo con David Toscana un poco a la distancia, pero los tres seguimos haciendo lo mismo.

NG. Lo interesante es que aunque pertenecieron a un grupo, su literatura era y es muy diferente. Porque es diferente, por ejemplo, lo que escribe Toscana de lo que escribes tú. Acabo de presentar en El Paso una ponencia de *El ejército iluminado*.

EAP. Me encanta esa novela... Es buenísima, es cervantina. Por ahí yo la puse en un taller que doy, y una alumna me dijo que era la mejor novela del 68 que había leído porque todo era sublimado por el lado metafórico.

NG. De alguna manera me dices que el norte te sigue alimentando aun estando lejos. ¿Tú crees, por ejemplo, que tu libro *Parábolas del silencio* sucede en el norte?

EAP. Es puro norte... por supuesto. Hay cuentos en donde no menciono para nada el lugar donde ocurren las cosas, pero hay algunos relatos que son también muy identificables. Uno sucede en la orilla del río en Ciudad Juárez, otro en Hualahuises, por ejemplo; otros no dicen nada, algunos son ambientados en una ciudad que no tiene nombre pero que puede ser Monterrey, la puedes reconocer de alguna manera. Trato de quitar los signos más obvios, por ejemplo, la silueta del cerro

242

de La Silla, ya que muchas veces la tengo pero acabo eliminándola porque quiero que pueda ser representado en cualquier lado, pero de que los relatos son en el norte, no hay vuelta de hoja. Creo que el lugar donde creces te alimenta el imaginario para toda la vida, las historias las puede uno ir acarreando poco a poco conforme vas creciendo, conforme vas viviendo, pero toda esa atmósfera con la que vistes las historias te la dan la infancia y la adolescencia.

NG. Y esto finalmente viene en relación con la identidad, con quien es uno verdad. A veces surge esa discusión en la crítica: por qué se dicen ciertas cosas sólo del norte, si en el sur también hay narcotráfico, también hay violencia, hay desierto. ¿Cómo interpretas esto en términos de identidad?

EAP. Es muy distinto, mira, ahora mencionas al narcotráfico, y yo sigo insistiendo en que no hay una narrativa del narcotráfico todavía. Si ha habido algunas incursiones muy leves como las de Élmer Mendoza, por ejemplo, o quizá yo en algún cuento, tal vez alguna referencia, pero no estamos incursionando de lleno, aunque, bueno, yo sostengo en algún artículo que el narcotráfico es el contexto más que el tema. Es cierto hay narcotráfico en el sur, pero se maneja de manera distinta; hay desierto también, pero son más pequeños y distintos… Creo que es otra manera de ver la vida, de ver México, de ver el mundo. Es algo que se te va…, creo que para empezar esto tiene su origen en un devenir histórico especial, es decir, el norte ha sido el norte desde hace doscientos años y eso ha formado una visión muy específica de los norteños, que es este rechazo por ejemplo de todo lo que está hacia el sur, hacia el centralismo, hacia el Gobierno central. Es una sensación de autonomía, de independencia, de que todo mundo se hace por sí mismo sin ayuda del Gobierno ni de los recursos federales. Por otro lado, el desierto no nada más era el desierto; las ciudades estaban desiertas de alguna manera. Tú ves la arquitectura antigua de Monterrey y no tiene nada que ver con la del centro y sur de la República.

NG. ¿Y qué me dices de las iglesias?

EAP. Son muy distintas. Por ejemplo, en Monterrey la Catedral parece un pastel…

NG. Y todo pelón, la ciudad misma es pelona.

EAP. Sí, te acostumbras a un montón de cosas. Creo que también lo decía Ricardo Elizondo, y lo decía bien, que por ejemplo los malos olores no existen, sobre todo en los desiertos, nada se pudre, todo se seca, entonces no hay malos olores. Todo eso te va formando una visión, una cosmovisión. La cercanía de los gringos también, esa sensación de amor-odio tan arraigada que tienen en el norte con los gringos y también mucho conocimiento y mucha confianza sobre los Estados Unidos, porque vives tan cerca, tienes parientes viviendo allá, desde niño si tienes pasaporte pasas tranquilamente y pasas las veces que quieres, entonces llega un momento en que también se te hace cotidiana esa cercanía.

NG. Hace ratito le decía a mi hijo que cuando vengo al D.F. todavía me siento provinciana, y es porque la primera vez que vine fue hasta los dieciocho años. Antes fui a Corpus Christi, a San Antonio, a Laredo, pero la capital de México llegó a mí hasta la juventud.

EAP. Mira, hay un libro que lo leí y me disgustó porque hablaba de nuestro tema sin saber qué era. Se trata de *La Frontera de Cristal* de Carlos Fuentes. En uno de los relatos, cuando dice que las mujeres en la frontera, las señoras de dinero, se la pasaban envidiando a las del D.F., pensé "este tipo no las conoce". Christopher Domínguez me decía: "no, la gente del norte está pensando en Nueva York, no está pensando en la Ciudad de México, está pensando en Houston, en San Antonio", y Fuentes pone ahí que envidiaban a las capitalinas porque estaban a la moda, por los avances, por los lujos que tenían en sus casas y no, es muy distinto, en la mente del fronterizo están primero los Estados Unidos.

NG. ¿Qué piensas de la crisis de la modernidad, del mundo globalizado y de su impacto en la región norte? Te lo pregunto porque eres un escritor del siglo XXI y te ha tocado ver muy claramente todo este cambio en el país por la globalización. ¿Por qué lo reflejas en tus libros?, ¿qué es lo que te lleva a escribir de esos temas y no de otros que pudieran ser más filosóficos? Obviamente sí tratas esos otros aspectos en cierto nivel, por ejemplo en el cuento "La piedra y el río" que es muy filosófico, pero incluso ahí se toca toda esta cuestión de la frontera y de lo extranjero, es decir, son temas filosóficos, pero finalmente también está la carga política y social en tus libros, ¿por qué?, ¿qué te preocupa?

EAP. Bueno, me preocupa la situación de la gente en México, por supuesto, pero toda esta carga social y política que mencionas creo que se cuela de manera automática, aunque no sea la intención a la hora de escribir. Siempre he estado convencido de que las mejores novelas políticas y sociales son las que no tienen esa intención, las que simplemente reflejan la realidad. Creo que se cuelan los temas. Creo que ahora, como decían los niños, yo pinto lo que veo, escribo sobre el México contemporáneo y jamás he pensado en términos de globalización o en términos de política, pero creo que sí están en mis libros pues ya se ven en la vida cotidiana, en la vida normal de los mexicanos. Yo soy un admirador terrible de José Revueltas, pero creo que si hubiera acallado todas sus intenciones políticas y toda su propaganda hubiera sido mucho mejor escritor, porque creo que de toda la obra de Revueltas la más políticamente fuerte es *El Apando*, y no hay en ella una sola palabra de teoría ni de reflexión política.

NG. Y en *El luto humano* creo que también, ¿verdad?

EAP. Sí, bueno en *El luto humano* los personajes están sentados, pensando en su vida, pero también están pensando en las cuestiones laborales, igual que en *Los días terrenales*, ya el tema de plano lleva directo a esto porque es un tipo que va a organizar un sindicato. Ahora que lo dices, *El luto humano* es quizá la primera novela regiomontana o nuevoleonesa que hay.

NG. Que poco se había tocado Nuevo León en la literatura…

EAP. Exacto, y en *El luto humano* es en Nuevo León donde ocurre todo…

NG. Y Rodolfo Usigli, su obra de teatro *El gesticulador* también sucede en Nuevo León…

EAP. Sí, hay varias, pero que no se nota que son tan norteñas. *La familia lejana* de Carlos Fuentes sucede en Monterrey… Hay mucho sobre Monterrey…. Bueno, podríamos decir que Anacleto Morones es el Niño Fidencio.

NG. Felipe Montes me dice que ahora sí ya va a publicar su novela sobre el Niño Fidencio.

EAP. Sé que la estaba reduciendo. Creo que tenía más de mil cuartillas.

NG. Me dijo que posiblemente la va a sacar en cinco tomos y que va a ser medio independiente… Está bien la idea. Aunque en tu literatura tocas temas sociales y políticos, planteas aspectos directamente relacionados con la condición existencial, temas universales como el viaje en *Nostalgia de la sombra* y en cuentos como "La piedra y el río", "Traveler hotel"; o como el intento de viaje en "El escaparate de los sueños". ¿Qué significado tiene para ti el tema del viaje?

EAP. Quizá tenga mucho que ver con este asunto del nomadismo que me aventé desde niño. Ese nomadismo, además de llevarnos de una ciudad a otra, nos hacia viajar mucho. Todas las vacaciones íbamos a regresar a donde vivían los abuelos, a visitar a los tíos, porque además de nosotros curiosamente todos los tíos salieron de Guanajuato y vivieron en otras ciudades, fue algo muy extraño. Pero también tengo la condición de que en el norte hay mucha movilidad geográfica, es un territorio muy amplio, entonces creo que esa situación te invita al viaje, a salir, a moverte. Las distancias son largas también, es algo que me gusta mucho del norte, me gusta que me haya acostumbrado tanto a las distancias largas, y ahora aquí en el D.F. todo está muy cerquita. Además, el viaje siempre va a ser una experiencia, digamos, límite; siempre va a traer experiencias o sucesos nuevos, situaciones nuevas para el ser humano. Ese aspecto me gusta mucho explorarlo en mis personajes; ahí por ejemplo sí creo que hay una carga social evidente, porque los personajes en mis textos normalmente se mueven buscando un nivel de vida mejor, son los migrantes internos y migrantes internacionales, siempre tratando de encontrar dónde desarrollarse mejor, dónde poder vivir, dónde poder comer…

NG. Y al mismo tiempo me gusta que muestras la búsqueda de la utopía. Se me hace muy bien logrado. Por ejemplo, en el "Escaparate de los sueños" y la contrautopía excelente como la tratas en "Traveler Hotel".

EAP. Eran cuentos complementarios de alguna manera, sí, "La piedra y el río" y el "Escaparate de los sueños" y "Traveler". Había algo muy curioso, siento que no me he atrevido, o a lo mejor no me ha interesado, narrar más allá de la frontera, sólo en "Traveler..." está el más allá de la frontera, y si te fijas es un cuento más o menos fantástico, que se sale del realismo.

NG. Está buenísimo ese cuento, a mí me gusta muchísimo...

EAP. Y el hotel existe...

NG. ¿Ah, sí? Y medio surrealista también. La descripción de todos los personajes que se encuentran en el hotel, los ancianos por ejemplo, es excelente...

EAP. Es que estuvimos ahí, fíjate. Fue horrible. Andábamos buscando un hotel en San Antonio y fuimos a ése y salimos corriendo, era de pensionados de Estados Unidos, puros aldeanos, entonces decíamos "¡Nombre! ¡Vámonos de aquí!" Yo siempre he pensado que mis historias como que se topan con la línea fronteriza y ahí se detienen, salvo en "Traveler".

NG. ¿Por qué? Te das cuenta de que la línea fronteriza llega casi hasta Canadá, ¿verdad?

EAP. Sí, pero no sé. Me ha gustado de alguna manera permanecer fiel a todo el simbolismo que trae sobre todo el río Bravo, que siempre me ha parecido lleno de magia, de historias, de símbolos, una serie de cosas así, muy interesantes...

NG. Que también lo exploras mucho en "El límite de la noche"...

EAP. Sí, exacto. Ése fue mi primer libro, entonces como que tenía más reciente la vida en Nuevo Laredo.

NG. Al estudiar las ciudades latinoamericanas de la literatura del siglo XXI, Josefina Ludmer habla de cómo los personajes de Rulfo ahora viven en el D.F., cómo lo rural se desplazó a la ciudad y el nuevo habitante trata de sobrevivir a como dé lugar... ¿Cómo lo ves ahora que también vives en el D.F.?

EAP. Mira, yo creo que sí. La vida en lo que es la zona rural del país está prácticamente desapareciendo, y está desapareciendo porque ha sido trasplantada a las ciudades. Se nota, simplemente ves a la gente en la calle y dices "éstos son de...", puedes empezar a especular de qué pueblo pueden ser, de qué lugar vienen. Pero además, lo que sucede es lo mismo que lo que sucede en la migración a Estados Unidos, llegan al D.F. y se van acomodando en colonias donde están los que llegaron primero de su mismo lugar, y entonces la ciudad se va dividiendo en microzonas que son representativas de las áreas rurales. Por ejemplo, hay colonias oaxaqueñas, no sé si colonias, pero sí barrios, barrios de Oaxaca, barrios de Michoacán, barrios de todos lados, y lo mismo sucede allá en el otro lado, hasta puedes identificar dónde están los michoacanos en Los Ángeles o los poblanos en Nueva York. En literatura se está marcando poco a poco, sin que nos diéramos cuenta. Yo recuerdo una novela que me gustó mucho de Arturo Azuela, *Un tal José Salomé*, era la historia de un tipo que no emigró a la ciudad, la ciudad emigró a su tierra, entonces de repente su casa queda en medio de nuevas urbanizaciones que antes eran un pueblo y ahora resulta que ya vive en la ciudad. Eso me llama mucho la atención. Yo en Monterrey vivía en la Colonia Contry, y cerca del colegio Anglo Español había un terreno con una casa de cartón y ahí vivía una familia, y frente a eso dices "¿Qué sentirán?".

NG. También Ludmer habla de "las islas urbanas" y de cómo nacen sobrepuestas en la ciudad, así como las pintas tú, por ejemplo el espacio de los pepenadores en *Nostalgia de la sombra* o en "La vida real" el tiradero de basura donde viven los vagabundos, se puede ver un segmento de la sociedad viviendo dentro de una ciudad moderna que se conjuga una realidad premoderna. La época de las cavernas coexistiendo con la moderna.

EAP. Claro, viven en las cavernas. Ahora, a mí siempre me ha interesado también el estado intermedio. Tengo una cierta nostalgia por la literatura rural, pero creo que ya no se puede escribir literatura rural en esta época, entonces lo que hago es situar a los personajes muchas veces en el arrabal, en la orilla de la ciudad, que es lo que más me parece semejante a las atmósferas por ejemplo de Rulfo, a la época en que Rulfo escribía de los pueblos. Creo que ahora son los arrabales, pero sí tiene razón la autora. Se nota, se nota mucho.

NG. Y también lo que presentas en *Tierra de Nadie*, en "Los últimos", cómo se están perdiendo todos esos pueblitos porque la gente se va, los jóvenes se van a los Estados Unidos, y por el otro lado cómo los mayores se aferran a la identidad, los padres que no quieren irse y la lucha entre las generaciones.

EAP. Y ahí vas a encontrar ahora sí que cientos y miles de pueblos. Hay muchos municipios de Nuevo León donde la población, en vez de aumentar, ha disminuido en las últimas tres décadas. Ahora lo curioso es que normalmente disminuye la población, pero aumentan los recursos. Si te fijas, de repente empieza a llegar la modernidad por todas las remesas, parabólicas y trocas.

NG. Es lo glocal.

EAP. En ese cuento siempre me llamaron la atención los pueblos fantasma que abundan en el norte, y mucho antes de las migraciones y fantasmas que se han vuelto a poblar. Pienso por ejemplo en Real de Catorce, y entonces te empiezas a preguntar por qué se fueron.

NG. También se acaba el mito de la lucha entre el salvaje que estaba en el área rural y se vino ahora a la ciudad, pero ¿quién es el salvaje realmente?

EAP. Sí, en la ciudad también está la tradición de lo que era en el siglo XIX el peladito, o a principios del siglo XX el lépero, que sigue siendo lo mismo, ¿no?, aunque, claro, se están enriqueciendo con los nuevos que llegan, pero son los primeros que abusan de los que van llegando…

NG. Y además en la ciudad también en las clases altas empieza la barbarie, crímenes de jóvenes, actos de vandalismo, etcétera.

EAP. Sí, en todos los niveles sociales yo creo que es lo mismo, nada más que con ciertos grados de sofisticación.

NG. La civilización y la barbarie, que antes era como un binomio muy diferenciado, ahora ya no puedes diferenciarlo.

EAP. No. Y además, si te fijas, por ejemplo, los capos de la droga, o mejor dicho, los subcapos, normalmente salen de las clases más altas porque son los que quieren entrarle como negocio, y quieren entrarle a lavar el dinero; por ejemplo, pienso en el Cartel de Tijuana porque eran los narcojuniors, y supongo que en Monterrey ya se empieza a dar…

NG. Éste es el caso de Damián Reyes Retana, el personaje de *Nostalgia de la sombra* que es el jefe del protagonista. Es un personaje muy interesante, que aunque no está tan desarrollado porque no era el motivo de la novela, hay en él implícitas muchas ideas, por ejemplo sus estudios en el extranjero…

EAP. Sí, como si fuera uno de los Chicago Boys, y que también creo que deben existir por aquí en todos lados ese tipo de gentes, reclutadores para solucionar problemas.

NG. En tu novela se decía que "Monterrey es medio aburrido si se compara con la criminalidad de Tijuana", pero ahora, con todo lo que ha pasado en Nuevo León, pues ya es otra la realidad.

EAP. Pero fíjate que esos comentarios yo los escuchaba cuando trabajaba en el periódico. Trabajé en la nota roja en el *Extra*, y lo curioso es que los que hacían esos comentarios, uno de ellos fue el director del *Mañana* que mataron de veintitantas puñaladas en Nuevo Laredo, Roberto Mora, que era uno de mis jefes ahí en el diario, y otro que no era mi jefe pero éramos muy amigos, era el otro editor de Policía, que ahora es director del *Mañana* en Matamoros, Agustín Lozano. Acabo de leer un libro de un autor que no recuerdo su nombre en el que hace un viaje de Matamoros a Tijuana por toda la frontera, y ahí se entrevista con Agustín Lozano. Ahora ya están viviendo el horror los mismos periodistas de la nota roja, porque si se atreven a publicar ciertas cosas, arriesgan sus vidas.

NG. En Monterrey, el año 2007 ha sido terrible en cuanto a ejecuciones y a la muerte de gente inocente.

EAP. Es terrible cuando empiezan las ejecuciones, cuando empiezan a matar por accidente, las balas perdidas, y te preguntas a qué se debe, ¿se esta incrementando la violencia? Pareciera que antes se cuidaban mucho de cometer ese tipo de cosas, matar a gente inocente, o quizá antes eran más precisos. Hace diez años iban y mataban a quien tenían que matar, iban directo, y no se equivocaban, pero ahora ya se empiezan a equivocar y eso es preocupante...

NG. Todos estos temas que aparentemente son un tanto locales, sin embargo, tienen el sello de la globalización, o como dicen los teóricos, de lo glocal. ¿Crees que, por ejemplo, un lector de la India pudiera identificarse con tus temas?

EAP. Sí, yo creo que sí, porque todos los relatos que escribo según yo se basan en meditaciones humanas universales. La geografía simplemente es un accidente en este caso, así como nosotros de repente leemos una novela ambientada en la India y nos podemos identificar. Leí una novela muy extraña sobre la migración, sobre la mafias de la migración y todo esto, entre África y España, y cuando la estaba leyendo pensaba que este tipo escribe muchas cosas muy parecidas a las que yo escribo, y a las que he visto y a las que se viven en México, entonces este asunto de las migraciones transfronterizas o de los indocumentados también es totalmente universal. Por ejemplo, te vas a Centroamérica y los nicaragüenses se brincan la barda para Costa Rica, los salvadoreños para Guatemala. Siempre están brincándose las fronteras de un lado para el otro. Y el sentido de la violencia, de las cuestiones de inseguridad, de incertidumbre de la existencia humana, también es totalmente universal, yo creo que cualquiera lo puede leer y entender e identificarse.

NG. Es muy paradójico que con la globalización hasta en eso estamos globalizados.

EAP. Sí, exacto.

NG. Me llama la atención que autores indios como Appadurai y Bhabba, que son especialistas en estudios culturales, estudian la migración y hablan mucho de la mexicana comparándola con la de muchos otros países.

EAP. Sí, bueno, yo creo que nuestra migración es el paradigma o el ejemplo mundial porque, se ha dicho muchas veces, no es una frontera que separa dos países, es una frontera que separa además dos culturas completamente distintas, dos religiones, el primero y el tercer mundo, dos maneras de ver el universo, la vida, entonces por eso dicen que la frontera entre México y Estados Unidos es quizá la frontera más ancha, pero también la más honda del mundo en ese sentido.

NG. Y también tu literatura ahonda en el tema de la frontera, y es otro tema social, cultural y político, con una connotación universal, ¿verdad?

EAP. A mí por ejemplo me gustan mucho los autores balcánicos. Los lees y te das cuenta de que aunque es otra frontera, yo la identifico mucho con la nuestra, precisamente porque es una frontera entre dos culturas distintas, la musulmana y la europea católica, y lleva varios siglos, y ves que tienen los mismos problemas que nosotros, las mismas broncas; claro, son un poco más violentos a la hora de dirimir sus problemas, pero...

NG. El semestre pasado tuve una alumna de República Checa que leyó *Tierra de nadie*, y me dijo "Me llama la atención cómo nos parecemos". ¡Increíble!, de República Checa, una chica de 21 años, y sí, finalmente son temas universales, por eso la coincidencia.

EAP. Sí, el ser humano en todos lados es igual.

NG. Sí, y eso es lo interesante de esta literatura del norte, que aunque por un lado es muy regional en un sentido valioso, tiene además una dimensión universal.

EAP. Exacto, claro, yo creo que es una preocupación compartida de todos los autores, este asunto de que no estamos haciendo sociología regional ni geografía, estamos haciendo literatura, eso es lo que queremos.

NG. Y en este sentido entraría un nuevo perfil del habitante de México que sería ése que está ubicado en lo glocal, en la cuestión regional y en la cuestión globalizada. ¿Tú sientes que hay un cambio?

EAP. Yo creo que sí lo hay, pero ha sido bastante paulatino porque, digamos, en las cuestiones regionales en la provincia, todo mundo nos sentíamos muy regiomontanos o muy culichis o muy tijuanenses, pero también nos sentíamos muy mexicanos, y quizá esa cercanía con la frontera alimentaba ese sentimiento de ser mexicanos también...

NG. Acabo de ir a una conferencia de Ricardo Elizondo y decía que finalmente lo que más te define es el idioma, y seguimos diciendo huerco, troca y bonche de "bunch", pero es tu bonche, tu troca... El lenguaje te da pertenencia.

EAP. Claro, y hay muchas otras palabras que vienen de los gringos pero que ya son nuestras. Fíjate que yo sentí eso desde la primera frontera que viví. Yo llegué a los trece años a Nuevo Laredo, y veía ahí el nacionalismo de mis compañeros que ni se daban cuenta de que lo tenían, pero yo lo sentía mucho más fuerte incluso que en Monterrey. Hay una cuestión inconsciente o subconsciente de que eres la trinchera y de que la estás defendiendo de alguna manera, aunque se celebrara el día de la Coneja en vez del día de Pascua, no importa, porque se celebraba el día de la Coneja con mariachis y no sé cuántas cosas más.

NG. ¿Y cómo afectó la globalización?

EAP. En el norte de México fue más fácil la globalización porque eras norteño, pero también eras mexicano, pero también vivías en contacto con los gringos y pasabas todo lo que querías, entonces llega un momento en que ya subes un escalón más arriba, que es la globalización mundial, y no te cuesta ningún trabajo. Creo que le cuesta más trabajo a la gente que vivió más cerrada, más encerrada en su región, quizá a los capitalinos, quizá a la gente del centro y sur de México. Nosotros estamos acostumbrados, por ejemplo, ahora que todas las mercancías gringas circulan tranquilamente por todo el país, nosotros las teníamos desde siempre, entonces no hay tanta novedad realmente.

NG. Hay un cuento que me parece muy valioso dentro de *Tierra de Nadie*, "El cristo de San Buenaventura": por un lado está toda la cuestión de captar el ambiente de la naturaleza, me parece excelente el lirismo, con descripciones e imágenes muy sugerentes. En este relato, por ejemplo, ¿cuál fue tu trabajo como escritor, como artesano de las palabras?

EAP. Bueno, principalmente consistió en trabajar la atmósfera. Yo quería que fuera una atmósfera enrarecida, muy mágica, a pesar de que estaba tratando un tema con absoluto realismo, y esa magia me la daba el bosque, la sentía. Otra de las cosas es la simbología: así como el río Bravo está lleno de símbolos, creo que el bosque está lleno de símbolos desde hace mil, dos mil años, siempre se creía que ahí estaban los malos espíritus, que ahí estaba la muerte, que salían brujas, y yo decía "Hay que aprovecharlo. Si estoy ambientando ya en este lugar el texto, tengo que trabajar bastante con el bosque"...

NG. ¿Fuiste a ese lugar?

EAP. Fíjate que ahí fueron mucho, mucho, los recuerdos infantiles de Iturbide. De niño, cuando vivíamos en Linares, no sé por qué extraña razón mi papá nos llevaba a Iturbide. Había una especie de parque privado con juegos infantiles que le abrían a mis papás y a mí me fascinaba esa atmósfera, todo ese bosque. Fui también a El Manzano, a Ciénega de González, a todo esto, anduve por ahí varios años, yendo seguido, y me fascinaba esta zona. Además el contraste, ¿no?, decías

"Cómo es posible que en Nuevo León, siendo mayormente desértico, con planicies, por ejemplo, en la frontera, existan estos paraísos".

NG. ¿En cuánto tiempo lo escribiste?

EAP. Me tardé muchísimo. Yo creo que es el cuento que más me tardé en escribir. La primera versión la escribí en once horas seguidas, en un café; es más, me acuerdo que fue en el Toks de Garza Sada, y luego a partir de ahí empezó el verdadero trabajo: me tardé ocho meses en trabajar ese cuento, y hasta la fecha, salvo que me encariñe después más con éstos (refiriéndose al libro de cuentos que tenía en la mano), ése es mi cuento favorito.

NG. Y además ahí el tema se me hace muy interesante. En ese cuento se da el encuentro entre la modernidad, los valores de la Ilustración, de apostarle a la razón, al sano juicio, y por otro lado el fanatismo…

EAP. Sí, las religiones telúricas, cosas así extrañas, sí…

NG. Y eso hablaría también de que tú sí crees en la razón…

EAP. Sí, y también me inquieta mucho todo lo demás, todo lo que no es parte de la razón…

NG. Ese inconsciente que está ahí…

EAP. Sí, me inquieta y me atrae, me atrae muchísimo toda esta religión natural, si les podemos llamar de alguna manera, religiones naturales, creencias, supersticiones, fanatismos. Acá por ejemplo también ya tomo más de lleno la cuestión de las creencias religiosas en México.

NG. Que también estaría en "La piedra y el río"…

EAP. Sí…

NG. Con Dolores, ¿verdad?…

EAP. Fíjate, ahí yo andaba persiguiendo la creación de una leyenda. A mí siempre me han gustado las leyendas, ¿cómo se construye una leyenda?, ¿cómo podría construir una desde un punto de vista literario?

NG. Como un mito.

EAP. De hecho ese cuento intenté escribirlo tratando una Llorona norteña y finalmente salió otra cosa muy distinta. Y en "El cristo de San Buenaventura" yo traía clavada la idea desde niño de El flautista de Hamelin, me gustaba mucho esa historia y yo decía "Bueno, cómo se puede contar esa historia nuevamente, ahora un poco más actual, el hecho de un pueblo que se quede sin niños". Y es que estamos acostumbrados a las historias de pueblos que se quedan sin hombres, pero no a los pueblos que se quedan sin niños.

NG. Y ahí, por ejemplo, es donde está la creatividad del escritor, en reinventar temas que no son nada fáciles…

EAP. O en tratar de rescatarlos, ¿no?

NG. O tratar de rescatarlos de otra manera, porque los temas son los mismos. Una vez que presenté en un congreso una ponencia sobre *Nostalgia de la sombra* relacionaba mucho tu literatura con Albert Camus, y Miguel Rodríguez Lozano me preguntó: ¿qué pensaría Parra de esa relación con Camus? Yo creo que son temas que están ahí desde hace mucho, y tú los trabajas de otra manera…

EAP. Camus… Bueno, a mí me gusta mucho "El extranjero", y el extranjero mata porque hace mucho calor… Sí, ya lo decía Borges en algún momento de su vida, y yo siempre lo repito, que toda la narrativa universal podría reducirse a cinco temas. Eso lo dijo cuando era joven, tenía apenas sesenta años, y ya al final de su vida lo pensó mejor y dijo "No, sólo hay dos temas en toda la narrativa universal y son éstos: el perseguido y el perseguidor", y sí, tiene su lógica, fíjate: una historia de amor, una historia de ambición, una historia de muerte, una historia de venganza, siempre, en todas ellas, hay un perseguidor y un perseguido.

NG. De poder...

EAP. Sí, de todo. Digo, no creo que encaje en todos, pero sí en un 90 por ciento.

NG. Bueno, hay un cuento que también está muy bien logrado, "Viento invernal". Es muy impactante. ¿Cómo logras recrear al personaje? Porque es una mujer, el embarazo, el rechazo al nuevo hijo. Se trata de otra aldea rural dentro de la ciudad, la isla urbana, la chocita donde viven en plena ciudad con las maquiladoras y el progreso. Ahí están muy claramente los mundos sobrepuestos, los segmentos sociales empalmados, la miseria y el progreso, el mundo de la modernidad, la premodernidad, el espacio cibernético que obviamente tiene que estar ahí.

EAP. Es cierto, la globalización ahí está con las maquiladoras... Fíjate que no me acuerdo cómo empieza a generarse ese cuento, me acuerdo muy bien que después de escribirlo tuve asesoría femenina en varias cosas: mi mamá lo leyó, por ejemplo, no me acuerdo quién más, pero la idea era que me dijeran, a ver, tú que no crees en esto, y en realidad sí hubo algunas cosillas que modifiqué, pero no fueron demasiadas. Yo creo que lo que hay que hacer es un ejercicio de imaginación bastante fuerte, meterte en la condición femenina, que a mí me gusta, de hecho traigo muchos personajes femeninos, cómo te diré, observar a las mujeres, ver cómo piensan, cómo reaccionan, y también cuáles son sus broncas, sus principales broncas; por ejemplo, ese personaje podría ser arquetípico nacional: la mujer abandonada por un marido, dejada a sus propias fuerzas, y que de repente se mete en broncas peores.

NG. Y la descripción del frío, el frío que también es interesante, el contraste entre cuentos del calorón al frío...

EAP. Exacto, el frío de Juárez. Bueno, eso también es una de las cosas que señalan, significan, determinan al norte. El clima me parece impresionante. Siempre se dice que en el norte hubo hombres y mujeres muy duros a causa del clima, yo creo que sí, los calorones en verano y el frío en invierno. Yo conocí también el verdadero frío cuando llegué a vivir a Ciudad Juárez, ahí fue donde dije "ah, jijo…"

NG. Recientemente fui a El Paso y había cero grados, y un aironazo, un viento que se cuela…

EAP. Sí, porque también, si te fijas, salvo la montaña Franklin no hay nada que detenga el aire…

NG. Todo pelón…

EAP. Sí, todo es planito, y de repente se oyen las tolvaneras del desierto y todo eso, incluso en verano. Recuerdo en Juárez, las primeras veces que iba veía, sobre todo en invierno, que ibas en el carro en la noche o a la hora que fuera y de repente aparecían los chamizos como en las películas de vaqueros, y tú decías "¡Nombre! No lo puedo creer".

NG. Y este cuento tiene una carga política, esa modernidad que empieza a buscarse desde Porfirio Díaz con el "Orden y Progreso", después con los gobiernos priístas y el "milagro mexicano", y ahora con el modelo neoliberal, pero, ¿qué significa realmente la modernidad para alguien como esa mujer?

EAP. No les llega, no les llega nunca. Están marginados, es gente que es tomada por el progreso para hacer un trabajo, como esclavos, y no les da absolutamente nada, porque no les alcanza, viven en la misma situación en la que pudieron haber vivido hace doscientos años…

NG. No tuvieron que haber salido de su tierra, ¿verdad? Viven como hace doscientos años o peor…

EAP. Sí, ves los índices de progreso y estábamos mejor en el Porfiriato.

NG. ¿Cómo te sientes más realizado, con el cuento o con la novela?

EAP. Fíjate que con los dos…

NG. A mí me encanta la novela. Habrá quien diga que eres mejor cuentista, pero bueno, era tu primera novela y a mí me gusto muchísimo.

EAP. Las críticas que llegué a leer, las negativas, vamos, a mí no me convencieron las razones que daban. Por ejemplo, decían que por qué no había más personajes, o que se centraba en un solo personaje, y yo decía "Bueno, ¿y cuál es la bronca?" Se decía que tenía mucho de cuento, aunque de eso sí estoy consciente, porque así lo quería.

NG. Pero eso no es ningún problema, al contrario, es una aportación de la técnica narrativa…

EAP. Fíjate que yo siempre tuve la idea de que Pedro Páramo era la novela de un gran cuentista, cómo abre los fragmentos, cómo los cierra. Yo decía que ése es uno de los grandes valores de Pedro Páramo, abrir y cerrar cada fragmento con la fuerza de un cuento, y es lo que yo intente hacer con la novela. A mí me gusta mucho la novela. Creo que se ha tardado más en llegar a ciertos lectores, pero ahí va, poco a poco… Fíjate que me he encontrado lectores sólo de la novela, por ejemplo, la semana pasada fui a San Luis a un taller y habían estudiado nada más mi novela, los cuentos no, y yo dije "Mira, qué buena onda"… Me preguntabas que dónde me siento más a gusto, y yo creo que me siento a gusto en los dos géneros, muy, muy a gusto en los dos. Claro, he practicado mucho más el del cuento por razones cuantitativas, es obvio: tengo cuatro libros de cuento y una novela, pero me gustan los dos, creo que tienen diferentes desafíos, diferentes grados de dificultad, creo que es más difícil el cuento, tendría que decir esto, sí, y es mucho más laboriosa la novela, por supuesto. Siempre que me preguntan cuál sería la diferencia, recuerdo que Toscana me dijo una vez "Mira, es muy fácil: el cuento cuenta un asesinato y la novela la historia de un asesinato". Así puedes definirlo perfectamente… O la historia del asesino. La novela me gustó mucho porque creo que llega a profundidades que, por supuesto, en los cuentos nunca he llegado, a profundidades psicológicas del personaje, quizá también la cuestión del retrato de la ciudad, de todo esto; pero también el cuento me gusta por esa intensidad, por esa rapidez. Yo intenté darle la misma intensidad a la novela, e incluso hubo lectores que se quejaron de eso también…

NG. ¿De que está muy intensa?

EAP. Sí. Decían que la novela debe tener espacios planos. Yo no estoy de acuerdo, creo que hay que darle toda la intensidad al relato.

NG. ¿Y todos los días escribes?

EAP. Fíjate que no. Tengo una disciplina de trabajar nueve, diez horas diarias, pero en esas horas a veces nada más leo, o hago cosas para alimentarlas, y a veces nada más escribo, entonces lo normal es que haga las tres cosas: tres horas de esto, tres horas de lo otro y tres horas de lo de más allá. Pueden pasar semanas, o incluso meses, sin que escriba, pero no pueden pasar dos días sin que lea porque entonces sí me pongo de muy mal humor, y además para escribir necesito leer por lo menos hora y media…

NG. ¿Alimentarte?

EAP. Sí, alimentarme, pero además, fíjate, como que entro en un estado de hipnosis. La atmósfera adecuada para poder escribir sólo me la da la lectura

NG. ¡Qué padre! Cómo la literatura es capaz de meterse en ese mundo tan especial que te deja extasiado, ¿verdad? Leí recientemente "Nunca me abandones", de un autor inglés-japonés que se llama Ishiguro, buenísimo…

EAP. Conozco al autor.

NG. Es un poco como tu novela en lo que se refiere a la ambigüedad del género. *Nostalgia* es policíaca pero no lo es, aquélla es de ciencia ficción, pero no lo es. Resulta interesante cómo las novelas están ahora en los límites de los géneros porque...

EAP. Sí, la ambigüedad.

NG. La ambigüedad... Y es que, ¿qué es ahora lo policíaco, si los policías son los asesinos?

EAP. Exacto. Yo creo que ya vamos a decir que la novela policíaca desaparece como género y queda la novela negra, que en realidad también ya no se sabe cuál es porque la novela negra es la novela realista, simple y sencillamente. Por ejemplo, no me gusta meter nada ensayístico en mis textos. Me gusta, bueno, prefiero leer un libro de ensayos que una novela de ensayo. No sé, a lo mejor esto varía con el tiempo, pero siempre he tenido la convicción o la concepción de que la literatura tiene que ser acción, acción pura, acontecimientos, hechos...

NG. Menciona a tres escritores mexicanos que te hayan marcado o que te marcan en la actualidad.

EAP. Olvidamos a Rulfo y a Revueltas. ¿Actuales? ¿Vivos? Mira, de los vivos me gustan Guillermo Fadanelli, David Toscana... Daniel Sada me gusta mucho, hasta cierto libro, me gusta mucho lo anterior de Sada. Y no vivos, pero recientes, por ejemplo me gustaba Gardea, García Ponce, me impactaba siempre, a pesar de que siempre te contaba lo mismo...

NG. Pero bueno, eso es lo interesante...

EAP. Estoy consciente de que cada escritor tiene sus obsesiones y eso se refleja en todos los libros. Esos cinco temas que decía Borges, en su literatura, yo creo que hay cinco temas nada más, pero magistrales.

NG. ¿Cuál es tu relación con los personajes de tus textos? Por ejemplo, yo como lectora puedo en ciertos momentos enternecerme por ellos, o rechazarlos, pero ¿qué sientes tú por Maricruz, o por Bernardo, o por Ramiro?

EAP. Mira, procuro no encariñarme al principio. Es muy curioso porque muchas veces sé que les va a ir mal, y entonces para qué te encariñas tanto, ¿no? Pero normalmente con mis personajes, y con los textos en general, pasa que el cariño viene mucho después de publicado el libro. Siempre que publico un libro todavía estoy en la incertidumbre. Me empieza a gustar realmente cuando pasa el tiempo, y lo que me empieza a gustar son los recuerdos porque procuro no leerlos ya que están publicados, salvo en alguna lectura pública, pero normalmente te cansas de leer los mismos cuentos, y entonces hay muchas cosas que no he vuelto a leer. Ahora, por supuesto, trato de que mis personajes sean lejanos a mí, pero al estarlos construyendo los acerco lo más que puedo, y también creo que es inevitable, cada personaje carga una parte importante de su autor. Yo siempre he tratado de evitar la autobiografía, al menos en la construcción del personaje pero creo que eso es imposible, siempre se te van a ir tu manera de pensar, tu manera de ver el mundo; los rencores que tienes ocultos los transfieres a los personajes, los amores también, las nostalgias, y finalmente, cuando los veo ya terminados digo "No se parecen a mí, pero ahí estoy yo". Eso me llama mucho la atención: muchas de las opiniones de Ramiro sobre la ciudad yo creo que eran mías en algún momento, muchos personajes de los cuentos también quizá reaccionen como yo, quizá piensen como yo, aunque te digo que en cuestión de datos no tienen nada que ver conmigo.

NG. En *Nostalgia de la sombra* está muy fuerte el tema del mal. ¿Cómo lo construiste? Porque es un tema muy difícil, muy filosófico. ¿Tú crees que Bernardo no tenía otra alternativa más que la agresión para sobrevivir?

EAP. Sí, yo creo que sí. Creo que ni siquiera lo pensó, fue algo totalmente gratuito. En la novela se plantea cómo el protagonista, como cualquier hijo de vecino, como todos nosotros, estuvo toda su vida reprimiendo una parte de su naturaleza que es la violencia, y tuvo que haber sido víctima de la misma violencia para poder descubrir toda la que traía él adentro. Ahora, yo creo que eso es totalmente fortuito y ahí sí para que veas conozco algunos casos de gente que de repente lleva una vida normal y de un día para otro cambia, cambia radicalmente, o no es que cambie, sino que simplemente sale a la superficie algo que llevaba oculto. Me ha tocado ver gente que es empleada y de repente decide ir a asaltar un banco, o una licorería, una gasolinera, y tú te preguntas por qué, si nunca lo ha hecho, de repente sí lo hace; y muchas veces ni siquiera por cuestión económica, como los adolescentes que han matado recientemente en Monterrey, por ejemplo. Creo que una de las maneras en que pueda aflorar el mal, digamos, así en abstracto, es estar en contacto con él. El mal lo trae uno adentro, pero para que salga necesitas una oportunidad y tener cierto contacto...

NG. Y a la larga también somos incapaces de entenderlo.

EAP. Ahora, yo creo que, bueno, hablando de la novela, porque la novela está ambientada en Monterrey, y la sociedad regiomontana estuvo por décadas muy reprimida. Incluso creo que sigue estándolo, y ahora sí ya voy a hablar un poquito de sociología, pero siempre tuve la visión de que era una sociedad demasiado vertical, demasiado normativa, por eso me encantaba Monterrey de noche, porque ahí es cuando se desfogaba toda la gente, que tampoco era toda y eran sitios muy específicos, podías ir por ahí en Zuazua y Colón, Zuazua y Madero, todos esos barrios...

NG. ¿Y sólo cierto tipo de gente se daba sus permisos?

EAP. Pero si te fijas eran empleados. Los que yo veía, bueno, eran empleados y obreros, que están trabajando todo el día, porque estás en una ciudad con una ideología del trabajo duro, de progreso, de la productividad, y yo creo que eso también llega un momento en que te aplasta tanto por la presión que te revienta...

NG. Los escritores del Panteón, Felipe Montes, Toscana y tú, los tres, utilizando muy distintas perspectivas, tratan la desmitificación del trabajo regiomontano.

EAP. Claro, claro, y siempre con una situación de quiebre, en diferentes situaciones, pero con una situación de quiebre...

NG. Sí. En *El Enrabiado*, Felipe; en *Miguel Pruneda*, David; y en *Nostalgia*, tú...

EAP. *Pruneda*, por ejemplo. A mí me parece genial este asunto de estar toda la vida trabajando y que le hagan un homenaje porque ya se va... Yo recuerdo a un conocido que tenía sus diplomas de treinta años de nunca haber llegado tarde al trabajo y nunca haber faltado, y yo los veía y decía "¡Ay, canijo! A qué hora va a empezar a matar a los vecinos este hombre".

NG. Exacto. Pero es parte de una educación, ¿verdad? Todavía lo vivimos en mi generación y fue muy fuerte. Hay toda una domesticación del trabajo...

EAP. Sí. Creo que, incluso en la actualidad, mucha gente lo está viviendo así. Pienso en Monterrey, por ejemplo, y creo que la mayor parte de la gente lo sigue viviendo así...

NG. Lo tenemos interiorizado, no nos damos permiso...

EAP. Sí, exacto, y eso provoca explosiones que pueden ser de ira, o que pueden ser de abulia, pensando en *Miguel Pruneda*, de una abulia y de una enajenación total, o de violencia en el caso de *El Enrabiado*...

NG. Que al final de cuentas puede acabar en más violencia...

EAP. Sí, violencia genera violencia. Ahora, también creo que es una cultura, si no universal, sí mexicana, ¿no? México es un país violento, un país unido a la violencia desde el principio...

NG. Desde los aztecas...

EAP. Sí, y si ves toda la historia, e incluso dejando a un lado las guerras, el mexicano es un ser violento por naturaleza, desde siempre, y eso te hace pensar que de repente como que todas estas educaciones o lados del cerebro para ser más civilizados son como que forzados. Digo, por supuesto la educación es un forzamiento de la conducta, del instinto, de la naturaleza humana...

NG. Y ahí es donde la civilización y la barbarie se juntan...

EAP. Sí.

NG. Ya para terminar, ¿cómo te ves como escritor en unos años? ¿Cuál sería para ti el libro soñado?

EAP. El libro soñado sigo soñándolo. Creo que siempre será el libro por venir. Hay una cosa que a mí me llena de optimismo, que es una convicción más bien europea, que dicen que nadie es capaz de escribir nada interesante antes de los cuarenta años. Yo siempre digo que, hablando de mi generación, estamos prácticamente empezando... Creo que apenas está por venir todo. Uno va madurando, va afilando las técnicas, pero además también va decantando las temáticas y todo el material que va a escribir. Y entonces, bueno, si estamos empezando yo creo que hay mucho que dar...

NG. Y estás gozando también.

EAP. Sí.

NG. Eso es muy importante.

EAP. Sí, me encanta escribir, me encanta ver los libros que salen, cómo se publican, me gusta ver las reacciones, los comentarios...

NG. A mí la frase "Nada como matar a un hombre" se me hace genial. ¿Por qué no le pusiste así al libro?

EAP. Batallé muchísimo con el título… Se llamaba *La rebelión del* […], que parecía más bien un tratado de psicología, incluso a la editorial le gustaba más ese título que éste, pero yo quería algo menos referencial, más simbólico, y platicando con un amigo, un poeta de Hermosillo que se llama El oso Manríquez, le digo "No sé cómo ponerle a mi novela", y él me dijo "A ver, cuéntame de qué se trata", y le empecé a contar; le decía que tenía mucho que ver con el sol, y él me decía "¡Ah!, pues entonces se me ocurre uno que te ganó Borges: El elogio de la sombra", y pensé "Ése hubiera estado bueno". Además siempre me gustó *Nostalgia de la muerte*, entonces lo que hice fue barajar un poquito. Y la implicación de nostalgia por Monterrey.

NG. ¿Y la sombra son todas esas cuestiones internas que están ahí ocultas?

EAP. Por un lado, pero también por el otro el vivir en la sombra. Este tipo vivía en la sombra, en una especie de vida convencional, y también la extraña de repente, sobre todo cuando va a buscar a la mujer y cree que todos los del barrio son sus hijos y todo eso. Hubo una muchacha que es de Monterrey y la leyó aquí, y me decía que la leía en el metro y se le pasaban las estaciones porque le gustaba mucho, pero además le impresionaba la visión tan oscura que yo tenía de Monterrey, pero al verla en la distancia la entendía.

NG. Y finalmente, Eduardo, ¿quieres a Monterrey? Sí, ¿verdad? No podrías escribir así si no la quisieras.

EAP. Por supuesto, claro que quiero a Monterrey. Siempre la he extrañado.

Bibliografía selecta de fuentes primarias

Ainsa, Fernando, *Identidad cultural de Iberoamérica en su narrativa*, Madrid, Gredos, 1971

———, *La reconstrucción de la utopía*, Correo de la UNESCO (Colección: Reflexiones para el nuevo milenio), 1997.

Aldaco, Guadalupe Beatriz (comp.), *Literatura fronteriza de acá y de allá,* Instituto Sonorense de Cultura, Consejo Nacional para la Cultura y las Artes, Sonora, 1994.

Appadurai, Arjun, *Modernity at Large Cultural Dimensions of Globalization,* Minnesota, University of Minnesota Press, 2003.

Aries Philippe y Georges Duby, *Historia de la vida privada*, t. 1, Madrid, Taurus, 1990.

Augé, Marc, *Los no lugares. Espacios del anonimato. Una antropología de la sobremodernidad*, Barcelona, Gedisa, 2004.

Baba, Homi K., *The location of culture*, Londres, Routledge, 1994.

Bal, Mieke, *Teoría de la narrativa (Una introducción a la narratología),* traducción de J. Franco, Madrid, Cátedra, 1985.

Barba Orozco, Humberto (coord.), *Postmodernidad en el mundo contemporáneo*, México, ITESO, 1995.

Bartra, Roger, *Oficio mexicano,* México, Grijalbo, 1993.

Baudrillard, Jean, *La transparencia del mal*, traducción de Joaquín Jordá, Barcelona, Anagrama, 2001.

Bauman, Zygmunt y Keith Tester, *La ambivalencia de la modernidad y otras conversaciones*, Barcelona, Paidós, 2002.

———, *La globalización. Consecuencias humanas*, traducción de Daniel Zadunaisky, México, Fondo de Cultura Económica, 2004.

————, *Modernidad líquida*, traducción de Mirta Rosenberg, Argentina, Fondo de Cultura Económica, 2004.

————, *Modernidad y ambivalencia*, traducción de Enrique y Maya Aguiluz Ibargüen, Anthropos, Barcelona, 2005.

Bergson, Henri, *La Risa,* 4ª ed., Losada, Buenos Aires, 1962.

Berman, Marshall, *La experiencia de la modernidad*, México, Siglo XXI, 1989.

Bizberg, Ilán, Lorenzo Meyer, Francisco Alba *et al.*, *Una historia contemporánea de México,* 2 v., México, Océano, 2003.

Bourdieu, Pierre, *La distinción. Criterio y bases sociales del gusto,* traducción de María del Carmen Ruiz de Elvira, México, Taurus, 2002.

————, *La dominación masculina*, Barcelona, Anagrama, Colección Argumentos, 2000.

————, *Meditaciones Pascalianas,* traducción de Thomas Kauf, Barcelona, Anagrama, Colección Argumentos, 1999.

————, *Sociología y cultura*, México, Grijalbo, 1990.

Brunner, José Joaquín, *América Latina: cultura y modernidad,* México, Grijalbo, 1992.

Caballero, Bonald, Fundación (edit.), *Literatura y Sociedad. Un debate en los inicios del siglo XXI*, Jerez de la Frontera, 2004.

Cabrera López, Patricia, *Pensamiento, Cultura y Literatura en América Latina,* México, Plaza y Valdés, 2004.

Castillo Durante, Daniel, *Los vertederos de la postmodernidad. Literatura, cultura y sociedad en América Latina*, Canadá, Ottawa Hispanic Studies 23, 2000.

Castillo, Debra A. y María Socorro Tabuenca Córdoba, *Border Women, Writing from La Frontera*, Minneapolis, University of Minnesota Press, 2002.

Castillo, Manuel Ángel, Alfredo Lattes y Jorge Santibáñez (coords.), *Migración y fronteras*, México, Asociación Mexicana de Sociología, El Colegio de la Frontera Norte, El Colegio de México, Plaza y Valdés, 2000.

Castro-Gómez Santiago y Eduardo Mendieta (eds.), *Teorías sin disciplina. Latinoamericanismo, poscolonialidad y globalización en debate*, México, Porrúa, 1998.

Cásullo, Nicolás (comp.), *El debate modernidad postmodernidad,* Argentina, El Cielo por

Asalto, 1993.

————, Ricardo Forster, Alejandro Kaufman, *Itinerarios de la modernidad. Corrientes del pensamiento y tradiciones intelectuales desde la Ilustración hasta la postmodernidad,* Buenos Aires, Eudeba, 1999.

Chanady, Amaryll, *Latin American Identity and Constructions of Difference,* Minessota, University of Minessota Press, 1994.

Chatman, Seymour, *Historia y discurso: la estructura narrativa en la novela y el cine*, traducción de María Jesús Fernández Prieto, España, Taurus, 1990.

Colchero Garrido, Teresa (coord.), *Literatura Mexicana de la Modernidad*, México, Benemérita Universidad Autónoma de Puebla, Dirección General de Fomento Editorial, 2004.

Crosthwaite, Luis Humberto, *Estrella de la calle sexta*, México, Tusquets, 2000.

Cruz, Manuel y Gianni Vattimo (eds.), *Pensar en el siglo*, México, Taurus, 1999.

De Toro, A. y F. de Toro (edits.), *El debate de la postcolonialidad en Latinoamérica: Una postmodernidad periférica o cambio de paradigma en el pensamiento latinoamericano,* Madrid, TKKL-TCCL, 1999.

Eco, Humberto, *Apocalípticos e Integrados,* traducción de Andrés Boglar, Barcelona, Lumen, Tusquets, 1988.

Eliade, Mircea, *Mito y realidad*, Madrid, Guadarrama, 1968.

Elizondo Elizondo, Ricardo, *Setenta veces siete*, México, Castillo, 1987.

————, *Narcedalia Piedrotas,* Fondo de Cultura Económica, México, 2002.

————, *El Lexicón del noreste de México,* México, Fondo de Cultura Económica, 1994.

————, *Con la sangre en los confines*, Monterrey, Cátedra Alfonso Reyes, 2007.

Entrena Durán, Francisco, *Modernidad y cambio social*, Madrid, Trotta, 2001.

Escandon, Carmen Ramón, *Mujer e ideología en el México progresista,* México, El Colegio de México, 1987.

Escobar Latapí, Agustín, Frank D. Bean y Sydney Weintrub, *La dinámica de la emigración mexicana,* México, Miguel Ángel Porrúa, 1999.

Fernández Menéndez, Jorge, *El otro poder*, México, Nuevo Siglo, 2001.

Follari, Roberto y Rigoberto Lanz (comps.), *Enfoques sobre posmodernidad en América Latina,*

Caracas, Sentido, 1998.

Forster, E.M. *Aspectos de la novela*, traducción de Guillermo Lorenzo, Madrid, Debate, 1985.

García Canclini, Néstor, *Consumidores y ciudadanos,* México, Grijalbo, 1995.

———, *Culturas Híbridas. Estrategias para entrar y salir de la modernidad,* México, Grijalbo, 1989.

———, *Diferentes, Desiguales y Desconectados,* Barcelona, Gedisa, 2004.

———, *La globalización imaginada*, México, Paidós, 2002.

Gennete, Gérard, *Nuevo discurso del relato*, traducción de Marisa Rodríguez Tapia, Madrid, Cátedra, 1998.

Giddens, Anthony, *Consecuencias de la modernidad*, Madrid, Alianza, 2002.

———, *Un mundo desbocado. Los efectos de la globalización en nuestras vidas,* traducción de Pedro Cifuentes, México, Taurus, 2000.

Gómez Flores, Carlos, "Productos alimenticios", Segundas jornadas para la identidad de la cultura norestense, Monterrey, Gobierno del Estado de Nuevo León, México, 1987.

Gómez Montero, Sergio, *The Border. The Future of Postmodernity,* San Diego California, San Diego State University Press, 1994.

González, Luis, *Otra invitación a la microhistoria*, México, Fondo de Cultura Económica, 2003.

Grimson, Alejandro (comp.), *Fronteras, naciones e identidades: la periferia como centro,* Buenos Aires, Argentina, CICCUS-La Crujía, 2000.

Gutiérrez, Esthela (coord.), *La Globalización en Nuevo León,* México, UANL y El Caballito, 1999.

Guzmán, Nora (comp.), *Sociedad y Desarrollo en México*, Monterrey, Castillo, 2002.

——— (comp.), *Sociedad y Desarrollo en México* (edición revisada), Monterrey, Ediciones Regiomontanas, 2005.

Horkheime, Max y Theodor W. Adorno, *Dialéctica de la ilustración: fragmentos filosóficos,* Madrid, Trotta, 1998.

Keane, John, *Reflexiones sobre la violencia,* traducción de Josefa Linares de la Puerta, Madrid, Alianza, 2000.

Lipovetsky, Gilles, *El crepúsculo del deber: la ética indolora de los nuevos tiempos democráticos,* traducción de Juana Bignozzi, Barcelona, Anagrama, 2005.

———, *La era del vacío. Ensayos sobre el individualismo contemporáneo*, traducción de Joan Vinyoli y Michéle Pendanx, Barcelona, Anagrama, 2002.

Lyotard, Jean-Francois, *La condición postmoderna: informe sobre el saber*, traducción de Mariano Antolín Rato, México, Rei, 1990.

Magris, Claudio, *El anillo de Clarisse: tradición y nihilismo en la literatura moderna,* traducción de Pilar Estelrich, Barcelona, Península, 1993.

Maihold, Günther (comp.), *Las Modernidades de México. Espacios, Procesos, Trayectorias*, México, Porrúa, 2004.

Mendirichaga, Rodrigo, *Los cuatro tiempos de un pueblo: Nuevo León en la historia,* Monterrey, ITESM, 1985.

Menton, Seymour, *La nueva novela histórica*, Fondo de Cultura Económica, 1993.

Mercado, A. y E. Gutiérrez (edits.), *Fronteras en América del Norte,* México, UNAM, 2004.

Michaelsen, Scotty y David E. Johnson (comps.), *Teoría de la frontera: los límites de la política cultural*, Barcelona, Gedisa, 2003.

Moreira Rodríguez, Héctor, *Una visión del futuro de Nuevo León,* Monterrey, Nabis Comunicación & Imagen, 1994.

Moyano Pahisa, Ángela, *México y Estados Unidos: orígenes de una relación 1819-1861*, México, Ediciones UAQ, 2002.

Muytsaku, Kamilamba Kande, *La globalización vista desde la periferia*, México, ITESM, 2002.

Navia, Patricio y Marc Zimmerman (coords.), *Las ciudades latinoamericanas en el nuevo [des]orden mundial,* México, Siglo XXI, 2004.

Ong, Walter J., *Oralidad y escritura: tecnologías de la palabra,* México, Fondo de Cultura Económica, 1982.

Orozco Barba, Humberto (coord.), *Postmodernidad en el mundo contemporáneo,* México, ITESO, 1995.

Ortega Ridaura, Isabel (coord.), *El Noreste: Reflexiones*, Monterrey, Fondo Editorial de Nuevo León, 2006.

Pacheco, Carlos, *La comarca oral*, Caracas, La Casa de Bello, 1992.

Palaversich, Diana, *De Macondo a McOndo. Senderos de la postmodernidad latinoamerica-*

na, México, Plaza y Valdés, 2005.

Paredes, Alberto, *Las voces del relato*, México, Universidad Veracruzana, 1987.

Parra, Eduardo Antonio, *Nostalgia de la sombra,* México, Joaquín Mortiz, México, 2002.

————, *Tierra de nadie,* México, Era, 1999.

Paz, Octavio, *El laberinto de la soledad*, 6ª ed., México, Fondo de Cultura Económica, 1993.

————, *Tiempo nublado*, Barcelona, Seix Barral, 1983.

Perucho, Javier (comp.), *Estéticas de los confines*, Michoacán, Verdehalago, 2003.

Pimentel, Luz Aurora, *Relato en perspectiva*, México, Siglo XXI, 2002.

————, *El espacio en la ficción, México,* Siglo XXI, 2001.

Polkinhorn, Gabriel Trujillo Muñoz, Rogelio Reyes, *La línea: Ensayos sobre Literatura Fronte-*
riza México-Norteamericana, México, California, Editorial Binacional Universidad Autónoma de Baja California, Binacional Press Calexico California, 2000.

Prado, Gloria, *Creación, Recepción y Efecto*, México, Diana, 1992.

Ramón Escandón, Carmen (coord.), "Señoritas porfirianas: Mujer e ideología en el México progresista", *Presencia y transparencia: La mujer en la historia de México.*

Reis, Carlos, *Fundamentos y técnicas del análisis literario*, Madrid, Gredos, 1989.

Riccoeur, Paul, *Teoría de la Interpretación. Discurso y excedente de sentido*, traducción de
Graciela Monges Nicolau, México, Siglo XXI, 1995.

Roa, Armando, *Modernidad y Postmodernidad. Coincidencias y diferencias fundamentales,*
Chile, Andrés Bello, 1995.

Rodríguez Lozano, Miguel G., *El norte: una experiencia contemporánea en la narrativa*
mexicana, México, Fondo Estatal para la Cultura y las Artes de Nuevo León, 2002.

————, *Escenarios del Norte de México*, México, UNAM, 2003.

Rorty, Richard, *Contingencia, ironía y solidaridad*, Barcelona, Paidós, 1991.

Rosman, Silvia, *Dislocaciones culturales: nación, sujeto y comunidad en América Latina,*
Argentina, Beatriz Viterbo, 2003.

Rotker, Susan, *Citizens of fear: urban violence in Latin America*, Estados Unidos, Rutgers
University Press, 2002.

Ruiz, Ramón Eduardo y Olivia Teresa Ruiz (coord.), *Reflexiones sobre la identidad de los pue-*

blos, México, El Colegio de la Frontera Norte, 1996.

Safranski, Rüdiger, *El mal o el drama de la libertad,* traducción Raúl Gabás, Barcelona, Tusquets, 2000.

Sarlo, Beatriz, *Tiempo pasado. Cultura de la memoria y giro subjetivo. Una discusión*, Argentina, Siglo XXI, 2005.

Sassen, Saskia, "Spatialities and Temporalities of the Global: Elements for a Theorization"*,* en Arjun Appadurai (ed.), *Globalization*, Durham y Londres, Duke Up, 2001.

Schumacher, Ma. Esther (comp.), *Mitos en las relaciones México-Estados Unidos*, México, Fondo de Cultura Económica, 1994.

Secretaría de Economía, *Estadísticas Sociales del Porfiriato 1877-1910*, Dirección General de Estadística, México, 1956.

Simmel, Georg, *El individuo y la libertad, Ensayos de crítica de la cultura,* Barcelona, Península, 1998.

Skidmore, Thomas y Peter H. Smith, *Historia contemporánea de América Latina*, Barcelona, traducción de Carmen Martínez Gimeno, Grijalbo Mondadori, 1996.

Stiglitz, Joseph E., *El malestar de la globalización,* Argentina, Santillana, 2002.

Tacca, Oscar, *Las voces de la novela*, Madrid, Gredos, 1978.

Torres Medina, Francisco Vicente, *Esta Narrativa Mexicana. Ensayos y entrevistas,* México, Editora y Distribuidora Leega S. A., 1991.

Touraine, Alain, *Crítica de la modernidad*, traducción Alberto Luis Bixio, México, Fondo de Cultura Económica, 2002.

Urra Portillo, Javier, *Violencia: memoria amarga*, Madrid, Siglo XXI, 1997.

Valenzuela Arce, José Manuel (coord.), *Decadencia y auge de las identidades. Cultura nacional, identidad cultural y modernización*, México, El Colegio de la Frontera Norte, Plaza y Valdés, 2000.

———— (coord.), *Por las fronteras del norte: Una aproximación cultural a la frontera México-Estados Unidos,* México, Fondo de Cultura Económica, 2003.

———— (coord.), *Renacerá la palabra. Identidades y diálogo intercultural*, México, El Colegio de la Frontera Norte, 2003.

Vergara, Gloria, *Palabra en movimiento. Principios teóricos para la narrativa oral,* México, Praxis, Universidad Iberoamericana, 2004.

Vargas Llosa, Mario, *Historia de un deicidio,* Barcelona, Monte Avila, 1971.

Varios, *Historia de México,* vol. II, en México, El Colegio de México, 1981.

Varios, *Literatura y Sociedad. Un debate en los inicios del siglo XXI,* Jerez de la Frontera, Fundación Caballero Bonald, 2004.

Vásquez Rentería, Víctor Hugo, "The Long and Winding Road: las fronteras de Eduardo Antonio Parra", en Alfredo Pavón (edición, prólogo y notas), *Púshale un Cuento al piano (La ficción en México),* Instituto Nacional de Bellas Artes, 2003.

Verdú, Vicente, *El estilo del mundo: la vida en el capitalismo de ficción,* Barcelona, Anagrama, 2003.

Virilo, Paul, *Ciudad pánico. El afuera comienza aquí,* Argentina, Libros de Zorzal, 2006.

Zermeño, Sergio, *La desmodernidad mexicana*, México, Océano, 2005.

Zorrilla, Juan Fidel, *Historia de Tamaulipas*, Ciudad Victoria, Tamaulipas, UAT, 1977.

Zubiaurre, María Teresa. *El espacio en la novela realista.* México, Fondo de Cultura Económica, 2000.

Zweig, C. y J. Abrams (eds.), *Encuentro con la sombra,* traducción de David González y Fernando Mora, Kairós, Barcelona, 1992.

Referencias hemerográficas

Aguilar Camín, Héctor, "La invención de México", en *Nexos*, México, núm. 172, julio de 1993, pp. 49-61.

Brunner, José Joaquín, "Modernidad: Centro y Periferia", *Estudios Públicos*, núm. 83 (Invierno 2001), Chile, en http://mt.educarchile.cl/archives/modernidad_5_.pdf

Chabat, Jorge, "Narcotráfico y estado: El discreto encanto de la corrupción" *Letras Libres*, año VII, núm. 81, septiembre, 2005, pp. 14-17.

Cortés Colofón, Adriana, "El asesinato como una de las bellas artes", en "*Nostalgia de la sombra* de Eduardo Antonio Parra", *Tierra Adentro*, México, Conaculta, núm. 132, febrero-marzo,

2005, pp. 67-72.

Davis, Mike, "Planeta de ciudades-miseria, Involución urbana y proletariado informal", revista electrónica *New Left,* http://newleftreview.org/?issue=260

Habermas, Jürguen, "Modernidad un proyecto incompleto", en revista *Punto de Vista*, Buenos Aires, núm. 21, agosto de 1998, p. 9, http://www.cenart.gob.mx/datalab/download/Habermas/pdf

Jiménez, Arturo, "La violencia es un elemento esencial del hombre: Parra", en *La Jornada de en medio*, México, 5 de febrero de 2007, p. 12ª.

Lavin, Mónica, "Rebasar Fronteras", en *La Jornada Semanal*, México, núm. 573, 26 de febrero de 2006, Sección Hojeadas, http://www.jornada.unam.mx/2006/02/26/sem-hoje.html

Lojo, María Rosa, "Dos versiones de la utopía: Sensatez del círculo, de Angélica Gorodischer", en *Mujer y sociedad en América*, vol. I, Juana Arancibia, Instituto Literario y Cultural Hispánico, California, 1988, pp. 25-31.

López Badano, Cecilia, "Autoarqueologización, Minimalismo, *Clean* Realismo, la novela de saga familiar del norte al sur de Latinoamérica, o de Ricardo Elizondo a Griselda Gambado", en *Revista de Literatura Mexicana Contemporánea*, México, The University of Texas at El Paso y Eon Editores, año XI, núm. 31, vol.12, octubre-diciembre 2006, pp. XXII-XXIX.

Llerena, Alicia, "Espacio e identidad: narradores del norte de México", en *ConNotas. Revista de crítica y teoría literarias,* México, Universidad de Sonora, vol. III, núm. 3, 2004, pp. 193-213.

Marks, Camilo y Álvaro Matus, "Literatura: La Frontera", en revista electrónica http://www.quepasa.cl/revista/2002/10/31/t-31.10.QP.GUI.LIBROS.html

Moser, Walter, *Pour une grammaire du concept "transferi", applique au culturel,* Canadá, Documento publicado por Université d'Ottawa, Colección Cultural Transfers, 2001.

Palaversich, Diana, "Espacios y contra-espacios en la narrativa de Eduardo Antonio Parra", en *Texto Crítico*, Instituto de Investigaciones Lingüístico-Literarias, Universidad Veracruzana, núm. 11, julio-diciembre, 2002, pp. 53-73.

Parra, Eduardo Antonio, "Norte, narcotráfico y literatura", *Letras Libres*, año VII, núm. 82, octubre 2005, pp. 60-61.

————, "Por una narrativa del Norte", en *El Norte*, Monterrey, 8 de enero de 1994, Sección D,

Encuentro con el Arte, D-D2.

Rodríguez Lozano, Miguel, "Sin límites ficcionales: *Nostalgia de la sombra* de Eduardo Antonio Parra", en *Revista de Literatura Mexicana Contemporánea,* México, The University of Texas at El Paso y Eon Editores, vol. IX, núm. 21, octubre-diciembre, 2003, pp. 67-72.

Tabuenca Córdoba, María del Socorro, "Aproximaciones críticas sobre las literaturas de las fronteras", en *Frontera Norte*, México, Editorial, vol. 9, núm. 18, julio-diciembre, 1997, p. 22.

Torres Medina, Vicente Francisco, "Ricardo Elizondo; novela, destino y droga", en *Revista de Literatura Mexicana Contemporánea*, The University of Texas at El Paso y Eon Editores, año II, núm. 4, vol. 12, abril-junio, 1977, pp. 48-52.

Vázquez, Abraham, "Ricardo Elizondo. Todos sus rostros", *El Norte,* Monterrey, 3 de marzo de 2007, Sección Vida, p. 1.

——, "Diagnostica español del noreste", *El Norte,* Monterrey, 7 de marzo de 2007, Sección Vida, p. 4.

——, "Reivindica en Cátedra legado oral norestense", *El Norte*, Monterrey, 14 de marzo de 2007, Sección Vida, p. 3.

Villanueva Zarazaga, J., "Algunos rasgos de la geografía actual", en *Revista Bibliográfica de Geografía y Ciencias Sociales*, Universidad de Barcelona, vol. VII, núm. 342, 15 de enero de 2002, http://www.ub.es/geocrit/b3w-342.htm

Vilanova, Nuria, "El espacio textual de la frontera norte de México", en *Cuadernos de Literatura*, Bolivia, Publicación de la Carrera de Literatura, Facultad de Humanidades y Ciencias de la Educación, Universidad Mayor de San Andrés, núm. 30, 2000, pp. 5-30.

Williams, Raymond y Blanca Rodríguez, México, Universidad Veracruzana, 2002.

Zúñiga, Víctor, "Imágenes de la Frontera en la Política Cultural", *Journal Cultura del Norte,* abril-mayo, 1993, pp. 15-19.

Fuentes electrónicas

Castañeda, Eduardo, "Eduardo A. Parra: la negra realidad. La Entrevista", en http://www.puntog.com.mx/2003/20030124/ENA240103.htm

Consulado General de México en Austin Texas, en http://www.onr.com/consulmx/Gaceta/1996/
noviembre96-5.htm

Elizondo, Alfonso, "México Neoliberal", en http://www.elnorte.com/editoriales/nacional/696457/

Foucault, Michel, "Of other spaces. Heterotopias", en http://foucault.info/documents/heteroTo-
pia/foucault.heteroTopia.en.html

Gaggiotti, Hugo, "Ciudad texto y discurso. Una reflexión en torno al discurso urbano", en http://
www.ub.es/geocrit/sv-34.htm

Güemes, César, "Retoma Eduardo Antonio Parra el tema de la violencia en México", en http://
www.jornada.unam.mx/2002/11/28/07an1cul.php?origen=cultura.html

Grupo Coppan SC, "La migración mexicana en Estados Unidos", en http://www.onr.com/consul-
mx/Gaceta/1996/noviembre96-5.htm

Homero, José, "El Blog Mexicano-Literatura Mexicana", en http://gruporeforma. reforma.com/
parseo/printpage.asp?Folder=reforma/&categoriaid=51

Jiménez, Arturo, "La violencia es un elemento esencial del hombre: Parra", en http://www.jorna-
da.unam.mx/2007/02/05index.php?section=cultura&article=al2nlcul

Ostria González, Mauricio, "Literatura oral, oralidad ficticia", *Estud. filol.,* 2001, núm. 36 [citado
el 18 de septiembre de 2006], pp. 71-80, en http://www.scielo.cl/scielo.php?pid=S00711713200
1003600005&script=sci_arttext

Parra, Eduardo Antonio, "Notas sobre la nueva narrativa del norte", *La Jornada Semanal*, 27 de
mayo del 2001, en http://www.jornada.unam.mx/2001/05/27/sem-parra.htm

Perucho, Javier, "Un espejo cercano", en http://www.uweb.ucsb.edu/~sbenne00/unespejocercano.
html

Resa Nestares, Carlos, "Crimen organizado trasnacional: Definición, causas y consecuencias",
Universidad Autónoma de Madrid, en http://www.uam.es/personal_pdi/economicas/cresa/
text11.htm

Riella, Alberto, "Violencia y control social: El debilitamiento del Orden Social de la modernidad",
en http://www.robertexto.com/archivo14/viol_control_social.htm

Ruano, Silvia, "El Norte", 15 de abril de 2003, en http:/www.elnorte.com.

Trejo, Ángel, "Los talleres de creación literaria reflejan el desarrollo de las letras del noreste de México: Ofelia Pérez Sepúlveda", en http://www.conaculta.gob.mx/saladeprensa/2002/05mar/letras.htm.

Trujillo Muñoz, Gabriel, "Cruzan sus límites", en http://busquedas.gruporeforma.com/utilerias/imdservicios3W.DLL?JSearchformatS&file=MEX/REFORM01/00630/00630197.htm&palabra=cruzan%20sus%20límites&sitereforma, 17/07/2005.

Valdés, Hugo, "Lo más reciente del premio de cuento Juan Rulfo 2000, *Tierra de nadie* de Eduardo Antonio Parra", en http://www.librusa.com/columnista16.htm, 29/07/2004

Vaquera Vásquez de, S., "Constructing the Mexican-American Border. Wandering in the Borderlands: Mapping an Imaginative Geography of the Border", *Latin American Issues*, *14* (6), en http://webpub.allegheny.edu/group/LAS/LatinAmIssues/Articles/Vol14/LAI_vol_14_section_VI.html

Yepes, Heriberto, "El mito del escritor fronterizo", en http://busquedas.gruporeforma.com/utilerias/imdservicios3W.DLL?JSearchformatS&file=MEX/REFORM01/00423/00423938.htm&palabra=heriberto%20yepez&sitereforma

Diccionarios

Beristaín, Helena, *Diccionario de retórica y poética*, México, Porrúa, 1985.

Cirlot, Juan Eduardo, *Diccionario de símbolos*, Barcelona, Labor, 1979.

Elizondo Elizondo, Ricardo, *Lexicón del noreste de Mexico*, México, ITESM y Fondo de Cultura Económica, 1996.

Estébanez Calderón, Demetrio, *Diccionario de términos literarios,* Madrid, Alianza, 1999.

Pérez Rioja, J. A., *Diccionario de Símbolos y Mitos*, Madrid, Tecnos, 1984.

Reis Carlos y Ana Cristina M. Lopes, *Diccionario de Narratología,* Salamanca, Almar, 2002.

Diccionario del español usual en México, Colegio de México, México, 1996.

Diccionario de la Lengua Española, Real Academia Española (ed.), Madrid, 1994.

Diccionario panhispánico de dudas, Real Academia Española, Asociación de Academias de la Lengua Española (ed.), Madrid, Santillana, 2005.

Este libro se terminó de imprimir en agosto de 2009, en
los talleres de Grafo Print Editora, S.A.
para los interiores se utilizó papel cultural de 90 gr.
y Domtar felt de 270 gr. para los forros.
El cuidado estuvo a cargo del Fondo Editorial de Nuevo León.